高等学校应用型本科“十三五”规划教材(电子信息类)

电路分析基础

主　编　张昌玉
副主编　苑鹏涛　白亚梅　郭　宏
　　　　计京鸿　姜　桥　董　岩

HEUP 哈爾濱工程大學出版社

内容简介

本书是为满足应用型人才培养的教学需求,依据应用型人才培养的教学特点编写的。由浅入深地介绍了电路的基本概念和基本定律、常用电路元件和电路的等效变换、线性电阻电路的一般分析方法、电路的基本定理、动态电路的时域分析、正弦稳态电路的相量分析法、三相正弦交流电路、非正弦周期电流电路、二端口网络和非线性电路简介共10章。附录A和附录B介绍对电工仪表及常用电工工具及仪表的使用,附录C科普用电安全及防护常识。

本书可作为应用型高等院校应用电子、电子信息工程、通信工程、自动化、电气工程及其自动化等电气类专业的教材,也可供自学考试和成人教育有关专业选用,还可供科技人员参考使用。

图书在版编目(CIP)数据

电路分析基础/张昌玉主编.—哈尔滨:哈尔滨工程大学出版社,2016.2(2016.12重印)
ISBN 978-7-5661-1209-5

Ⅰ.①电… Ⅱ.①张 Ⅲ.①电路分析-教材 Ⅳ.①TM133

中国版本图书馆CIP数据核字(2016)第008349号

选题策划 吴振雷
责任编辑 张玮琪
封面设计 恒润设计

出版发行 哈尔滨工程大学出版社
社　　址 哈尔滨市南岗区东大直街124号
邮政编码 150001
发行电话 0451-82519328
传　　真 0451-82519699
经　　销 新华书店
印　　刷 哈尔滨工业大学印刷厂
开　　本 787 mm×1 092 mm　1/16
印　　张 16.5
字　　数 388千字
版　　次 2016年2月第1版
印　　次 2016年12月第2次印刷
定　　价 36.00元
http://www.hrbeupress.com
E-mail:heupress@hrbeu.edu.cn

前　言

电路分析基础是高等学校电气信息类和电子信息类各专业的基础课。通过本课程的学习,学生可获得电路的基本知识、基本理论、基本的分析方法和基本电路实验技能,为学习、提高专业技能打下坚实的基础。

本书主要是针对应用型本科院校和高等职业院校电气信息类专业编写的。根据“电路分析基础”课程的性质和任务,结合应用型人才培养目标和要求,本书精挑教材内容、简化理论推导,强化应用,贴近专业需求,从而达到易教、易学、易用的教学目的。在内容编排上注重结合应用型的特点,力求做到基础理论够用,对公式、定理的推导及证明从简;重点介绍电路的基本概念、电路的基本定理、电路的基本分析方法,突出理论应用于实践的特色,提高实践应用能力,为后续课程(电子技术基础、信号与系统、高频电子线路)的学习准备必要的电路理论知识和分析方法。

本书由张昌玉担任主编,苑鹏涛、白亚梅、郭宏、计京鸿、姜桥、董岩担任副主编。

在本书编写过程中得到了各参编院校领导和教师的大力指导和帮助,在此表示衷心感谢。

由于编者的水平有限,书中难免存在错误和不妥之处,恳请读者批评指正。

编者联系方式:z_changyu110@163.com。

编者

2016 年 1 月

目 录

第 1 章　电路的基本概念和基本定律

本章介绍电路模型及电路的一些基本概念，电路中常用的基本物理量，基尔霍夫定理。通过本章学习掌握基尔霍夫定理应用及参考方向在电路分析中的作用。

1.1　电路的基本概念

1.1.1　电路的组成及其基本功能

在实际生产和生活中，为了实现某种实际功能，用导线将一些具有电气特性的元件相互连接形成电流的通路，这就是实际电路。

以日常生活中的手电筒电路为例，如图 1－1(a)所示，实际电路一般由三部分构成。第 1 部分是电源电路，是为后续电路提供能量，它是产生电能和电信号的装置，如电池等；第 2 部分是负载电路，是将电能转换成其他形式的能量或者将电信号传输给其他的电路，如灯泡等；第 3 部分是传输和控制电路，它的作用是将电能传输给负载或对其进行相应的控制，如导线、控制电能通断的开关等。

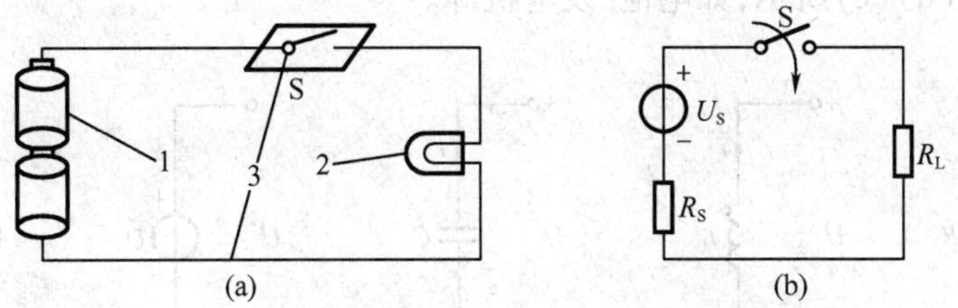

图 1－1　实际电路的组成和电路模型

实际电路概括地说有两方面作用。

一是对能量传输、转换的应用，如电力系统。发电机将其他形式的能源转换为电能，再通过变压器和输电线路将电能输送给企业生产线、办公场所及千家万户的用电设备，这些用电设备再将电能转换为机械能、热能、光能或其他形式的能量，具有这种功能的电路一般被称为电力电路。

二是实现信号的处理、转换和传输，如收音机或电视机电路，是将接收到的电信号经过调谐、滤波、放大等处理，使其成为人们所需要的其他信号。通信系统则是建立在信息的发送者和接收者之间用来完成信息的处理和传递的实际电路，这样的电路一般被称为电子电路。电路的这种作用在现代自动控制技术、通信技术和计算机技术中都得到了广泛的应用。

1.1.2 理想电路元件及电路模型

实际电气器件的电磁性质比较复杂，为了便于分析实际电路，人们根据实际器件的主要电磁性能引入一些由数学定义的假想电路元件，称为理想电路元件，简称元件。可将电路元件理想化（或称模型化），忽略其次要因素，将其近似地看作理想电路元件。例如白炽灯主要消耗电能，对电流呈现"阻力"的电阻性质，通过电流要消耗电能，又有磁能产生，磁能相对消耗的电能十分微弱，可以只考虑其消耗电能的性能而忽略其磁场的作用，故将白炽灯可近似看作纯电阻元件。

每种电路元件所表现的基本现象，都可以用精确的数字表达式来描述，都可以用确定的电磁性能和精确的数学定义。在一定条件下，用这些元件或元件的组合模拟实际电路中的器件，作为它的模型即为电路模型。

常用的电路模型有以下四种：

(1)电阻元件，把主要电磁特性为消耗电能的实际器件用电阻元件模型来表征，其电路模型如图 1-2(a)所示，如灯泡；

(2)电感元件，把主要电磁特性为存储磁场能量的实际器件用电感元件来表征，其电路模型如图 1-2(b)所示，如电感线圈等；

(3)电容元件，把主要电磁特性为存储电场能量的实际器件用电容元件模型来表征，其电路模型如图 1-2(c)所示，如电容器等；

(4)电源元件，把主要电磁特性为提供电能的实际器件或设备用电源元件来表征，其电路模型如图 1-2(d)(e)所示，如电池、发电机等。

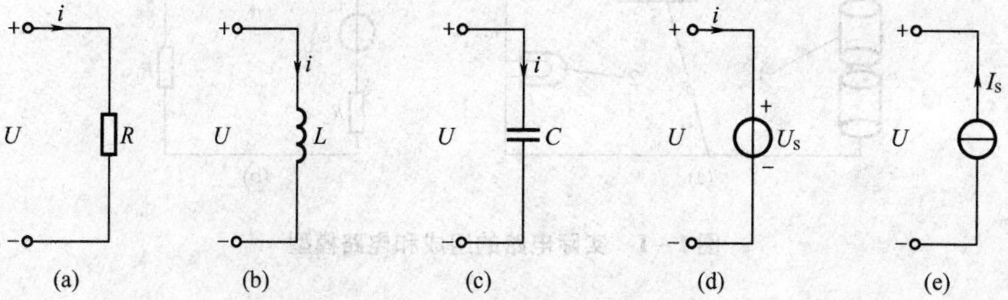

图 1-2 常用电路元件理想电路模型

用规定的电路符号表示各种理想元件而得到的电路模型图称为电路原理图，简称电路图。电路图只反映电器设备在电磁方面相互联系的实际情况，图 1-1(b)就是一个按规定符号画出的图 1-1(a)的电路图。

注意，理想元件不完全等同于电路器件，而一个电路器件在不同条件下的电路模型也可能不同；电路模型是对实际电路在一定程度上的近似反映，反映得越精确，建立的模型将越复杂；电路理论研究的对象不是实际电路，而是电路模型。电路模型简称为电路。从给定的电路模型研究功能就是电路分析；从给定电路的性能指标探讨如何构成一个符合要求的电路模型则是电路设计。

1.2　电路的基本物理量

1.2.1　电流及其参考方向

1. 电流

电荷定向移动形成电流。把单位时间内通过导体横截面的电荷量定义为电流强度，简称电流，用符号 i 来表示，即

$$i = \frac{dq}{dt} \tag{1-1}$$

习惯上规定正电荷运动的方向（即负电荷的反方向）为电流的实际方向。

大小和方向不随时间变化的电流叫作恒定电流或者直电流，简称直流（记作 DC 或 dc），一般用大写字母 I 表示，并有

$$I = \frac{q}{t} \tag{1-2}$$

式中，q 表示在时间 t 内通过的电荷量。

周期性变动且平均值为零的电流称为交变电流，简称交流（记作 AC 或 ac），其量值或方向随时间任意变化，通常用小写字母 i 或 $i(t)$ 表示。

本书物理量采用国际制单位制（SI）。电荷的单位是库仑，简称库，符号为 C；时间的 SI 单位为秒，符号为 s；电流的 SI 单位是安培，简称安，符号为 A；若每秒钟通过某处的电荷量为 1 C，电流为 1 A，则 1 A = 1 C/1 s。将电流 SI 单位冠以词头（见表 1-1），即可得到电流的十进制倍数单位和分数单位，常用的有千安（kA）、毫安（mA）、微安（μA）等。

表 1-1　常用 SI 词头

因数	10^9	10^6	10^3	10^2	10^1	10^{-1}	10^{-2}	10^{-3}	10^{-6}	10^{-9}	10^{-12}
名称	吉	兆	千	百	十	分	厘	毫	微	纳	皮
符号	G	M	k	h	da	d	c	m	μ	n	p

在通信和计算机技术中常用毫安（mA）、微安（μA）作为电流的单位。它们的关系是

$$1\ \text{mA} = 10^{-3}\ \text{A}$$

$$1\ \mu\text{A} = 10^{-6}\ \text{A}$$

2. 电流的参考方向

电流的方向是客观存在的，为了分析计算的方便，人们应用正负数的概念，用一个代数量同时表达电流的大小和方向。例如在图 1-3 中电流可从 a 流向 b 或相反，分别用 i_{ab} 和 i_{ba} 表示。电流的方向也可以用"→"表示。

对于一个给定的电路，很难直接确定某一电路元件中实际电流的方向。在电路分析

中，为了分析计算的方便，常常需要预先假设一个电流方向。这个预先假设的电流方向称为参考方向。

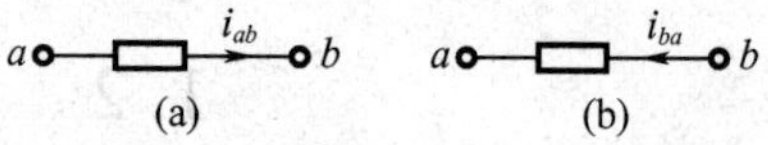

图1－3 支路电流的参考方向

电流的参考方向可以任意选定，但一经选定就不能再改变，规定了参考方向以后，电流就是一个代数量。若电流为正值，则电流的实际方向与参考方向一致；若电流为负值，则电流实际方向和参考方向相反。或者说，若电流的实际方向和参考方向一致，电流为正；若电流的实际方向和参考方向相反，电流为负。这样就可以利用电流的参考方向和电流的正负值来判断电流的实际方向。应当注意，在未规定参考方向的情况下，电流的正负号是没有意义的。

例如，如图1－3所示，当电流 $i=3\ \text{A}>0$ 时，表示电流的真实方向从 a 到 b，如图1－4(a)所示；当电流 $i=-3\ \text{A}<0$ 时，表示电流的真实方向从 b 到 a，如图1－4(b)所示。

1.2.2 电压、电位与电动势及其参考方向

电路中电流的存在伴随着能量的转换，电压或电位差就是用来描述电路这一特性的物理量。

1. 电压

电荷在电场（库仑电场）中从一点移动到另一点时，它所具有的能量的改变量只和这两点的位置有关，而与移动路径无关。电压这个物理量就是根据此定义的。电路中 a、b 两点间的电压为单位正电荷在电场力的作用下由 a 点移动到 b 点时减少的能量（也可说是电场力所做的功），用符号 u_{ab} 表示，即

$$u_{ab}=\frac{\mathrm{d}W_{ab}}{\mathrm{d}q} \tag{1-3}$$

式中 $\mathrm{d}q$——由 a 点移到 b 点的电荷量；

$\mathrm{d}W_{ab}$——转移过程中电荷减少的能量。

电压表明单位正电荷在电场力作用下转移时减少的电能，减少电能体现为电位的降低（从高电位点到低电位点），所以电压的方向是电位降低的方向。电压的SI单位是伏特，简称伏，符号为V，它等于1 C的正电荷沿电场力方向能量减少了1 J。在工程应用中经常用千伏(kV)、毫伏(mV)等单位。它们的关系是

$$1\ \text{kV}=10^3\ \text{V}$$

$$1\ \text{mV}=10^{-3}\ \text{V}$$

2. 电位

分析电子电路，常应用电位这一物理量。在电路中任选一点 O 作为参考点，则某点 a 的电位就是由 a 点到参考点 O 的电压，用 φ_a 表示，即

$$\varphi_a=u_{aO}$$

至于参考点本身的电位，乃是参考点对参考点的电压，显然为零，所以参考点又叫零电位点。

电压和电位的关系为 a、b 两点间的电压等于这两点间的电位之差，即

$$u_{ab}=u_{aO}+u_{Ob}=u_{aO}-u_{bO}=\varphi_a-\varphi_b \tag{1-4}$$

式中 φ_a——a 点电位；

φ_b——b 点电位。

所以两点间的电压等于这两点间的电位差，即电压又叫电位差。电位的单位也为伏特，符号为 V。

电位的参考点可以任意选定，参考点选择不同，同一点的电位相应不同，但电压与参考点的选择是无关的。在任意一个系统中只能选择一个参考点，至于如何选择参考点，则需要看分析计算问题的方便而定。常常选择大地、设备外壳或接地点作为参考点，电子电路中常选各有关部分的公共线上的一点作为参考点，参考电位点常用接地符号表示。

【例1-1】 电路如图1-4所示，已知 $u_{ab}=8$ V，$u_{bc}=2$ V，试确定在分别以 c、b 作为参考点时的 a、b、c 的电位值。

解

图1-4(a)，选 c 点为参考点，则 $\varphi_C=0$，$\varphi_a=u_{ac}=u_{ab}+u_{bc}=10$ V；如图1-4(b)所示，选 b 点为参考点，则 $\varphi_b=0$，$\varphi_a=u_{ab}=8$ V，$\varphi_C=u_{cb}=-2$ V。

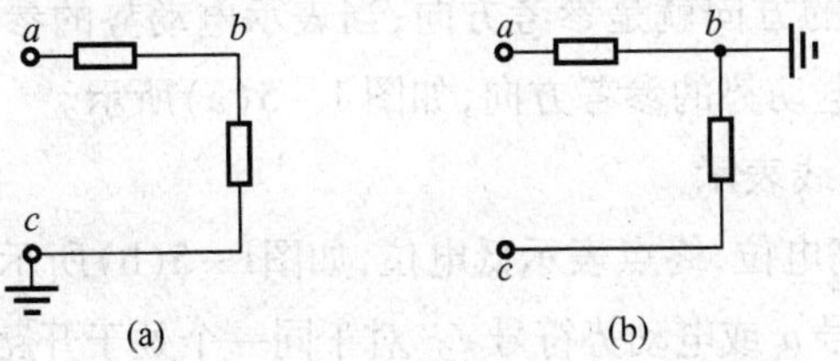

图1-4 【例1-1】图

3. 电动势

在电场力的作用下，正电荷是从高电位点向低电位点移动。为了形成连续的电流，在电源中正电荷必须从低电位点移到高电位点。这就要求在电源中有一种电源力，正电荷在电源力的作用下将从低电位处移向高电位处。例如在发电机中，当导体在磁场中运动时，导体内便出现这种电源力，这种电源力是由电磁作用产生的，电池中的电源力是由电解液和极板间的化学作用产生的。由于电源力而使电源两端具有的电位差叫作电动势。电动势表明了单位正电荷在电源力的作用下转移时增加的电能，用 e 表示，即

$$e=\frac{\mathrm{d}W_S}{\mathrm{d}q} \tag{1-5}$$

式中 $\mathrm{d}q$——转移的电荷量；

$\mathrm{d}W_S$——转移过程中电荷增加的电能。

增加电能体现为电位的升高（从低电位点到高电位点），所以规定电动势的方向是电位升高的方向。把电位高的一端叫作正极，电位低的一端叫作负极，则电动势的方向规定从负极到正极。电动势的单位为伏特，符号为 V。

按电压和电动势随时间变化的情况，可以分为直流电和交流电。如果电压、电动势的量值与方向都不随时间而变动，则分别称为直流电压、直流电动势，分别用符号 U 和 E 表示。周期性变动且平均值为零的电压和电动势称为交变电压、交变电动势，分别用符号 u 和 e 表示。

4. 电压、电动势的参考方向

电压也像电流一样，需要指定参考方向。如图 1－5 所示，假设 a 为高电位，b 为低电位，电压的参考方向有以下三种表示方法：

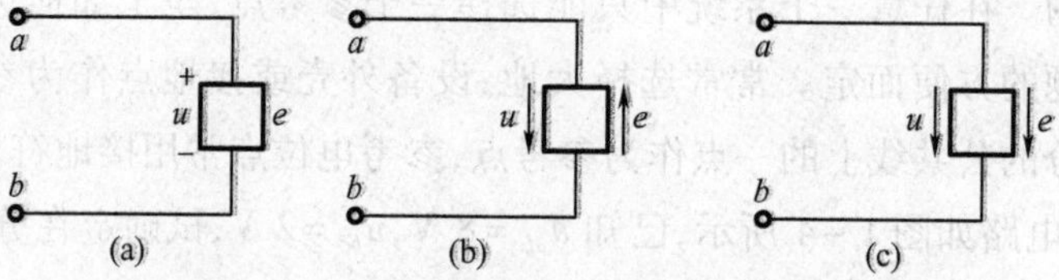

图 1－5　电压和电动势的参考方向

(1)采用参考极性表示

“＋”号表示高电位端，“－”号表示低电位端。当表示电压的参考方向时，标以电压符号 u，这时正极指向负极的方向就是参考方向；当表示电动势的参考方向时，标以电动势符号 e，负极指向正极就是电动势的参考方向，如图 1－5(a)所示。

(2)采用带箭头的实线表示

用“→”的起点表示高电位，终点表示低电位，如图1－5(b)所示，用带箭头的实线表示在电路图上，并标以电压符号 u 或电动势符号 e。对于同一个处于开路状态的电源设备，它的电动势与电压方向相反而量值相等。若选择电动势和电压的参考方向相反时，如图 1－5(b)所示，则有 $e=u$；若选择电动势的参考方向和电压的参考方向一致时，如图 1－5(c)所示，则有 $e=-u$。

(3)采用双下标表示

如图1－5(c)所示，如 u_{ab} 表示电压的参考方向是由 a 指向 b；e_{ba} 表示电动势的参考方向是由 b 指向 a。

在电路分析中，经计算如果 $u_{ab}>0$，表示实际电位是 a 点高于 b 点；如果 $u_{ab}<0$ 则表示实际电位是 b 点高于 a 点。电路中电压的实际方向由参考方向和计算的结果共同决定。

5. 关联参考方向

支路的电流和端钮间的电压分别叫作支路电流和支路电压。支路电流参考方向和支路电压参考方向可以分别独立规定。一个支路电流、支路电压，可以选择一致的参考方向，叫作关联参考方向，即电流的参考方向是从电压的“＋”极流入，“－”极流出，如图 1－6(a)所示；也可以选择不一致的参考方向，即电流从电压参考方向的负极性端流入，

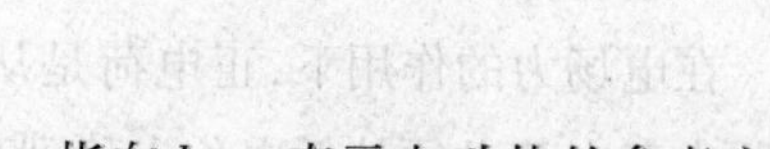

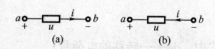

图 1－6　关联和非关联参考方向

正极性端流出，叫作非关联参考方向，如图 1－6(b)所示。

1.2.3　电功率和电能

电路分析中除了电流和电压以外，电功率和能量也是常用物理量。用来衡量传送或转换电能的速率，简称功率。其量值定义为微时间段 Δt 内所传送或转换的电能 ΔW 与 Δt 之比，当后者趋于零时的极限，即

$$P \overset{\text{def}}{=\!=\!=} \lim_{\Delta t \to 0} \frac{\Delta W}{\Delta t} = \frac{dW}{dt} \tag{1-6}$$

实际的电气设备、元器件本身都有功率的限制，即额定功率。在使用时要注意其电压、电流是否超过额定值。若超过额定值（即过载），设备或元器件就会损坏，或是不能正常工作。

电路元件的电功率取决于元件两端电压和所在支路和电流。当正电荷从元件的高电位经过元件移动到低电位点时，电场力对电荷做正功，此时称元件吸收（消耗）电能或吸收（消耗）功率；当正电荷从元件的低电位经过元件移动到高电位点时，电场力对电荷做负功，此时称该元件为发出电能或发出功率。

某一电路元件两端电压和电流取关联参考方向时，定义吸收功率

$$P = \frac{dw}{dt} = ui \tag{1-7}$$

功率的 SI 单位为瓦特（W），1 W＝1 V×1 A。常用的单位还有千瓦（kW）、毫瓦（mW）等。它们的关系是

$$1\ \text{kW} = 10^3\ \text{W}$$

$$1\ \text{mW} = 10^{-3}\ \text{W}$$

如果所选定的电压和电流取非关联参考方向，则式(1－7)就代表从该电路“发出”的功率。一段电路实际是吸收功率还是发出功率，要同时依据计算时所选择的电压、电流参考方向和计算结果的符号来判定。

【例 1－2】　电路如图 1－7 所示，已知 $U_1 = 1$ V，$U_2 = -6$ V，$U_3 = -4$ V，$U_4 = 5$ V，$U_5 = -10$ V；$I_1 = 1$ A，$I_2 = -3$ A，$I_3 = 4$ A，$I_4 = -1$ A，$I_5 = -3$ A，试求各元件的功率，并判断实际是吸收功率还是发出功率。

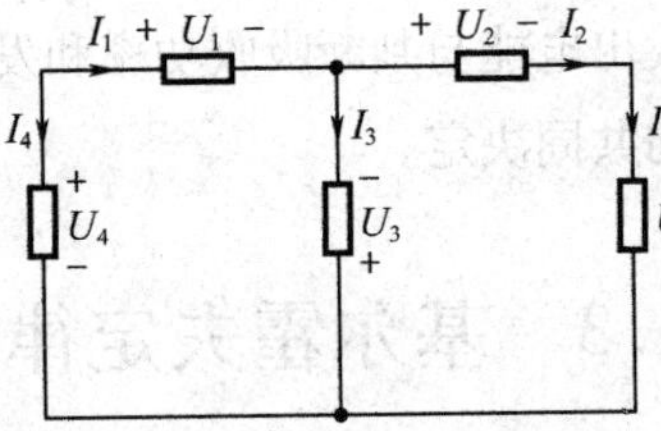

图 1－7　【例 1－2】图

解

根据已知条件得

(1) U_1、I_1 关联参考方向,定义吸收功率,则

$$P_1 = U_1 I_1 = 1\ \text{V} \times 1\ \text{A} = 1\ \text{W} > 0$$

实际电路元件确实吸收 1 W 功率。

(2) U_2、I_2 关联参考方向,定义吸收功率,则

$$P_2 = U_2 I_2 = (-6\ \text{V}) \times (-3)\ \text{A} = 18\ \text{W} > 0$$

实际电路元件确实吸收 18 W 功率。

(3) U_3、I_3 非关联参考方向,定义发出功率,则

$$P_3 = U_3 I_3 = (-4)\ \text{V} \times 4\ \text{A} = -16\ \text{W} < 0$$

发出 -16 W 功率,实际电路元件确实吸收16 W功率。

(4) U_4、I_4 关联参考方向,定义吸收功率,则

$$P_4 = U_4 I_4 = 5\ \text{V} \times (-1)\ \text{A} = -5\ \text{W} < 0$$

吸收 -5 W 功率,实际电路元件确实发出 5 W 功率。

(5) U_5、I_5 非关联参考方向,定义发出功率,则

$$P_5 = U_5 I_5 = (-10\ \text{V}) \times (-3\ \text{A}) = 30\ \text{W} > 0$$

实际电路元件确实发出 30 W 功率。

注意:电路中各元件发出功率的总和等于吸收功率的总和,这就是电路的"功率平衡"。

判断实际电路元件是吸收功率还是发出功率的一般分析方法:

(1)当 u 和 i 在关联参考方向下时,定义吸收功率。

如 $P>0$,元件确实吸收功率;

如 $P<0$,元件确实发出功率。

(2)当 u 和 i 在非关联参考方向下时,定义发出功率。

如 $P>0$,元件确实发出功率;

如 $P<0$,元件确实吸收功率。

元件吸收的电能可根据电压的定义求得,从 t_0 到 t 时间段内的电能可表示为

$$W = \int_{q(t_0)}^{q(t)} u \mathrm{d}q = \int_{t_0}^{t} u(\xi) i(\xi) \mathrm{d}\xi \tag{1-8}$$

判断元件是吸收电能还是发出电能与判断吸收功率和发出功率一样,要由式(1-8)的计算结果和电流电压的参考方向共同决定。

1.3 基尔霍夫定律

基尔霍夫定律是于 1845 年由德国物理学家古斯塔·基尔霍夫提出的。基尔霍夫定律是电路理论中的最基本也是最重要的定律之一,它包括基尔霍夫电流定律和基尔霍夫电压定律。它是对电路结构的约束,概括了电路中电流和电压分别遵循的基本规律。为了说明

基尔霍夫定律，有必要介绍电路结构中常用的基本术语。

1.3.1　电路结构的基本术语

电路是由多个电路元件按照一定的实际电路功能要求，用导线将它们互相连接而成。电路元件是构成电路的基本单元。元件互相连接方式不同，电路的结构也不同，电路结构通常用支路、节点、回路、网孔等术语来描述。下面就以图 1－8 为例说明各术语的描述对象。

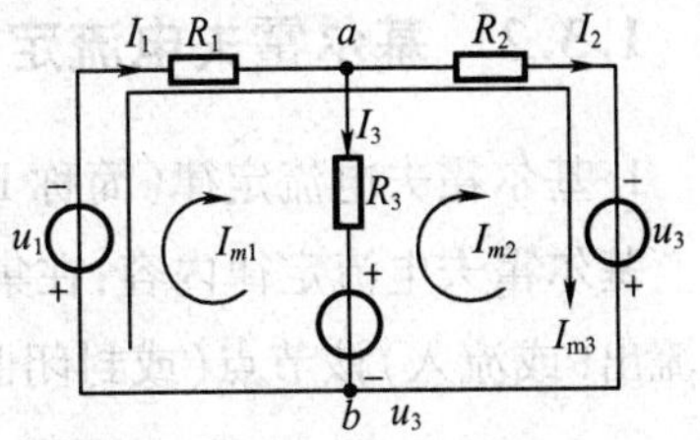

图 1－8　描述电路的基本术语电路图

1. 集总参数电路

实际电路中使用的电路部件一般都和电能的消耗现象及电、磁能的储存现象有关，它们交织在一起并发生在整个部件中。假定在理想条件下，这些现象可以分别研究，并且这些电磁过程都分别集中在各元件内部进行，这样的元件称为集总参数元件，简称为集总元件。由集总参数元件构成的电路称为集总参数电路。

2. 分布参数电路

分布参数电路是必须考虑电路元件参数分布性的电路。参数的分布性指电路中同一瞬间相邻两点的电位和电流都不相同。这说明分布参数电路中的电压和电流除了是时间的函数外，还是空间坐标的函数，如远距离的输电线和电视天线的馈线等。

3. 支路

流过相同电流的电路分支为一条支路。如图 1－8 所示电路中有三条支路。

4. 节点

两条以上支路的汇合点称为节点。如图 1－8 所示电路有两个节点，分别为节点 a 和节点 b。

5. 路径

在节点 a 到节点 b 之间，由 k 条不同的支路和 $(k-1)$ 个不同的节点（不含 a 和 b）依次连接成的一条通路称为 a 到 b 的路径，节点 a 和 b 分别称为节点的起点和节点的终点。两个节点路径通常不是唯一的。

6. 回路

回路是由支路构成的闭合路径。回路有顺时针和逆时针两个方向，可以用箭头“↻”或“↺”直接在电路图上表示回路的方向。如图 1－8 所示电路有三个回路。

平面电路是将电路画在平面上，除了节点之外，任意两条支路都不交叉，否则称为非平面电路。

7. 网孔

平面电路的内部或外部不包含任何支路，将这样的平面电路称为网孔。

(1) 内网孔

内部不存在任何支路的网孔称为内网孔，如图 1－8 所示电路中网孔 1 和网孔 2 为内网孔。

(2)外网孔

外部不存在任何支路的网孔称为外网孔，如图 1－8 所示电路中网孔 3 为外网孔。

1.3.2　基尔霍夫电流定律(KCL)

1. 基尔霍夫电流定律(简称 KCL)

基尔霍夫电流定律内容：在集总参数电路中，针对任一节点(或封闭曲面 S)，在任一时刻流出(或流入)该节点(或封闭曲面 S)的支路电流代数和恒等于零，即

$$\sum i_k = 0 \text{(}i_k\text{ 表示第 }k\text{ 条支路电流)} \tag{1-9}$$

电流的“代数和”是根据电流是流入节点(或封闭曲面 S)还是流出节点(或封闭曲面 S)来判断的。当流出电流取“+”号时，流入电流取“－”号，反之亦然。

对上述形式进行转换，KCL 可以说成任一时刻，流出任一节点(或封闭曲面 S)电流的代数和等于流入该节点(或封闭曲面 S)电流的代数和，即

$$\sum i_{\text{流出}} = \sum i_{\text{流入}} \tag{1-10}$$

若电路含有 n 个节点，具有$(n-1)$个独立节点，可列写$(n-1)$个独立的 KCL 方程，此时独立 KCL 方程对应的独立节点可任意选择。

【例 1－3】　如图 1－9 所示，已知 $I_5 = 5$ A，$I_6 = 3$ A，$I_7 = -8$ A，$I_5 = 9$ A，试计算图所示电路中的电流 I_8。

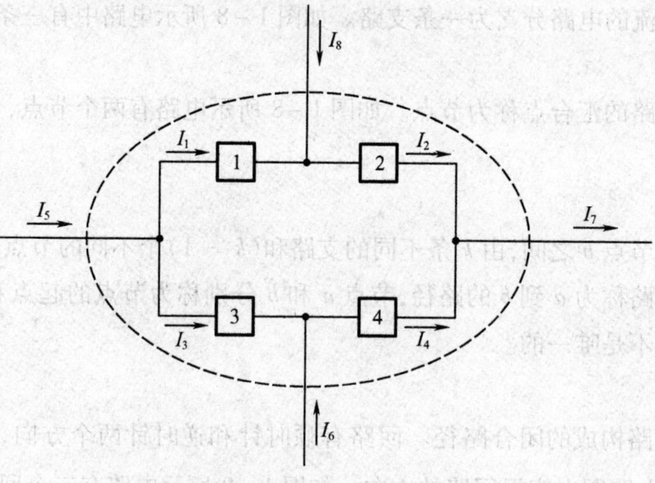

图 1－9　【例 1－3】图

解

在电路中选取一个封闭曲面，如图 1－9 中虚线所示，根据 KCL 定律可知：

$$I_5 + I_6 + I_8 = I_7$$

则
$$I_8 = I_7 - I_5 - I_6 = -8 - 5 - 3 = -16 \text{ A}$$

1.3.3　基尔霍夫电压定律(KVL)

基尔霍夫电压定律内容:在集总参数电路中,任一时刻,沿任一回路各元件电压的代数和恒等于零,即

$$\sum u_k = 0 \quad (u_k \text{ 表示第 } k \text{ 个元件上的电压}) \tag{1-11}$$

确定电压的"代数和"需要指定任一回路的绕行方向。元件上电压 u_k 的参考方向与回路绕行方向相同时,u_k 前面取"+"号;元件上电压 u_k 的参考方向与回路绕行方向相反时,u_k 前面取"-"号。

对上述形式进行转换,KVL 可以说成任一时刻,沿任一回路,各元件电压降的代数和等于电压升的代数和,即

$$\sum u_{电压降} = \sum u_{电压升} \tag{1-13}$$

对于 n 个节点、b 条支路的电路来说,具有 $b-(n-1)$ 个独立的回路,可以列写 $b-(n-1)$ 个独立的 KVL 方程。

【例 1-4】 电路如图 1-10 所示,已知部分支路电压,求出其他支路电压。

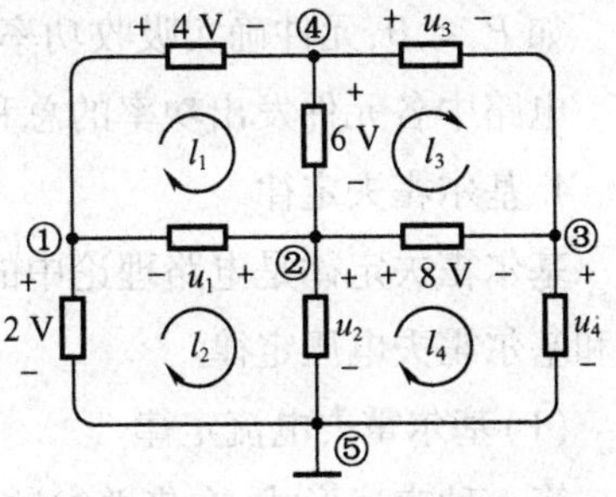

图 1-10　【例 1-4】图

解

分别对包含待求电压的回路列写 KVL 方程:

回路 l_1:$u_1 = -6\text{V} - 4\ \text{V} = -10\ \text{V}$

回路 l_2:$u_2 = u_1 + 2\ \text{V} = -8\ \text{V}$

回路 l_3:$u_3 = 6\ \text{V} + 8\ \text{V} = 14\ \text{V}$

回路 l_4:$u_4 = -8\ \text{V} + u_2 = -16\ \text{V}$

基尔霍夫定律与集总参数电路元件性质无关。基尔霍夫电流定律是对与节点相连的支路电流的约束,基尔霍夫电压定律是对回路中所包含的支路电压的约束。因此基尔霍夫定律也称为电路的结构约束,它们是建立电路方程的重要依据,是任何集总参数电路必须遵循的规律。

重点串联

1. 电路模型

电路模型是在一定条件下抽象的、准确反映实际电器件主要电磁特性的元件。

理想元件不完全等同于电路器件,而一个电路器件在不同条件下的电路模型也可能不同;电路模型是对实际电路在一定程度上的近似反映,反映得越精确,建立的模型将越复杂。常用的电路模型有以下四种:

(1)电阻元件,如灯泡;

(2)电感元件,如电感线圈等;

(3)电容元件,如电容器等;

(4)电源元件,如电池、发电机。

2. 参考方向

对于一个给定的电路,很难直接确定某一电路元件中实际电流的方向。在电路分析中,为了分析计算的方便,常常需要预先假设一个电流方向。这个预先假设的电流方向称为参考方向。

一个支路电流、支路电压,可以选择一致的参考方向,叫作关联参考方向,即电流的参考方向是从电压的“+”极流入,“-”极流出;也可以选择不一致的参考方向,即电流从电压参考方向的负极性端流入,正极性端流出,叫作非关联参考方向。

3. 电功率的计算

判断实际电路元件是吸收功率还是发出功率的一般分析方法:

(1)当 u 和 i 在关联参考方向下时,定义吸收功率。

如 $P>0$,元件确实吸收功率;

如 $P<0$,元件确实发出功率。

(2)当 u 和 i 在非关联参考方向下时,定义发出功率。

如 $P>0$,元件确实发出功率;

如 $P<0$,元件确实吸收功率。

电路中各元件发出功率的总和等于吸收功率的总和,这就是电路的“功率平衡”。

4. 基尔霍夫定律

基尔霍夫定律是电路理论中的最基本也是最重要的定律之一,它包括基尔霍夫电流定律和基尔霍夫电压定律。

(1)基尔霍夫电流定律

第一种表述形式:在集总参数电路中,针对任一节点(或封闭曲面 S),在任一时刻流出(或流入)该节点(或封闭曲面 S)的支路电流代数和恒等于零,即

$$\sum i_k = 0 \quad (i_k \text{ 表示第 } k \text{ 条支路电流})$$

电流的“代数和”是根据电流是流入节点(或封闭曲面 S)还是流出节点(或封闭曲面 S)来判断的。当流出电流取“+”号时,流入电流取“-”号。

第二种表述形式:任一时刻,流出任一节点(或封闭曲面)电流的代数和等于流入该节点(或封闭曲面)电流的代数和,即

$$\sum i_{\text{流出}} = \sum i_{\text{流入}}$$

若电路含有 n 个节点,具有$(n-1)$个独立节点,可列写$(n-1)$个独立的 KCL 方程,此时独立 KCL 方程对应的独立节点可任意选择。

(2)基尔霍夫电压定律

第一种表述形式:在集总参数电路中,任一时刻,沿任一回路各元件电压的代数和恒等于零,即

$$\sum u_k = 0 \quad (u_k \text{ 表示第 } k \text{ 个元件上的电压})$$

确定电压的“代数和” 需要指定任一回路的绕行方向。元件上电压 u_k 的参考方向与回

路绕行方向相同时，u_k 前面取"+"号，元件上电压 u_k 的参考方向与回路绕行方向相反时，u_k 前面取"-"号。

第二种表述形式：任一时刻，沿任一回路，各元件电压降的代数和等于电压升的代数和，即

$$\sum u_{\text{电压降}} = \sum u_{\text{电压升}}$$

对于 n 个节点、b 条支路的电路来说，具有 $b-(n-1)$ 个独立的回路，可以列写 $b-(n-1)$ 个独立的 KVL 方程。

习　题　1

一、填空题

1. 所谓电路，是由电器件相互连接而构成的________的通路。

2. 通常，把单位时间内通过导体横截面的电荷量定义为________。习惯上把________运动方向规定为电流的方向。

3. 单位正电荷从 a 点移动到 b 点能量的得失量定义为这两点间的________。

4. 电压和电流的参考方向一致，称为________方向；电压和电流的参考方向相反，称为________方向。

5. 电压和电流的负值，表明参考方向与实际方向________。

6. 若 $P>0$（正值），说明该元件________功率，该元件为________；若 $P<0$（负值），说明该元件________功率，该元件为________。

7. 有 n 个节点，b 条支路的电路图，其独立的 KCL 方程为________个，独立的 KVL 方程数为________。

8. 任一电路中，产生的功率和消耗的功率应该________，称为功率平衡定律。

9. 基尔霍夫电流定律（KCL）说明在集总参数电路中，在任一时刻，流出（或流入）任一节点或封闭面的各支路电流的________。

10. 基尔霍夫电压定律（KVL）说明在集总参数电路中，在任一时刻，沿任一回路巡行一周，各元件的________代数和为零。

二、选择题

1. 电压是________。

A. 两点之间的物理量，且与零点选择有关

B. 两点之间的物理量，与路径选择有关

C. 两点之间的物理量，与零点的选择和路径选择都无关

D. 以上说法都不对

2. KVL 是________的结果。

A. 电荷守恒定律的必然　　B. 能量守恒定律的必然

C. 电荷守恒定律和能量守恒定律的必然　　D. 以上说法都不对

3. 在题图 1－1 所示电路中，若已知 $U_S=20$ V，则 $I=$________。

A. 1 A

B. －1 A

C. 3 A

D. －3 A

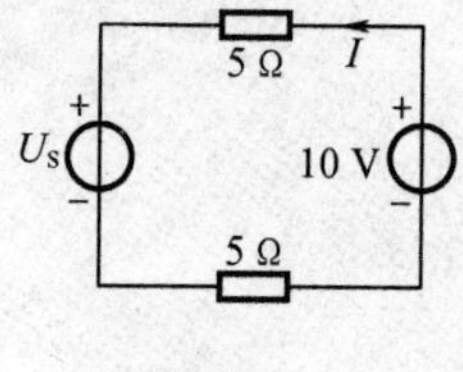

题图 1－1

4. 如题图 1－2 所示电路中，若已知 $I = 2/3$ A，则 $R =$ ________。

A. 4 Ω　　B. 5 Ω　　C. 6 Ω　　D. 7 Ω

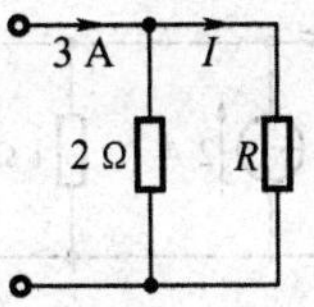

题图 1－2

5. 题图 1－3 所示电路中电流 I 为 ________。

A. 8 A　　B. 0.5 A　　C. －0.5 A　　D. －8 A

题图 1－3

6. 题图 1－4 所示电路中的 I 为________。

A. 2 A　　B. －2 A　　C. 1 A　　D. －1 A

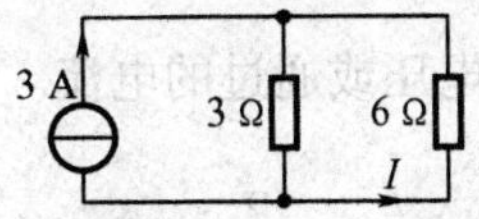

题图 1－4

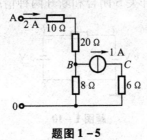

7. 电路如题图 1－5 所示，B、C 两点间的电压 U_{BC} 为________。

A. 2 V　　B. 8 V　　C. 0 V　　D. －2 V

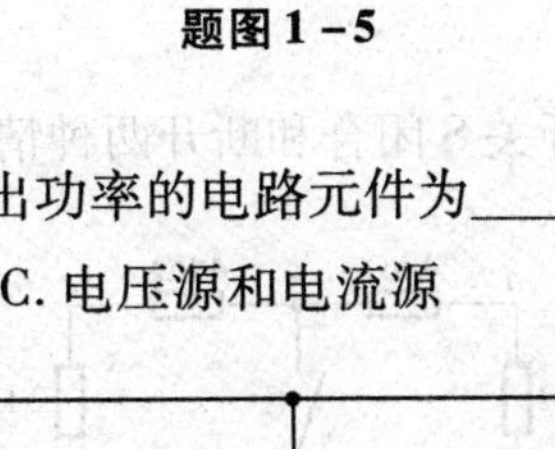

题图 1－5

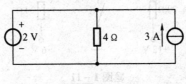

8. 题图 1－6 所示电路中，发出功率的电路元件为________。

A. 电流源　　B. 电压源　　C. 电压源和电流源

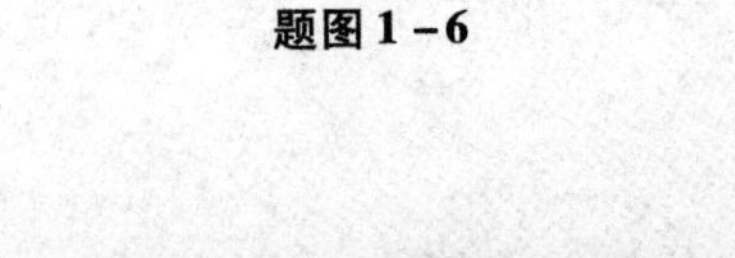

题图 1－6

9. 题图 1－7 示电路中，电流值 I＝________。

A. 2 A　　B. 4 A　　C. 6A　　D. －2 A

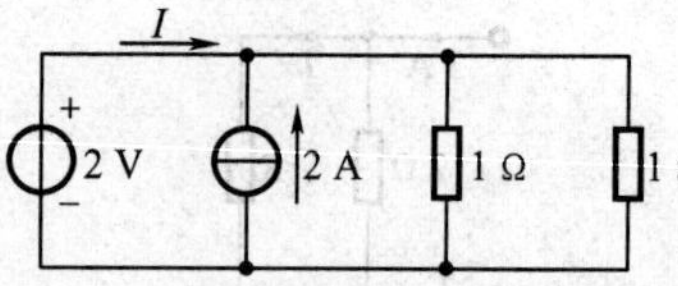

题图 1－7

10. 题图 1－8 所示电路中，U＝－10 V，则 6 V 电压源发出的功率为________W。

A. 9.6　　B. －9.6　　C. 2.4　　D. －2.4

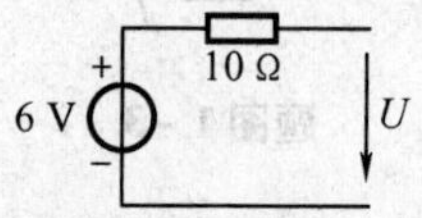

题图 1－8

三、计算题

1. 求题图 1－9 所示各元件的端电压或通过的电流。

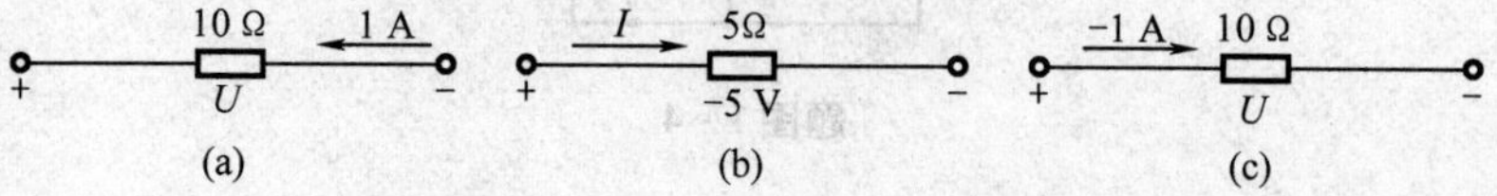

题图 1－9

2. 求题图 1－10 所示电路中开关 S 闭合和断开两种情况下 a、b、c 三点的电位。

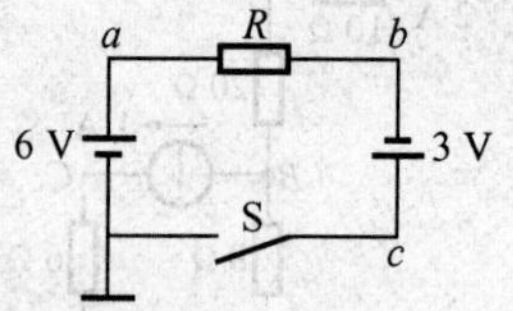

题图 1－10

3. 求题图 1－11 所示电路中开关 S 闭合和断开两种情况下 a、b、c 三点电位。

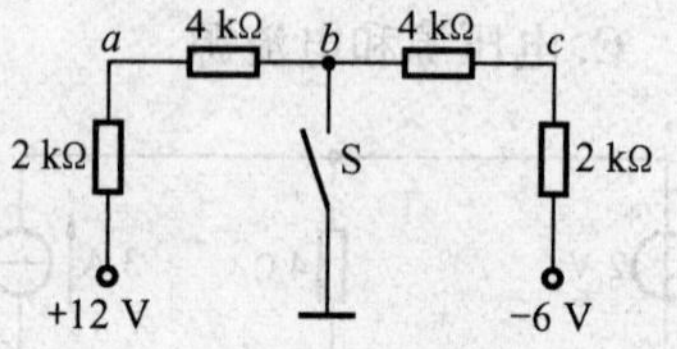

题图 1－11

4. 题图 1－12 所示电路由 4 个元件组成，电压电流的参考方向如图中所示。已知 $U_1=-5$ V，$U_2=15$ V，$I_1=2$ A，$I_2=3$ A，$I_3=-1$ A。试计算各元件的电功率，并说明哪些元件是电源，哪些元件是负载。

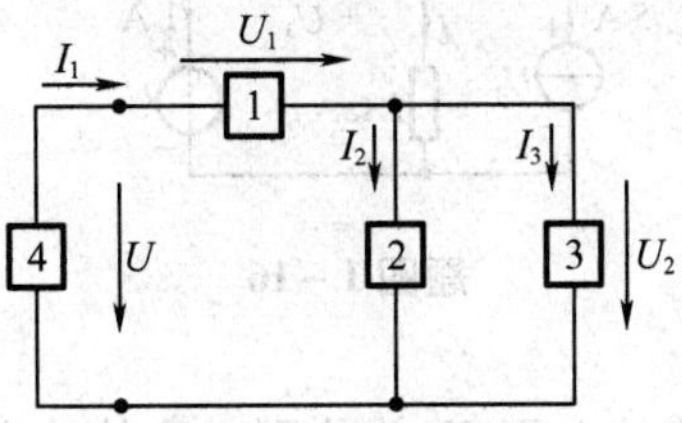

题图 1－12

5. 题图 1－13 所示电路中，已知 $U_S=6$ V，$I_S=2$ A，$R_1=2\ \Omega$，$R_2=1\ \Omega$。求开关 S 断开时开关两端的电压 U 和开关 S 闭合时通过开关的电流 I。

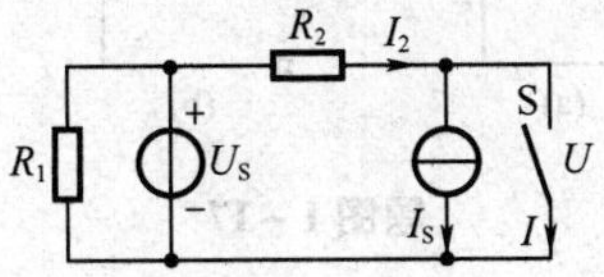

题图 1－13

6. 题图 1－14 所示电路中，已知 $U_S=6$ V，$I_S=2$ A，$R_1=R_2=4\ \Omega$。求开关 S 断开时开关两端的电压 U 和开关 S 闭合时通过开关的电流 I。

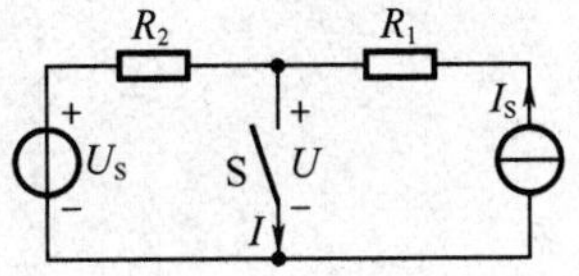

题图 1－14

7. 求题图 1－15 所示电路中通过恒压电源的电流 I_1、I_2 及其功率，并说明是起电源作用还是起负载作用。

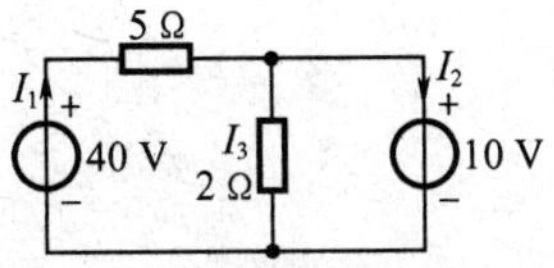

题图 1－15

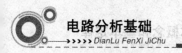

8. 求题图 1 - 16 所示电路中恒流源两端的电压 U_1、U_2 及其功率,并说明是起电源作用还是起负载作用。

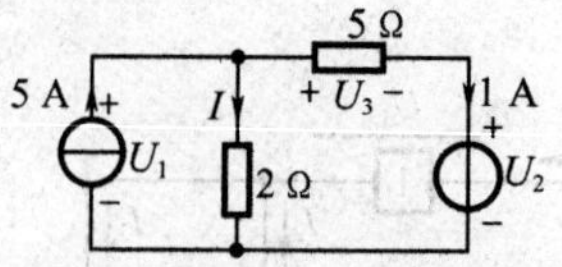

题图 1 - 16

9. 试求题图 1 - 17 中各电路的电压 U,并分别讨论其功率平衡。

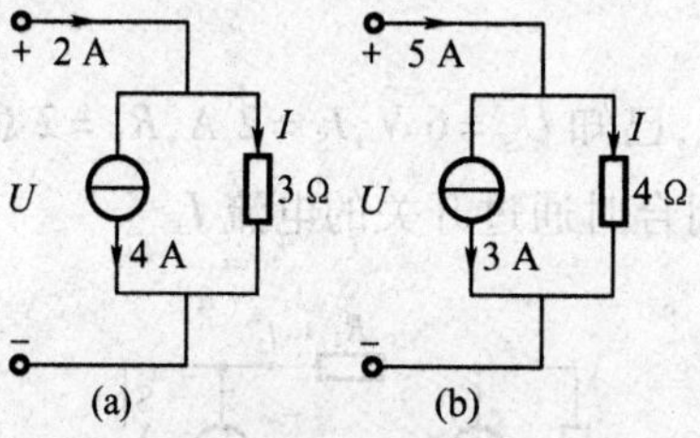

题图 1 - 17

第 2 章　常用电路元件和电路的等效变换

本章介绍常用的电路元件(电阻元件、电感元件、电容元件及电源元件)的特点及等效的概念。通过本章学习掌握各电路元件不同连接形式的等效电路。

2.1　电 阻 元 件

电阻是一个无源的二端元件,通常把反映消耗电场能量电磁特性的一类元件用电阻元件的电路模型表示,实际电阻元件示例如图 2-1 所示。

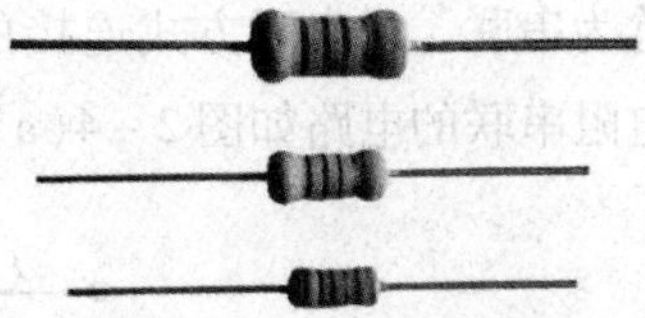

图 2-1　实际电阻示例

2.1.1　电阻元件伏安特性

图 2-2(a)为电阻元件的电路模型,取其端口电压 u 和端口电流 i 为关联参考方向。将电阻元件端口电压和端口电流在直接坐标系上描绘曲线称为电阻元件的伏安特性曲线。对于线性电阻元件来说,它的伏安特性曲线是经过原点的一条直线,如图 2-2(b)所示。

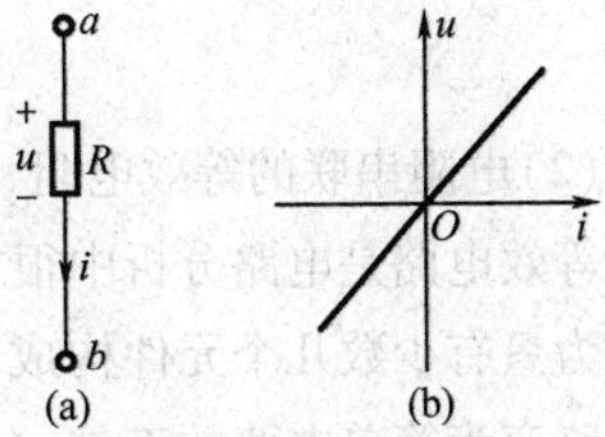

图 2-2　电阻的电路模型及特性曲线

(a)电路模型;(b)伏安特性曲线

由图 2-2(b)的伏安特性曲线可知,在任意时刻,线性电阻元件的电流和电压同时出现并且同时消失,无记忆能力,故称电阻元件为无记忆元件。伏安特性曲线的斜率为电阻大小。

电阻元件的特性可以用电阻表示,也可以用电阻的倒数——电导表示。电导用符号 G 表示,即 $G=\frac{1}{R}$。国际单位制中,电流的单位是安(A),电压的单位是伏(V),则电阻的单位是欧姆(Ω)。电导的单位是西门子(符号 S),简称西。

线性二端电阻元件的端口电压与端口电流之间满足欧姆定律。下面介绍线性二端电阻元件端口电压 u、i 和电流 i 关联参考方向和非关联参考方向下欧姆定律两种不同表达式。

(1)如图 2-2(a)所示,当电压 u、i 和电流 i 取关联参考方向时,欧姆定律为

$$\begin{cases} u = Ri = \dfrac{1}{G}i \\ i = \dfrac{1}{R}u = Gu \end{cases} \tag{2-1}$$

(2)当电压 u、i 和电流 i 取非关联参考方向时，如图 2-3 所示，欧姆定律为

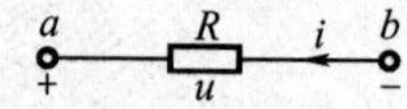

图 2-3 电阻的电路模型图

$$\begin{cases} u = -Ri = -\dfrac{1}{G}i \\ i = -\dfrac{1}{R}u = -Gu \end{cases} \tag{2-2}$$

2.1.2 电阻的连接与等效

1. 电阻的串联

(1)电阻串联的连接结构

几个电路元件沿着单一路径互相连接，每个连接点最多只连接两个元件，此种连接方式称为串联。以串联方式连接的电路称为串联电路。串联的各个电路元件电流相等。两个电阻串联的电路如图 2-4(a)所示。

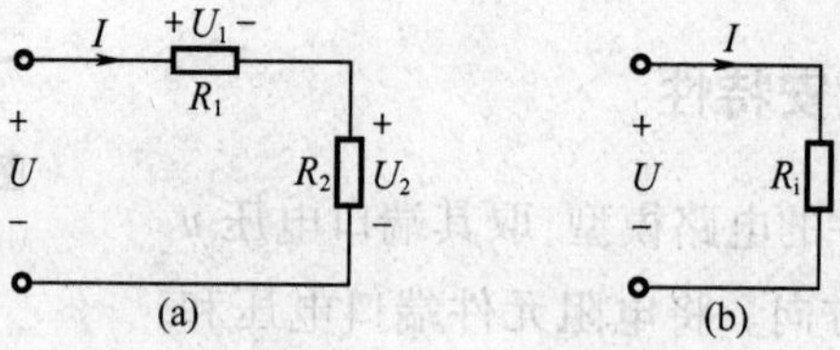

图 2-4 电阻的串联

(a)两个电阻串连；(b)串联等效电阻

(2)电阻串联的等效电阻

等效电路是电路分析中很重要的一个概念，通过等效变换可以把多个元件组成的电路简化为只有少数几个元件构成的单个回路或一个节点的电路甚至单元件电路。它是将复杂电路变为简单电路的工具，在电路分析中经常使用等效变换。

电阻串联可将其等效成一个电阻，如图 2-4(b)所示，称为等效电阻，用 R_i 表示。设电阻两端电压和电流关联参考方向，列写方程

$$U = U_1 + U_2 = R_1 I + R_2 I = (R_1 + R_2) I = R_i I \tag{2-3}$$

所以两个串联电阻的等效电阻

$$R_i = R_1 + R_2 \tag{2-4}$$

依此类推，当有 n 个电阻串联时，其等效电阻为

$$R_i = \sum_{k=1}^{n} R_k \tag{2-5}$$

即，n 个电阻串联的等效电阻为 n 个串电阻之和。

(3)电阻串联中各电阻端电压

电阻的串联常用于分压，此时串联电路称为分压器。两个电阻串联时每个电阻的端电压为

$$U_1 = R_1 I = \frac{R_1}{R_1 + R_2}U,\ U_2 = R_2 I = \frac{R_2}{R_1 + R_2}U \tag{2-6}$$

依次类推，n 个电阻串联时每个串联电阻的端电压为所有串联电阻总电压的一部分。

$$U_k = \frac{R_k}{R_i}U \quad (k=1,2,3,\cdots,n) \tag{2-7}$$

(4)电阻串联的功率

两个电阻串联时每个电阻消耗的功率为

$$\begin{cases} P_1 = U_1 I = R_1 I^2 \\ P_2 = U_2 I = R_2 I^2 \end{cases} \tag{2-8}$$

根据式(2-8)可得

$$\frac{P_1}{P_2} = \frac{U_1}{U_2} = \frac{R_1}{R_2} \tag{2-9}$$

两个电阻串联时各电阻上电压和功率均与电阻成正比。

2. 电阻的并联

(1)电阻并联的电路连接结构

并联是将两个或两个以上二端电路元件中每个元件的两个端子，分别接到一对公共节点上的连接方式。各并联电路元件承受相同电压。两个电阻并联的电路如图 2-5(a)所示。

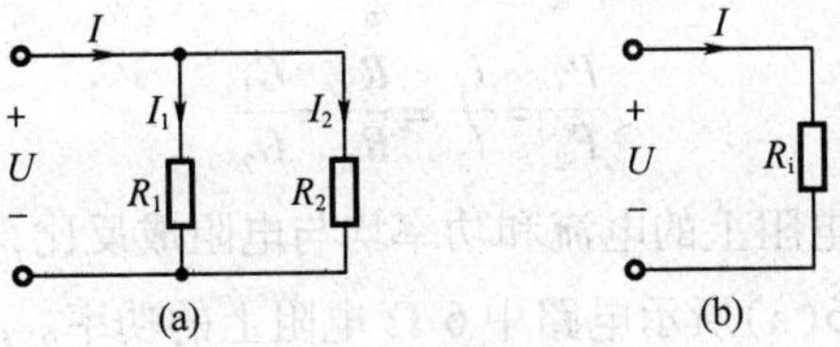

图 2-5　电阻的并联

(a)两个电阻并连；(b)并联等效电阻

(2)电阻并联的等效电阻

电阻并串联可将其等效成一个电阻，如图 2-5(b)所示。设电阻两端电压和电流关联参考方向，列写方程

$$I = I_1 + I_2 = \frac{U}{R_1} + \frac{U}{R_2} = (\frac{1}{R_1} + \frac{1}{R_2})U = (G_1 + G_2)U = G_i U \tag{2-10}$$

所以两个电阻并联的等效电导为

$$G_i = G_1 + G_2 \tag{2-11}$$

等效电阻为

$$R_i = G_i^{-1} = \frac{1}{G_1 + G_2} = \frac{R_1 R_2}{R_1 + R_2} \tag{2-12}$$

同理得出 n 个电阻并联时的等效电导和等效电阻，即

$$G_i = \sum_{k=1}^{n} G_k \tag{2-13}$$

$$R_{\mathrm{i}}=\frac{1}{G_{\mathrm{i}}}=\frac{1}{\sum\limits_{k=1}^{n}G_k}=\frac{1}{\sum\limits_{k=1}^{n}\frac{1}{R_k}} \tag{2-14}$$

(3)电阻并联的各电阻所在支路电流

电阻并联常用于分流,此时并联电路称为分流器。两个电阻并联后每个电阻所在支路电流分别为

$$\begin{cases} I_1=\dfrac{1}{R_1}U=G_1U=\dfrac{G_1}{G_1+G_2}I=\dfrac{R_2}{R_1+R_2}I \\ I_2=\dfrac{1}{R_1}U=G_1U=\dfrac{G_1}{G_1+G_2}I=\dfrac{R_1}{R_1+R_2}I \end{cases} \tag{2-15}$$

依此类推可得 n 个电阻并联时的分流公式,即

$$I_k=\frac{G_k}{G_{\mathrm{i}}}I \quad (k=1,2,3,\cdots,n) \tag{2-16}$$

(4)电阻并联的功率

两个电阻并联时每个电阻分别消耗的功率为

$$P_1=UI_1=\frac{1}{R_1}U^2=G_1U^2, P_2=UI_2=\frac{1}{R_2}U^2=G_2U^2$$

根据式(2-16)可得

$$\frac{P_1}{P_2}=\frac{I_1}{I_2}=\frac{R_2}{R_1}=\frac{G_1}{G_2} \tag{2-17}$$

两个电阻并联时每个电阻上的电流和功率均与电阻成反比,与电导成正比。

【例2-1】 求图2-6(a)所示电路中6 Ω电阻上的功率。

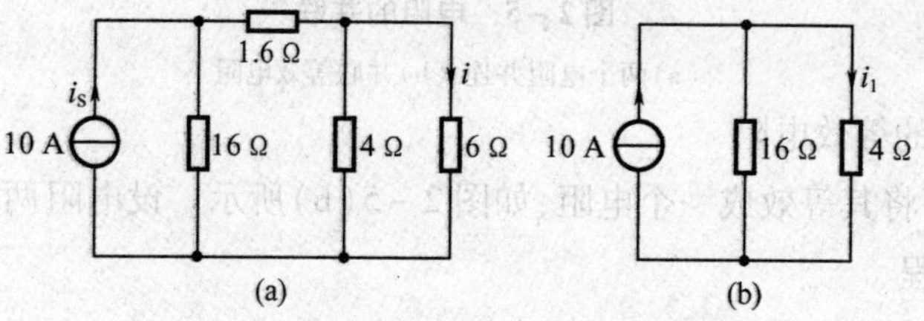

图2-6 【例2-1】图

解

该题是一个既有串联电阻又有并联电阻的混合电路。首先,利用电阻的串联、并联关系简化电路,求出相关电流。

图2-6中4 Ω和6 Ω电阻是并联关系,其并联等效电阻又和1.6 Ω电阻进行串联,依据电阻串、并联公式将图2-6(a)电路简化为图2-6(b)电路。

用分流公式求电流 i_1:

$$i_1=\frac{16\ \Omega}{16\ \Omega+4\ \Omega}\times 10\ \mathrm{A}=8\ \mathrm{A}$$

$$i=\frac{4\ \Omega}{6\ \Omega+4\ \Omega}\times i_1=\frac{4\ \Omega}{6\ \Omega+4\ \Omega}\times 8\ \text{A}=3.2\ \text{A}$$

6 Ω 电阻消耗的功率：

$$P=6\ \Omega i^2=6\ \Omega\times(3.2\ \text{A})^2=61.44\ \text{W}$$

2.1.3　电阻的星形连接和三角形连接的等效变换

1. 电阻的Y连接和△连接结构

电阻的Y连接(或星形连接,也称 T 型连接):三个电阻一端接在同一个节点上,另一端分别接在三个端子上与外电路相连,其连接形式如图 2－7(a)所示。

电阻的△连接(或三角形连接,也称 π 型连接):三个电阻分别接在三个端子的每两个之间,其连接形式如图 2－7(b)所示。

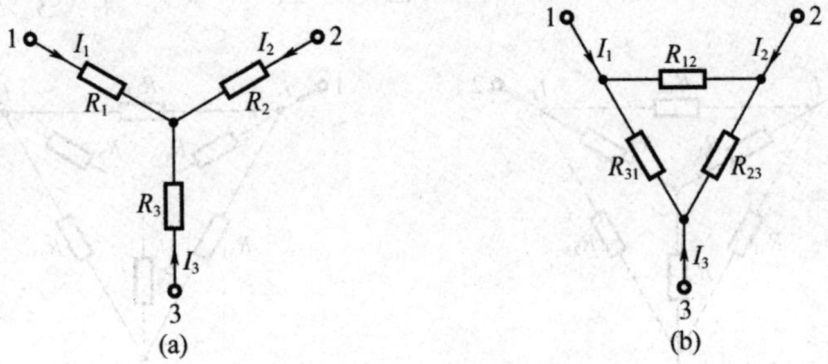

图 2－7　电阻的Y连接与△连接

2 等效变换

(1)Y－△变换

Y－△等效变换电路如图 2－8(a)所示。

可以对电路列写电路方程推导出Y变换成△连接的电阻:

$$\begin{cases} R_{12}=\dfrac{R_1R_2+R_2R_3+R_3R_1}{R_3} \\ R_{23}=\dfrac{R_1R_2+R_2R_3+R_3R_1}{R_1} \\ R_{31}=\dfrac{R_1R_2+R_2R_3+R_3R_1}{R_2} \end{cases} \tag{2-18}$$

(2)△－Y等效变换

△－Y等效变换电路如图 2－8(b)所示。

可以对电路列写电路方程推导出△变换成Y连接的电阻:

$$\begin{cases} R_1 = \dfrac{R_{12}R_{31}}{R_{12}+R_{23}+R_{31}} \\ R_2 = \dfrac{R_{12}R_{23}}{R_{12}+R_{23}+R_{31}} \\ R_3 = \dfrac{R_{23}R_{31}}{R_{12}+R_{23}+R_{31}} \end{cases} \tag{2-19}$$

为了方便记忆，式(2－18)、式(2－19)可以写成

$$\triangle\text{电阻} = \frac{\text{Y电阻两两乘积之和}}{\text{Y不相邻电阻}}$$

$$\text{Y电阻} = \frac{\triangle\text{相邻电阻的乘积}}{\triangle\text{电阻之和}}$$

当Y电阻都相等为 R_Y、△电阻都相等为 $R_\triangle$ 时，$R_\triangle = 3R_Y$ 或 $R_Y = \frac{1}{3}R_\triangle$。

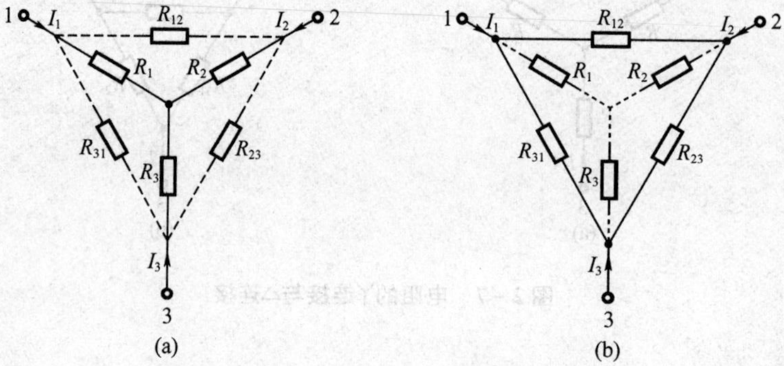

图 2－8　等效变换电路

2.1.4　电桥平衡

如图 2－9(a)所示的电路是具有桥形连接的电路，它是测量中常用的一种电桥电路。电路中的电阻不再是简单的串联和并联，其中 R_1、R_3、R_5 构成一个△连接，R_1、R_2、R_5 构成一个Y连接，该电路在进行电路分析时需要用到Y－△等效变换。如果电路满足电桥平衡就可以应用串并联进行简化电路。图 2－9(a)所示的电桥平衡的条件为

$$\frac{R_1}{R_2} = \frac{R_3}{R_4} \tag{2-20}$$

如果电路满足电桥平衡，图 2－9(a)中电阻 R_5 所在支路可以看成断路或者短路两种电路结构。等效电路分别为图 2－9(b)和图 2－9(c)，两种等效电路即为简单的电阻串并联连接结构。

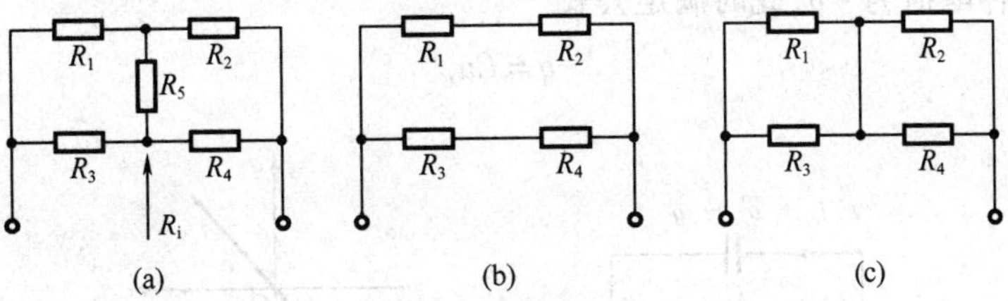

图 2－9　电桥平衡电路

【例 2－2】　计算如图 2－10 所示两电路的等效电阻 R_i。

解

图 2－10(a)所示电路满足电桥平衡，40 Ω 电阻所在支路可以看成断路或者短路两种电路结构，等效电路如图 2－10(b)或图 2－10(c)所示。

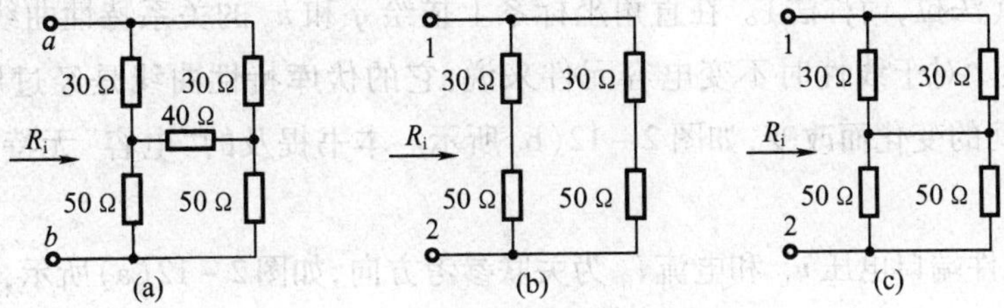

图 2－10　【例 2－2】图

由图 2－10(b)，等效电阻为

$$R_i = (30\ \Omega + 50\ \Omega)//(30\ \Omega + 50\ \Omega) = 40\ \Omega$$

由图 2－10(c)，等效电阻为

$$R_i = (30\ \Omega//30\ \Omega) + (50\ \Omega//50\ \Omega) = 40\ \Omega$$

显然，图 2－10(b)或图 2－10(c)两种等效形式的计算结果相同。

2.2　动 态 元 件

2.2.1　电容元件

通常把反映存储电荷或者存储电场能量电磁特性的一类元件用电容元件电路模型表示。电容器在工程技术中广泛应用。实际的电容器示例如图 2－11 所示。

图 2－11　实际电容器示例

1. 电容元件的端口特性方程

图 2－12(a)为线性电容元件的电路模型，电压的“＋”极性所在极板储存电荷为 $+q$，电压的“－”极

性所在极板储存电荷为 $-q$，此时满足公式

$$q = Cu_C \tag{2-21}$$

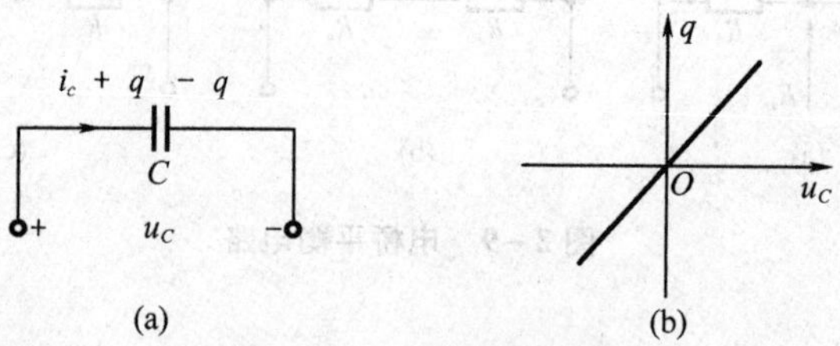

图 2－12　线性电感元件

(a)线性电容元件的电路模型;(b)线性电容文件的伏库特性曲线

式(2－21)中，C 为电容参数。SI 单位制中，电荷单位为 C(库仑)；电压单位为 V 时，电容的单位为 F(法拉，简称法)。在直角坐标系上描绘 q 和 u_c 的关系特性曲线，称为电容元件的伏库特性。对于线性时不变电容元件来说，它的伏库特性曲线是经过原点的一条直线，且不随时间的变化而改变，如图 2－12(b)所示。本书提及的“电容”无特殊强调均为线性电容元件。

取电容元件端口电压 u_C 和电流 i_C 为关联参考方向，如图 2－12(a)所示，则电容元件的端口特性方程为

$$i_C = \frac{\mathrm{d}q}{\mathrm{d}t} = \frac{\mathrm{d}(Cu_C)}{\mathrm{d}t} = C\frac{\mathrm{d}u_C}{\mathrm{d}t} \tag{2-22}$$

式(2－22)表明电容的电流与电压的变化率成正比。电容电压变化得越快(也就是 $\mathrm{d}q/\mathrm{d}t$ 很大)，电流越大。如果电压为恒定的电压(即常数)，电流为零。因此，在直流电路中电容相当于开路。

将式(2－22)变换为

$$u_C(t) = \frac{1}{C}\int i_C\mathrm{d}t = \frac{1}{C}\int_{-\infty}^{t_0} i_C\mathrm{d}\xi + \frac{1}{C}\int_{t_0}^{t} i_C\mathrm{d}\xi = u_C(t_0) + \frac{1}{C}\int_{t_0}^{t} i_C\mathrm{d}\xi \tag{2-23}$$

显然，电容元件的电压取决于从 $t=-\infty$ 到 t 时刻的电流，是随时间动态变化的，所以说电容元件是动态元件，是“记忆”元件。

2. 电容元件的功率和能量

取电容元件端口电压 u_C 和电流 i_C 为关联参考方向，线性电容元件吸收的功率为

$$P = u_c i_C = Cu_C\frac{\mathrm{d}u_C}{\mathrm{d}t} \tag{2-24}$$

电容吸收的能量为

$$W_C(t) = \int_{-\infty}^{t} P(\xi)\mathrm{d}\xi = \int_{-\infty}^{t}\left(Cu_C\frac{\mathrm{d}u_C}{\mathrm{d}t}\right)\mathrm{d}\xi = \frac{1}{2}Cu_C{}^2\Bigg|_{u_C(-\infty)}^{u_C(t)}$$

$$= \frac{1}{2}Cu_C{}^2(t) - \frac{1}{2}Cu_C{}^2(-\infty) \tag{2-25}$$

如果 $u(-\infty)=0$，也就是 $t=-\infty$ 时电容没有充电，此时电场能量也为零。这样，在任意时刻 t，电容存储的总能量与为电容吸收的能量是一样的，即

$$W_C(t)=\frac{1}{2}Cu_C^{\ 2}(t) \tag{2-26}$$

将 $C=q/u_C$ 代入(2-26)，得

$$W_C(t)=\frac{q^2}{2C} \tag{2-27}$$

电容吸收的总能量全部存储在电场中，没有产生能量损耗，所以电容是储能元件，也是无损元件。

在工程实际中，常常用到不同容量的电容，我们可以像电阻的串并联一样，将电容元件串并联得到我们需要的等效电容。电容并联时，等效电容等于各并联电容之和；电容串联时，等效电容等于各串联电容倒数之和的倒数。如果在并联或串联前电容有初始储存能量（电场能量），则除了需计算等效电容外还需计算等效电容的初始电压。

2.2.2　电感元件

通常把反映产生磁通或存储磁场电场能量电磁特性的一类元件用电感元件电路模型表示。导线绕制的线圈在工程技术中广泛应用。实际的电感线圈示例如图 2-13 所示。

图 2-13　实际电感线圈示例

1. 电感元件的端口特性方程

图 2-14(a)为线性电感元件的电路模型。若电感元件产生的磁通 Φ 与其电流的参考方向满足右手螺旋定则，那么自感磁链 ψ 与元件电流 i_L 满足公式

$$\psi=Li_L \tag{2-28}$$

式(2-28)中，L 为电感参数。SI 单位制中，磁链的单位为 Wb(韦伯)，电流的单位是 A 时，电感的 SI 单位是 H(亨利，简称亨)。

在直角坐标系上描绘自感磁链 ψ 和元件电流 i_L 的关系特性曲线，称为电感元件的韦安特性曲线。对于线性时不变电感元件来说，它的韦安特性曲线是经过原点的一条直线，且不随时间的变化而改变，如图 2-14(b)所示。本书提及的“电感”无特殊强调均为线性时不变电感元件。

取电感元件端口电压 u_L 和电流 i_L 为关联参考方向，且电流的参考方向与磁链的参考方向符合右手螺旋法则时，可得

$$u_L=\frac{\mathrm{d}\psi}{\mathrm{d}t} \tag{2-29}$$

对线性电感，将式(2-28)代入式(2-29)，得

$$u_L=L\frac{\mathrm{d}i_L}{\mathrm{d}t} \tag{2-30}$$

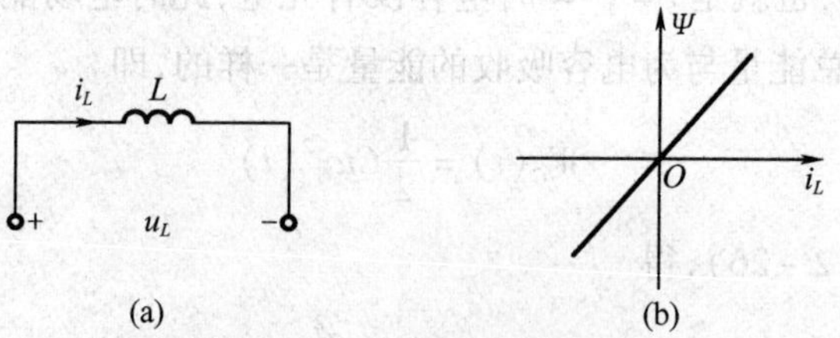

图 2-14 线性电感元件

(a)线性电感元件的电路模型;(b)电感元件的韦安特性电线

式(2-30)表明电感的电压只取决于电流的变化率。电感电流变化得越快(也就是 di_L/dt 很大),电压越大。如果电流为恒定的直流(即常数),电压为零。因此,在直流电路中电感相当于短路。

2. 电感元件功率及能量

电感元件上的电压和电流取关联参考方向时,电感元件吸收的功率为

$$P = u_L i_L = L i_L \frac{di_L}{dt} \tag{2-31}$$

电感吸收的能量

$$w_L(t) = \int_{-\infty}^{t} P(\xi)d\xi = L\int_{-\infty}^{t} i_L(\xi)di_L(\xi) = \frac{1}{2}Li_L^2 \Bigg|_{i_L(-\infty)}^{i_L(t)} = \frac{1}{2}Li_L^2(t) - \frac{1}{2}Li_L^2(-\infty) \tag{2-32}$$

如果 $i_L(-\infty)=0$,电感吸收能量为

$$w_L = \frac{1}{2}Li_L^2 = \frac{\psi^2}{2L} \tag{2-33}$$

显然,电感元件的电流取决于从 $t=-\infty$ 到 t 时刻的电压,是随时间动态变化的,所以说电感元件是动态元件,是"记忆"元件,是储能元件,也是无损元件。

在工程实际中,可以根据实际要求将不同容量的电感元件串并联得到我们需要的等效电感。电感元件串联时,等效电感等于各个电感之和;电感元件并联时,等效电感等于各电感倒数之和的倒数。如果在并联或串联前电感有初始储存能量(磁场能量),则除了需计算等效电感外还须计算等效电感的初始电流。

2.3 有源元件及实际电源的等效变换

实际电路中存在消耗能量的元件或装置有电流流动时,就会不断消耗能量,电路中必须有提供能量的装置——电源。常用的直流电源有干电池、蓄电池、直流发电机、直流稳压电压源、直流稳压电流源等。常用的交流电源有正弦稳压电源、交流稳压电源和产生各种波形的各种信号发生器等。

电路分析中研究的电源主要有两大类:一是独立电源,包括独立电压源和独立电流源;

二是受控电源,包括受控电压源和受控电流源。受控电源与独立电源不同,独立电源对外提供的电压和电流为独立量;受控源的源电压或源电流受电路中其他支路的电压或电流控制。

2.3.1　独立电压源

1. 独立电压源基本特性

电压源的特点是其电压由电压源本身特性决定,电压源对外提供的端口电压是一个定值 U_S 或是给定时间的函数 $U_S(t)$(这里的 $U_S(t)$ 是某一瞬时的电压值,即瞬时值)。电压源中的电流和功率由与之相连接的外电路决定。实际电池和稳压电源的外形图如图 2-15 所示。

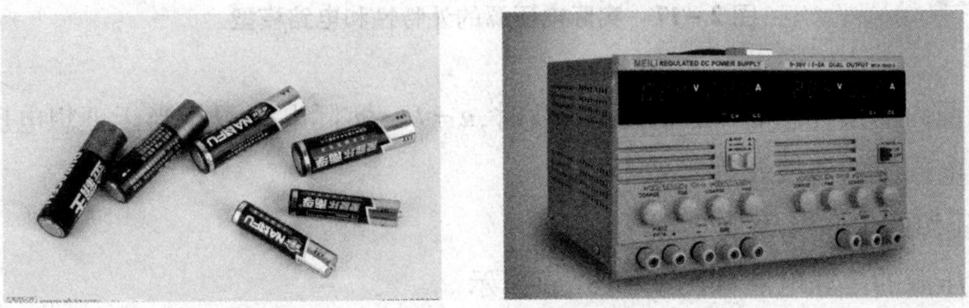

(a)　　　　(b)

图 2-15　实际电池和稳压电源外形图

若电压源的源电压不随时间改变,为常数,即 $U_S(t)=U_S$ 时,此时电压源为直流电压源或恒定电压源,其电路模型及伏安特性曲线如图 2-16 所示。直流电压源对外电路来说,伏安特性曲线为平行于电流轴的一条直线。如果 $U_S(t)=0$ 时,电压源相当于短路,在实际电路中可以用电阻为零的导线替代电压源两个端子。

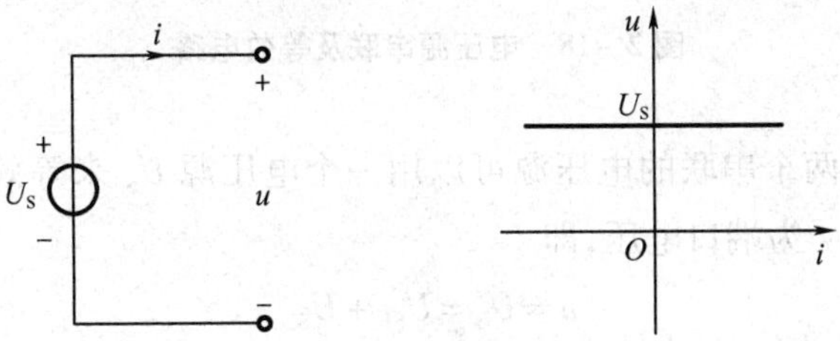

(a)　　　　(b)

图 2-16　电压源及其端口特性

源电压随时间变化的电压源称为时变电压源。源电压随时间周期性变化且平均值为零的时变电压源称为交流电压源。

实际电压源内部存在损耗,电压源输出的电压会随电流的变化而变化,在电路分析中,可以用电阻元件的电路模型来描述电源的内部损耗。实际电压源的伏安特性曲线随着输

出电流的增大而减小，如图 2－17(a)所示。实际电压源电路模型如图 2－17(b)所示，端口特性方程为

$$u = U_S - R_S i \quad (2-34)$$

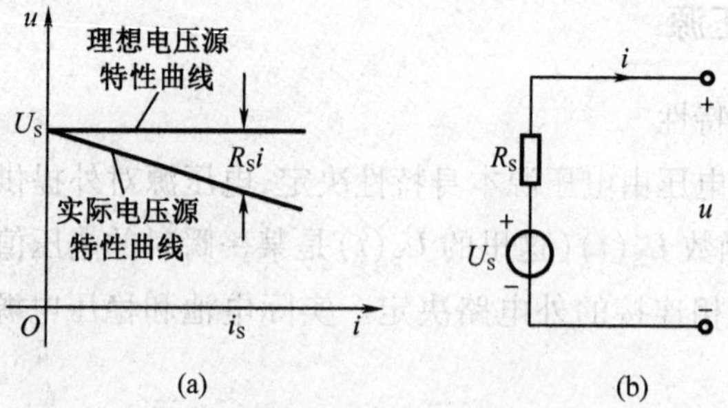

图 2－17　实际电压源的外特性和电路模型

当电压源内部损耗忽略不计，即 $R_S = 0$ 时，$u = U_S$，实际电压源相当于理想电压源。

2. 独立电压源的连接及其等效变换

(1)电压源的串联及等效变换

两个电压源的串联电路如图 2－18(a)所示。

根据基尔霍夫电压定律列写电路方程，得

$$u = U_{S1} + U_{S2} \quad (2-35)$$

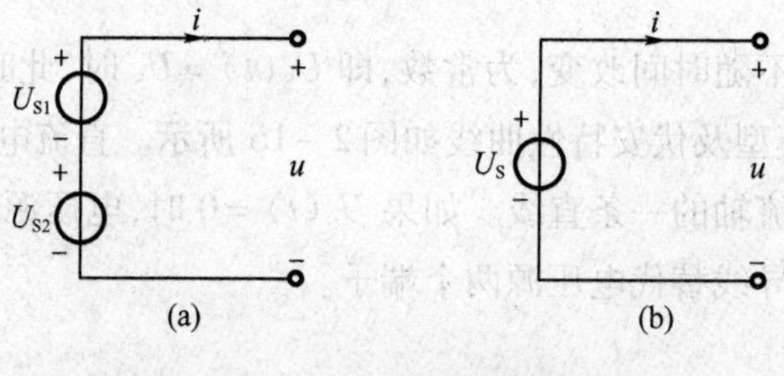

图 2－18　电压源串联及等效电路

图 2－18(a)中的两个串联的电压源可以用一个电压源 U_S 来等效，等效电路如图 2－18(b)所示。这里的 U_S 为端口电压，即

$$u = U_S = U_{S1} + U_{S2} \quad (2-36)$$

依此类推，n 个电压源串联时，对外电路来说也可以用一个电压源等效，等效电压可以表示为

$$u = U_S = \sum_{k=1}^{n} U_{Sk} \quad (2-37)$$

即 n 个电压源串联时的等效电压为所有串联电压源源电压的代数和。这里的“代数和”涉及正负号。我们规定，当 U_{Sk} 方向与 U_S 相同时，取“＋”；当 U_{Sk} 方向与 U_S 相反时，取“－”。

(2)电压源的并联及等效变换

工程实际中,很少将电压源并联使用。如果电压源并联,那么必须同时满足并联的电压源大小相等、方向相同。若满足上述条件,多个电压源并联对外可以等效一个电压源。

两个电压源并联电路及其等效电路如图 2-19 所示,U_S大小和方向与 U_{S1} 或 U_{S2} 相同,即 $u=U_S=U_{S1}=U_{S2}$。

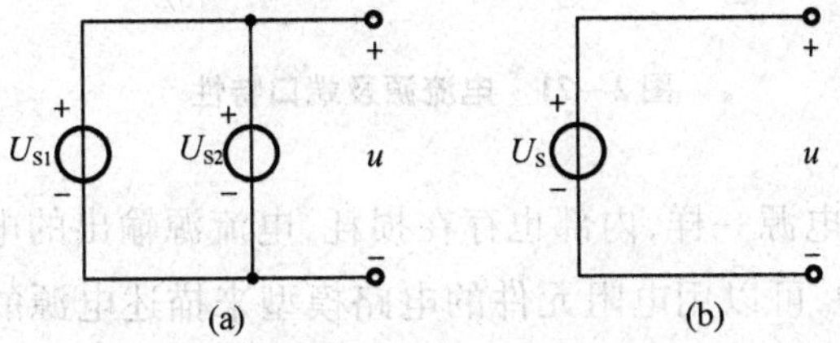

图 2-19 电压源并联及等效电路

(3)电压源与支路并联及等效变换

如果一个电压源与支路并联,对外电路来说,并联的支路相当于断路。这里并联的支路可以是单一元件,也可以是由多个元件构成的电路的一部分,只要对外有两个端子即可,电压源与支路并联电路及其等效电路如图 2-20 所示。

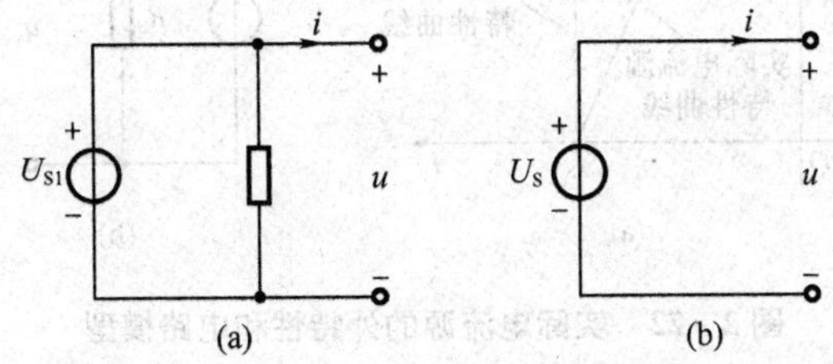

图 2-20 电压源与支路并联及等效电路

2.3.2 独立电流源

1. 独立电流源基本特性

电流源的特点是其电流由电流源本身特性决定,其端口电流是一个定值 I_S 或是给定时间函数 $i_S(t)$(这里的 $i_S(t)$是某一瞬时的电流值,即瞬时值)。其两端的电压和功率由与之相连接的外电路决定。

若电流源的源电流不随时间改变,为常数时,即 $i_S(t)=I_S$,此时电流源为直流电流源或恒定电流源,其电路模型及伏安特性曲线如图 2-21 所示。直流电流源对外电路来说,伏安特性曲线为平行于电压轴的一条直线。如果 $i_S(t)=0$ 时,电流源相当于开路或断路,可以用电阻为无穷大的开路导线替代电流源两个端子。

源电流随时间变化的电流源称为时变电流源。源电流随时间周期性变化且平均值为零的时变电流源称为交流电流源。

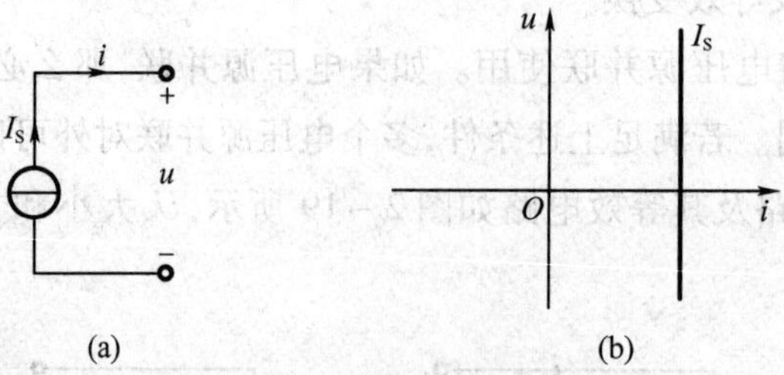

图 2-21　电流源及端口特性

实际电流源与实际电源一样，内部也存在损耗，电流源输出的电流会随两端电压的变化而变化，在电路分析中，可以用电阻元件的电路模型来描述电源的内部损耗。实际电流源的伏安特性曲线随着输出电流的增大而减小，如图 2-22(a)所示。实际电流源电路模型如图 2-22(b)所示，端口特性方程为

$$i = i_S - \frac{u}{R_S} \tag{2-38}$$

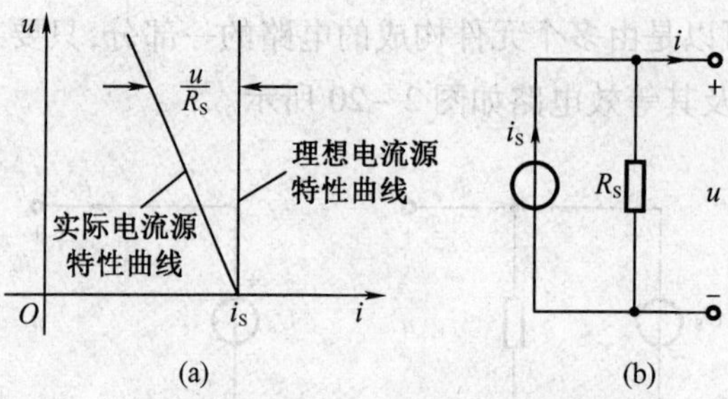

图 2-22　实际电流源的外特性和电路模型

当电流源内阻为无穷大时，$i = i_S$，此时实际电流源相当于理想电流源。

2. 独立电流源的连接及其等效变换

(1)电流源串联及等效变换

工程实际中，很少将电流源的串联使用。如果电流源串联，那么必须同时满足串联的电流源大小相等、方向相同。若满足上述条件，多个电流源并联对外可以等效一个电流源。

两个电流源串联电路及其等效电路如图 2-23 所示，i_S 大小和方向与 i_{S1} 或 i_{S2} 相同，即 $i = i_S = i_{S1} = i_{S2}$。

(2)电流源的并联及等效变换

两个电流源的并联电路如图 2-24(a)所示。

根据基尔霍夫电流定律列写电路方程，得

$$i = i_{S1} + i_{S2} \tag{2-39}$$

图 2-24(a)中的两个并联的电流源可以用一个电流源 i_S 来等效，等效电路如图 2-24(b)所示。这里的 i_S 为端口电流，即

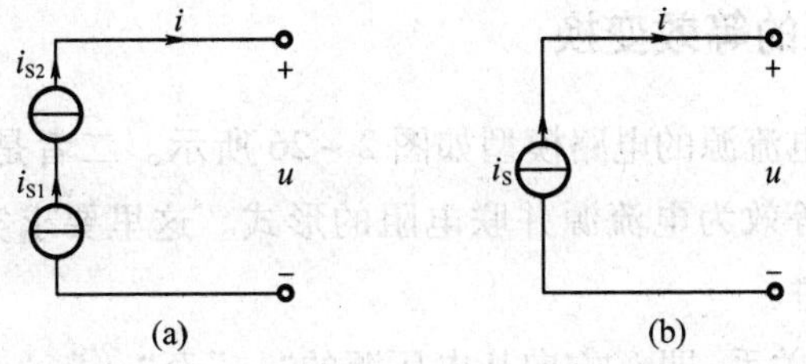

图 2-23　电流源与支路串联及其等效电路

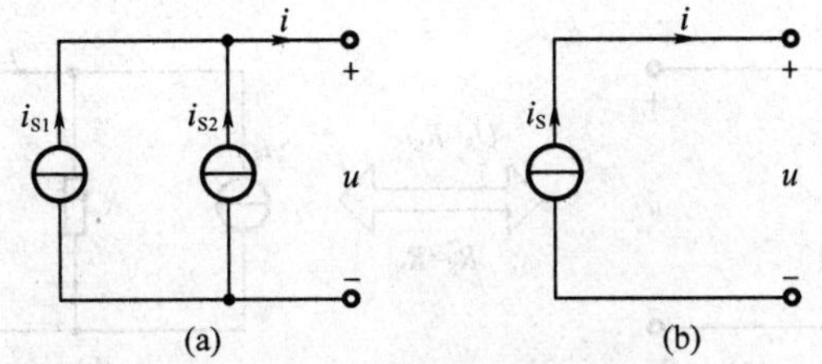

图 2-24　电流源并联及等效

$$i = i_S = i_{S1} + i_{S2} \tag{2-40}$$

依此类推，n 个电流源并联时，对外电路来说也可以用一个电流源等效，等效电流可以表示为

$$i = i_S = \sum_{k=1}^{n} i_{Sk} \tag{2-41}$$

即 n 个电流源并联时的等效电流为所有并联电流源源电流的代数和。这里的"代数和"涉及正负号。我们规定，当 i_{Sk} 方向与 i_S 相同时，取"+"；当 i_{Sk} 方向与 i_S 相反时，取"-"。

(3)电流源与支路串联及等效变换

如果一个电流源与支路串联，对外电路来说，串联的支路相当于短路。这里串联的支路可以是单一元件，也可以是由多个元件构成的电路的一部分，只要对外有两个端子即可，电流源与支路串联电路及其等效电路如图 2-25 所示。

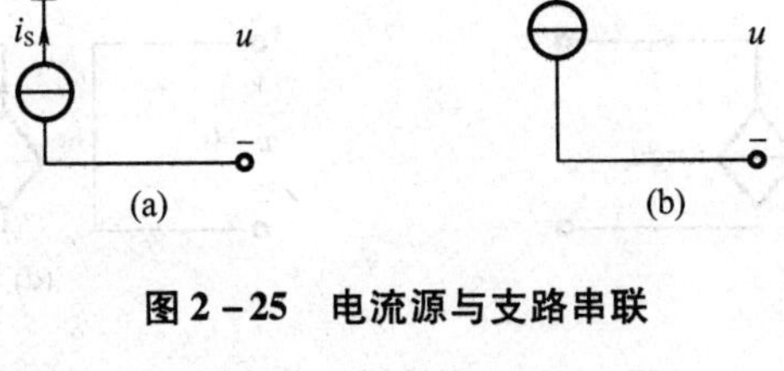

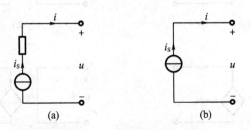

图 2-25　电流源与支路串联

2.3.3　实际电源的等效变换

实际电压源和实际电流源的电路模型如图 2－26 所示。二者是可以相互等效互换的，即电压源串联电阻可以等效为电流源并联电阻的形式。这里要求实际电压源和实际电流源必须同时满足等效条件：

(1) U_S 方向、i_S 方向关系，即 i_S 方向从电压源的“－”至“＋”；

(2) $U_S = R_S i_S$；

(3) $R_S = R_S$。

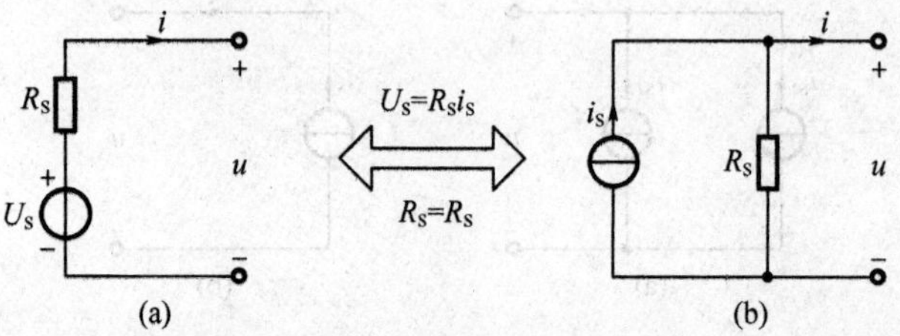

图 2－26　实际电源的两种电路模型

由于理想电源的端口特性不相同，所以理想电压源和理想电流源之间不能等效互换。

2.3.4　受控源

受控电源又称为“非独立”源，是一种用来表示一条支路和另一条支路之间存在耦合关系的电路模型。本书只讨论线性受控源。根据控制量的不同，分为电压控制电压源、电流控制电压源、电压控制电流源、电流控制电流源。受控源的电路模型如图 2－27 所示，为了与独立电源互相区别开，用菱形表示受控源。

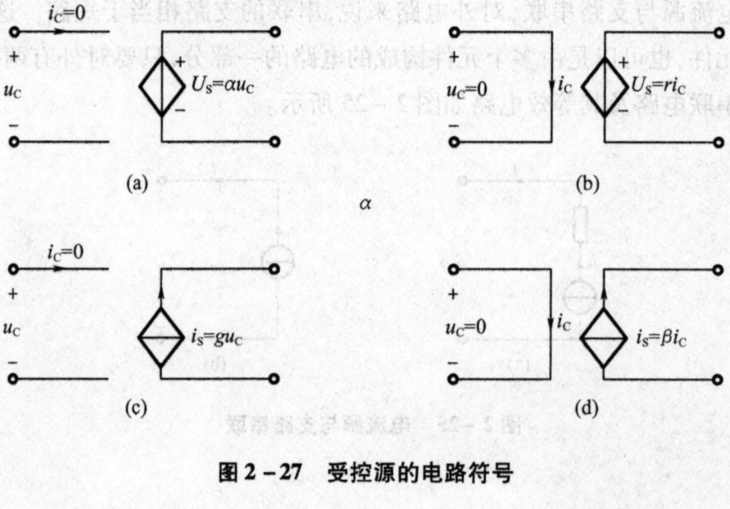

图 2－27　受控源的电路符号

重点串联

1. “等效”是对外等效，对内不一定等效。若求某条支路的电压、电流及功率要还原到原电路求解。

2. 常见电阻电路的等效变换

(1) 简单的电路，只有电阻元件的电路

①串联

将各个电阻元件顺序连接起来没有分支，而各个电阻流过相同电流，则称为电路的串联。串联的各个电路元件电流相等。串联电阻的等效电阻为所有串行连接电阻的和。

②并联

并联是将两个或两个以上两端电路元件中每个元件的两个端子，分别接到一对公共节点上的连接方式。各并联电路元件承受相同电压。并联电阻的等效电阻为所有并行连接电阻倒数之和的倒数。

③Y－△变换

$$\left.\begin{aligned} R_1 &= \frac{R_{12}R_{31}}{R_{12}+R_{23}+R_{31}} \\ R_2 &= \frac{R_{12}R_{23}}{R_{12}+R_{23}+R_{31}} \\ R_3 &= \frac{R_{23}R_{31}}{R_{12}+R_{23}+R_{31}} \end{aligned}\right\} \text{Y电阻} = \frac{\triangle\text{相邻电阻的乘积}}{\triangle\text{电阻之和}}$$

$$\left.\begin{aligned} R_{12} &= \frac{R_1R_2+R_2R_3+R_3R_1}{R_3} \\ R_{23} &= \frac{R_1R_2+R_2R_3+R_3R_1}{R_1} \\ R_{31} &= \frac{R_1R_2+R_2R_3+R_3R_1}{R_2} \end{aligned}\right\} \triangle\text{电阻} = \frac{\text{Y电阻两两乘积之和}}{\text{Y不相邻电阻}}$$

④电桥平衡

如果电路满足电桥平衡就可以应用串并联进行简化电路。图 2－9(a) 所示的电桥平衡的条件为

$$\frac{R_1}{R_2} = \frac{R_3}{R_4} \tag{2-20}$$

如果电路满足电桥平衡，图 2－9(a) 中电阻 R_5 所在支路可以看成断路或者短路两种电路结构。等效电路分别为图 2－9(b) 和图 2－9(c)，两种等效电路即为简单的电阻串并联连接结构。

(2) 电压源和电阻的连接

①电压源串联

电压源串联时的等效电压为所有串联电压源源电压的代数和。这里的“代数和”涉及正负号。

②电压源并联的条件

并联的电压源大小和方向必须都相同。

③电压源与支路的并联

如果一个电压源与支路并联,对外电路来说,并联的支路相当于断路。

(3)电流源和电阻的连接

①电流源串联的条件

串联的电流源大小和方向必须都相同。

②电流源并联

电流源并联时的等效电流源为所有并联电流源源电流的代数和。这里的“代数和”涉及正负号。

③电流源与支路串联

如果一个电流源与支路串联,对外电路来说,串联的支路相当于短路。

(4)实际电源之间的相互转换

电压源串联电阻可以等效为电流源并联电阻的形式。

受控电源又称为“非独立”源,是一种用来表示一条支路和另一条支路之间存在耦合关系的电路模型。本书只讨论线性受控源。根据控制量的不同,分为电压控制电压源、电流控制电压源、电压控制电流源、电流控制电流源。

3. 动态元件

电容元件和电感元件可以说是动态元件,是“记忆”元件,是储能元件,也是无损元件。

在工程实际中,可以根据实际要求将不同容量的电感元件或电容元件串并联得到我们需要的等效电容和等效电感。

电感元件串联时,等效电感等于各个电感之和;电感元件并联时,等效电感等于各电感倒数之和的倒数。电容并联时,等效电容等于各并联电容之和;电容串联时,等效电容等于各串联电容倒数之和的倒数。

如果在并联或串联前电感(磁场能量)或电容元件(电场能量)有初始储存能量,则除了需计算等效电感或等效电容外还需计算等效电感的初始电流或等效电容的初始电压。

习　题　2

一、填空题

1. 用 u—i 平面的曲线表示其特性的二端元件称为________元件。

用 u—q 平面的曲线表示其特性的二端元件称为________元件。

用 i—φ 平面的曲线表示其特性的二端元件称为________元件。

2. 端电压恒为 $U_S(t)$，与流过它的电流 i 无关的二端元件称为________；

输出电流恒为 $i_S(t)$，与其端电压 u 无关的二端元件称为________。

3. 几个电压源串联的等效电压等于所有电压源的________。几个同极性的电压源并联，其等效电压等于________。

4. 几个电流源并联的等效电流等于________代数和。几个同极性电流源串联，其等效电流等于________。

5. 某元件与理想电压源并联，其等效关系为________；某元件与理想电流源串联，其等效关系为________。

6. 两个电路的等效是指对外部而言，即保证端口的________关系相同。

7. 理想电压源输出的________值恒定，输出的________由它本身和外电路共同决定；理想电流源输出的________值恒定，输出的________由它本身和外电路共同决定。

8. 如果受控源所在电路没有独立源存在时，它仅仅是一个________元件，而当它的控制量不为零时，它相当于一个________。在含有受控源的电路分析中，特别要注意：不能随意把________的支路消除掉。

9. 电阻均为 9 Ω 的△电阻网络，若等效为Y形网络，各电阻的阻值应为________ Ω。

10. 实际电压源模型“20 V、1 Ω”等效为电流源模型时，其电流源 I_S = ________ A，内阻 R_i = ________ Ω。

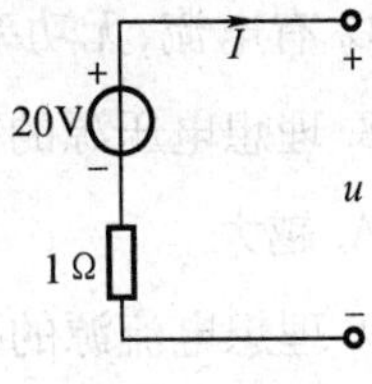

题图 2－1

二、选择题

1. 关于等效电路的下述描述正确的是________。

A. 若 N 和 N′单上网络对某一外电路等效，则 N 和 N′相互等效

B. 为 N 和 N′单口网络的伏安关系完全相同，则 N 和 N′完全等效

C. 为 N 和 N′单口网络的伏安关系完全相同，则 N 和 N′对任一外电路等效

D. 以上说法都不对

2. 关于电阻、电容和电感元件的下列描述错误的是________。

A. 电阻元件是一种即时元件，而电容和电感元件是记忆性元件

B. 电阻元件是一种耗能元件，而电容和电感元件是贮能性元件

C. 电阻元件是一种静态元件，而电容和电感元件是动态性元件

D. 不管信号频率如何变化，电阻器都可以用电阻元件来表示

3. 如题图 2－2 所示电路，当 R 增大时，流过 R_L 的电流 I_S 将________。

A. 增加　　B. 减小　　C. 不变　　D. 无法确定

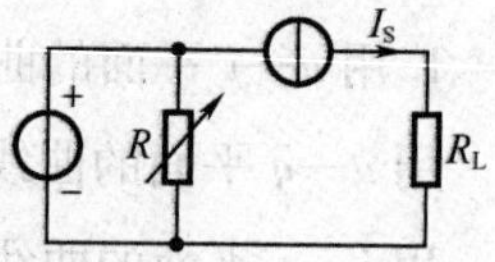

题图 2－2

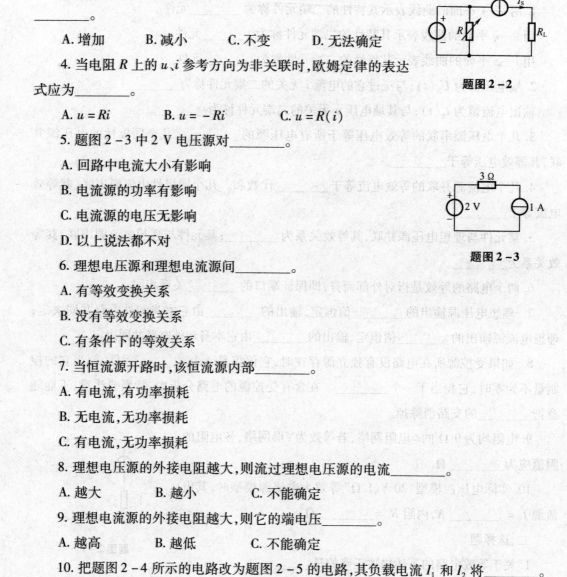

4. 当电阻 R 上的 u、i 参考方向为非关联时，欧姆定律的表达式应为________。

A. $u=Ri$　　B. $u=-Ri$　　C. $u=R(i)$

5. 题图 2－3 中 2 V 电压源对________。

A. 回路中电流大小有影响

B. 电流源的功率有影响

C. 电流源的电压无影响

D. 以上说法都不对

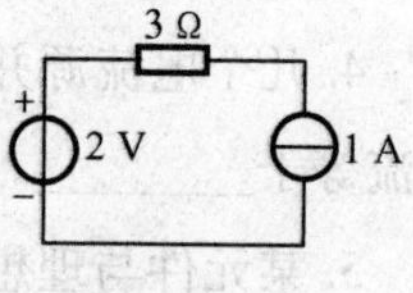

题图 2－3

6. 理想电压源和理想电流源间________。

A. 有等效变换关系

B. 没有等效变换关系

C. 有条件下的等效关系

7. 当恒流源开路时，该恒流源内部________。

A. 有电流，有功率损耗

B. 无电流，无功率损耗

C. 有电流，无功率损耗

8. 理想电压源的外接电阻越大，则流过理想电压源的电流________。

A. 越大　　B. 越小　　C. 不能确定

9. 理想电流源的外接电阻越大，则它的端电压________。

A. 越高　　B. 越低　　C. 不能确定

10. 把题图 2－4 所示的电路改为题图 2－5 的电路，其负载电流 I_1 和 I_2 将________。

A. 变大　　B. 变小　　C. 不变

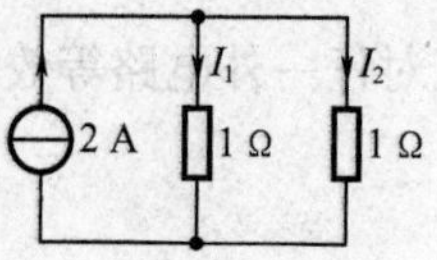

题图 2－4

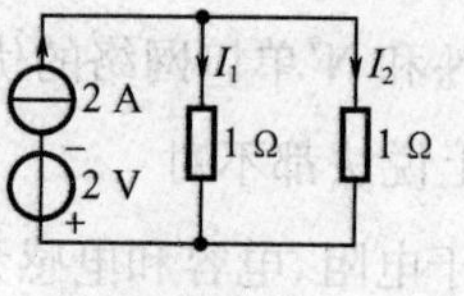

题图 2－5

三、计算题

1. 已知电路如题图 2-6(a)和(b)所示，试计算 a、b 两端的电阻。

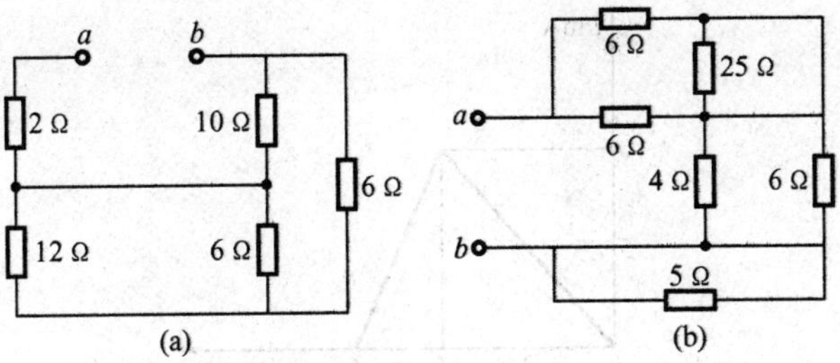

题图 2-6

2. 在题图 2-7 途中，$R_1=R_2=R_3=R_4=300\ \Omega$，$R_5=600\ \Omega$，试求开关 S 断开和闭合时 a、b 之间的等效电阻。

3. 如题图 2-8 所示电桥电路，已知 $I_1=25\ \text{mA}$，$I_3=16\ \text{mA}$，$I_4=12\ \text{mA}$，试求其余电阻中的电流 I_2、I_5、I_6。

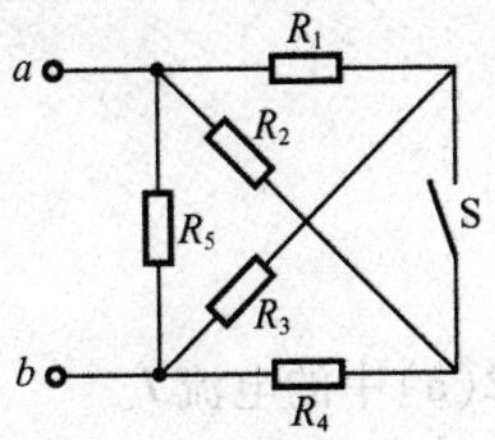

题图 2-7

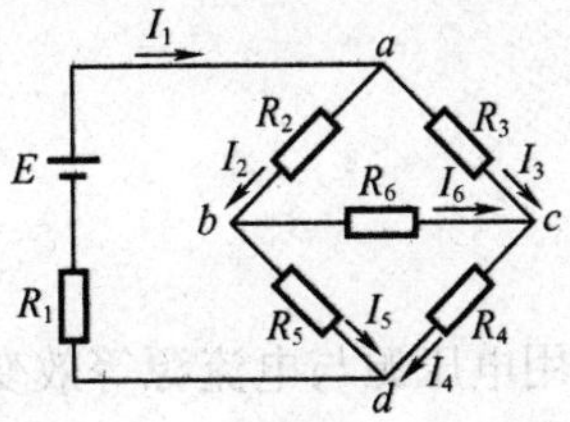

题图 2-8

4. 有一电容元件 $C=10\ \mu\text{F}$，其端电压 u 的波形如题图 2-9 所示。若电流 i_c 与电压 u 的参考方向已知，试画出流过电容的电流 i_c 的波形

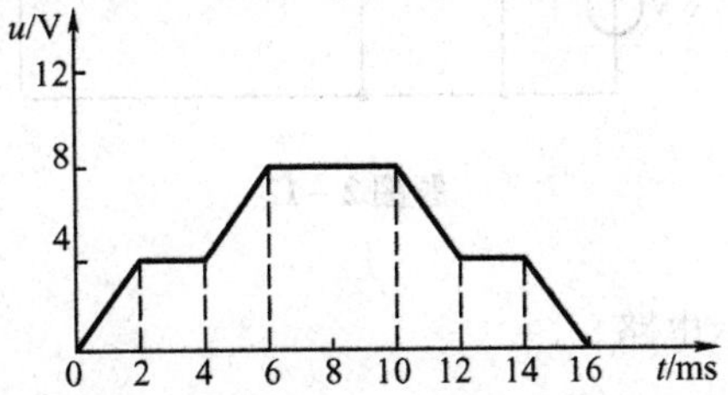

题图 2-9

5. 有一电感元件 $L=0.1$ H,通过此电感的电流 i 随时间变化的波形如题图 2-10 所示,若电压 u_L 与电流 i 的参考方向一致,试画出电压的波形。

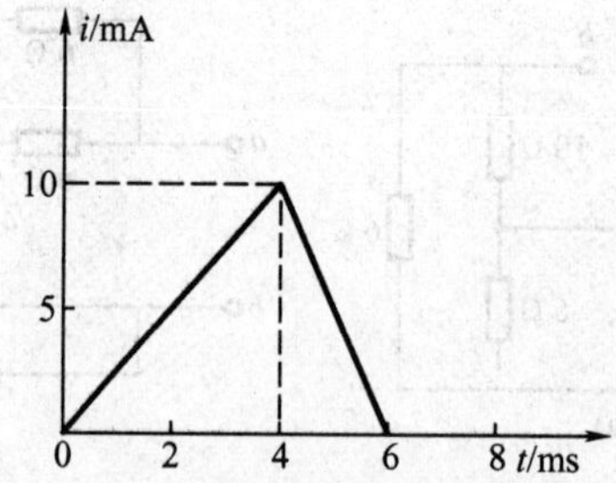

题图 2-10

6. 用电源模型等效变换的方法求题图 2-11 电路的电流 i_1 和 i_2。

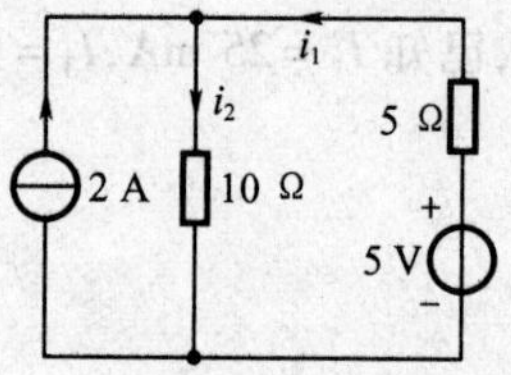

题图 2-11

7. 试用电压源与电流源等效变换的方法计算题图 2-12(a)中的电流 I。

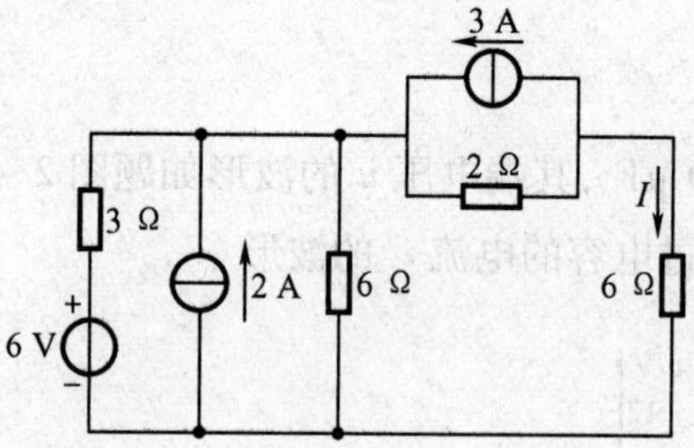

题图 2-12

8. 化简题图 2-13 所示电路。

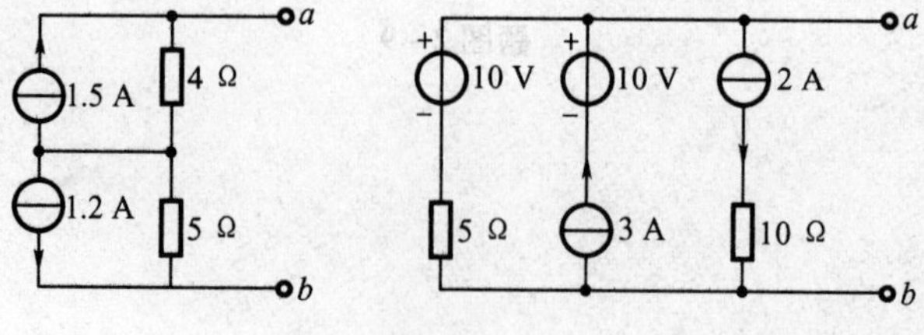

题图 2-13

9. 应用等效变换求题图 2 – 14 示电路中的 I 的值。

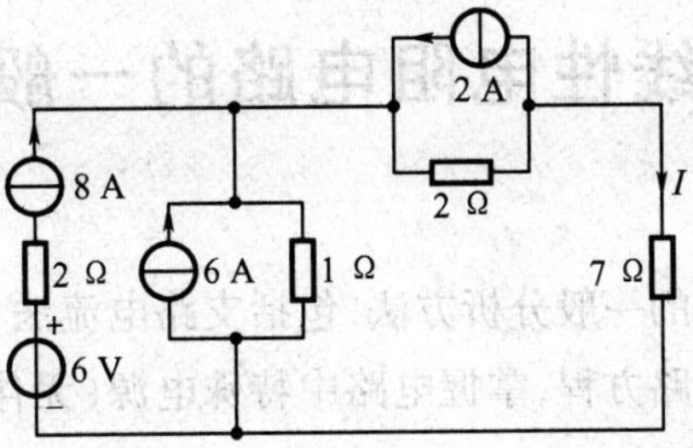

题图 2 – 14

10. 如题图 2 – 15，化简后用电源互换法求 I 的值。

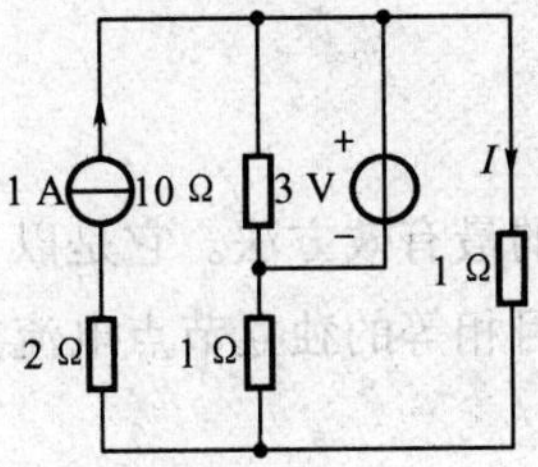

题图 2 – 15

第3章　线性电阻电路的一般分析方法

本章介绍线性电阻电路的一般分析方法，包括支路电流法、回路电流法和节点电压法。通过本章的学习学会列写电路方程，掌握电路中特殊电源（无伴电压源、无伴电流源及受控电源）列写电路方程的处理方法。

3.1　支路电流法

3.1.1　支路电流法

支路电流法是分析复杂电路的最有效方法。它是以支路电流为变量，应用基尔霍夫电压、电流定律，列出与支路电流数目相等的独立节点电流方程和回路电压方程，然后联立解出各支路电流的一种方法。

对于 n 个节点，b 条支路的电路，应用 KCL 列写独立电流方程 $(n-1)$ 个，应用 KVL 列写独立电压方程 $(b-n+1)$ 个，然后联立 b 个方程，求出 b 个未知的支路电流变量。

3.1.2　支路电流法应用示例

【例 3-1】　用支路电流法求图 3-1 电路中电流 I_1，I_2 和 I_3。

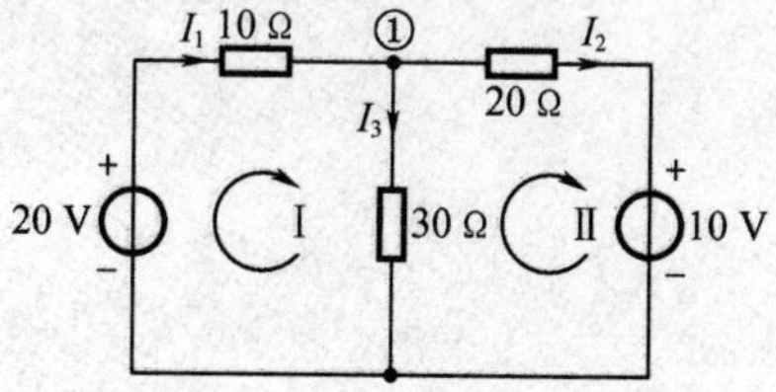

图 3-1　【例 3-1】图

解

对节点①列 KCL 方程

节点① $-I_1+I_2+I_3=0$　　　　　　　　(3-1)

对网孔Ⅰ、Ⅱ列 KVL 方程

网孔Ⅰ：$10\ \Omega\times I_1+30\ \Omega\times I_3=20\ \text{V}$　　　(3-2)

网孔Ⅱ：$20\ \Omega\times I_2-30\ \Omega\times I_3=-10\ \text{V}$　(3-3)

联立式(3-1)、式(3-2)和式(3-3)可解得

$$I_1=\frac{7}{11}\ \text{A},I_2=\frac{2}{11}\ \text{A},I_3=\frac{5}{11}\ \text{A}$$

【例 3-2】　含有无伴电流源及受控源的电路，如图 3-2 所示，试用支路电流法求电路中受控源输出的功率。

解

此电路含有无伴电流源（没有与电流源并联电阻的电流源），采用选择特殊的回路的方法。只有一个回路经过无伴电流源所在支路，那么支路电流为无伴电流源源电流，即

$i_6 = 1\ A$

此电路含有受控源，受控源当独立电源使用，用支路电流表示受控源的控制量 u_a，列写补充方程，即

$$u_a = 2\ \Omega i_1 \tag{3-4}$$

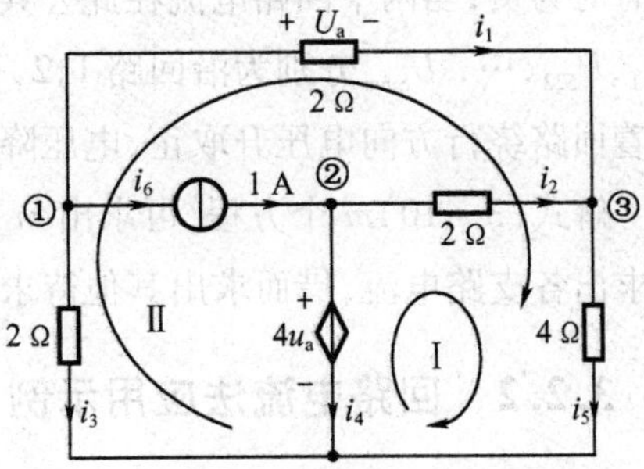

图 3-2 【例 3-2】图

对节点①②③列 KCL 方程：

节点①：$i_1 + i_3 + i_6 = 0$ (3-5)

节点②：$i_2 + i_4 = i_6$ (3-6)

节点③：$i_1 + i_2 = i_5$ (3-7)

对网孔Ⅰ、Ⅱ列 KVL 方程：

网孔Ⅰ：$2\ \Omega \times i_2 + 4\ \Omega \times i_5 = 4u_a$ (3-8)

网孔Ⅱ：$2\ \Omega \times i_2 + 4\ \Omega \times i_5 - 2\ \Omega \times i_3 = 0$ (3-9)

联立式(3-4)~式(3-9)可解得

$$i_1 = -\frac{3}{16}\ A, i_4 = \frac{9}{8}\ A$$

$$P_{4u_a吸} = 4u_a \times i_4 = -1.688\ W < 0$$

实际 $4u_a$ 受控源发出 1.688 W 功率。

支路电流法的优点是可以直接求出各支路电流；缺点是必须求解 b 个方程，若支路 b 较多，那么计算起来就很麻烦。

3.2 回路电流法

3.2.1 回路电流法

回路电流是根据电流连续性原理假设的一种沿回路流动的电流。回路电流法是以一组独立回路电流作为变量，根据 KVL 列出独立回路的电压方程，然后联立求解的方法。当电路是平面网络，有时选择网孔作为独立的回路，因此有时把回路电流法叫作网孔电流法。倘若选择的回路只有一个回路经过已知支路，若方向相同，那么回路电流即为支路电流。

对具有 m 个网孔的平面电路，回路电流的一般形式可表示为：

$$\begin{aligned}
&\text{回路 1} \quad R_{11}i_{m1} + R_{12}i_{m2} + \cdots + R_{1m}i_{mm} = U_{S11}\\
&\text{回路 2} \quad R_{21}i_{m1} + R_{22}i_{m2} + \cdots + R_{2m}i_{mm} = U_{S22}\\
&\cdots\cdots\\
&\text{回路 } m \quad R_{m1}i_{m1} + R_{m2}i_{m2} + \cdots R_{mm}i_{mm} = U_{Smm}
\end{aligned} \tag{3-10}$$

式(3-10)中，下标相同的电阻表示各回路的自阻，$R_{11}, R_{22}, \cdots, R_{mm}$ 分别是组成回路 1，2，…，m 自阻，自阻为自身回路所有电阻之和，自阻总为正。下标不同的电阻表示两个相邻回路的互阻，$R_{12}, R_{21}, \cdots, R_{ij}(i \neq j)$，互阻是对应两个回路间公共支路上的电阻。互阻有时为

正有时为负，当两个回路电流在此公共支路上的绕行方向相同，互阻取“+”，否则取“-”。$U_{S11}, U_{S22}, \cdots, U_{Smm}$分别为沿回路1，2，…，$m$电压源电压升的代数和。这里的代数和规定，沿着回路绕行方向电压升取正，电压降取负号。

解式(3-10)m个方程，可求出m个回路电流；依据回路电流与支路电流的线性关系，可求出各支路电流，借而求出其他待求量。

3.2.2 回路电流法应用示例

1. 基本的回路电流法

【例3-3】 用回路电流法求图3-3所示电路R_4中的电流I。

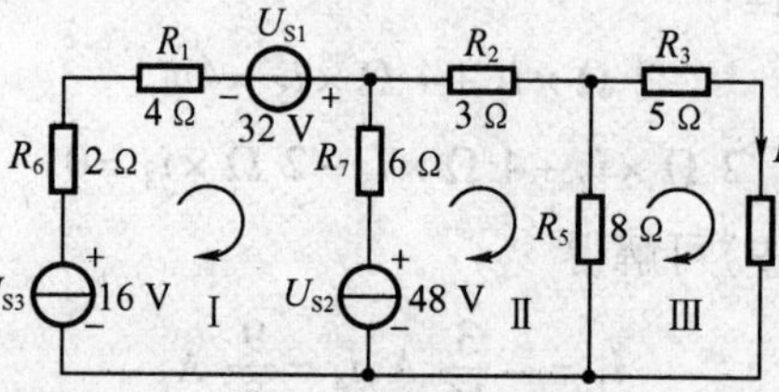

图3-3 【例3-3】图

解

该电路没有特殊电源，可在选取独立回路的基础上直接列出标准的回路方程求解。选择内网孔作为独立回路，如图3-3所示。

回路Ⅰ　$(2\ \Omega+4\ \Omega+6\ \Omega)I_{m1}-6\ \Omega I_{m2}=16\ \text{V}+32\ \text{V}-48\ \text{V}$　(3-11)

回路Ⅱ　$-6\ \Omega I_{m1}+(3\ \Omega+8\ \Omega+6\ \Omega)I_{m2}-8\ \Omega I_{m3}=48\ \text{V}$　(3-12)

回路Ⅲ　$-8\ \Omega I_{m2}+(8\ \Omega+5\ \Omega+3\ \Omega)I_{m3}=0$　(3-13)

联立式(3-11)、式(3-12)和式(3-13)可解得

$$I_{m3}=2.4\ \text{A}$$

图3-3所示的电路只有一个回路经过R_4所在支路，并且绕行方向相同，故R_4所在支路的电流为

$$I=I_{m3}=2.4\ \text{A}$$

2. 含有无伴电流源、受控源的电路

【例3-4】 用回路电流法求解图3-4所示电路中电压U。

解

此电路含有无伴电流源（无并联电阻的电流源），处理方法有两种：

一是设无伴电流源两端电压为U，列写补充方程（补充方程：用回路电流表示电流源所在支路电

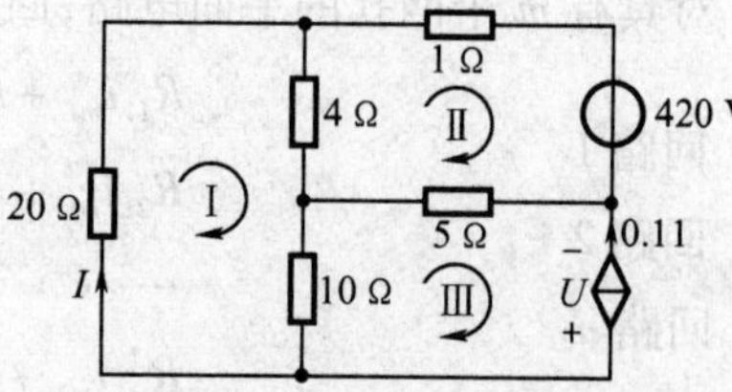

图3-4 【例3-4】图

流）；二是选择特殊的回路，只有一个回路经过无伴电流源所在支路，那么回路电流为无伴电流源源电流。

此电路采用选择特殊的回路的方法。只有一个回路经过无伴电流源所在支路，那么该回路电流为无伴电流源源电流，即

$$i_{m3} = 0.1I \tag{3-14}$$

此电路含有受控源，受控源当独立电源使用，用回路电流表示受控源的控制量 I，列写补充方程，即

$$I = -i_{m1} \tag{3-15}$$

对回路Ⅰ、Ⅱ列写回路电流方程：

回路Ⅰ　$(4\ \Omega + 10\ \Omega + 20\ \Omega)i_{m1} - 4\ \Omega i_{m2} - 10\ \Omega i_{m3} = 0$　(3-16)

回路Ⅱ　$-4\Omega i_{m1} + (4\ \Omega + 1\ \Omega + 5\ \Omega)i_{m2} - 5\ \Omega i_{m3} = -420\ \text{V}$　(3-17)

联立方程式(3-14)~式(3-17)可解得

$$i_{m1} = -5\ \text{A}, i_{m2} = -43.75\ \text{A}, i_{m3} = 0.5\ \text{A}$$

对外网孔作为回路列写KVL方程求 U，即

$$20i_{m1} + 1\ \Omega i_{m2} + U + 420\ \text{V} = 0$$

得

$$U = 276.25\ \text{V}$$

3.3　节点电压法

3.3.1　节点电压方程

通常先选择电路的参考点，节点相对参考点的电位称为节点电压。参考点用接地符号“⊥”来表示，用 u_{n1}、u_{n2} 和 u_{n3} 分别表示节点①②和③的节点电压。对于 n 个节点 b 条支路的电路来说，节点电压法是以节点电压为变量列写 $(n-1)$ 个独立的KCL方程，从而求解电路中其他各电量的方法，称为节点电压法。

如图3-5所示，选取节点④作为参考点，对节点①②和③列写节点电压方程的一般形式，即

$$G_{11}u_{n1} + G_{12}u_{n2} + G_{13}u_{n3} = \sum_{\text{节点①}} I_{Sk} + \sum_{\text{节点①}} G_k U_{Sk}$$

$$G_{21}u_{n1} + G_{22}u_{n2} + G_{23}u_{n3} = \sum_{\text{节点②}} I_{Sk} + \sum_{\text{节点②}} G_k U_{Sk}$$

$$G_{31}u_{n1} + G_{32}u_{n2} + G_{33}u_{n3} = \sum_{\text{节点③}} I_{Sk} + \sum_{\text{节点③}} G_k U_{Sk}$$

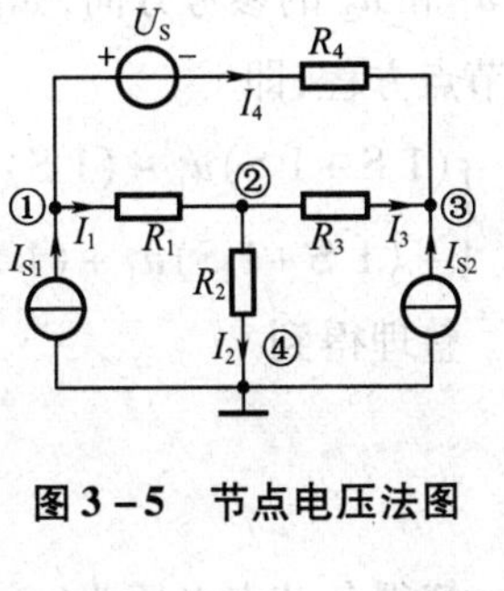

图3-5　节点电压法图

(1) G_{11}、G_{22}、G_{33} 称为节点①②③的自导。自导是与该节点相连接的所有支路的电导之和。这里的 $G_{11} = \frac{1}{R_1} + \frac{1}{R_4}$，$G_{22} = \frac{1}{R_1} + \frac{1}{R_2} + \frac{1}{R_3}$，$G_{33} = \frac{1}{R_3} + \frac{1}{R_4}$。

自导可写成 G_{ii}，自导总为正。

（2）G_{12}、G_{21}、G_{13}、G_{31}、G_{23}、G_{32} 称为节点①②③间的互导。互导是连接在节点①②③之间的诸支路电导之和并带一负号。这里的 $G_{12}=G_{21}=-\frac{1}{R_1}$，$G_{13}=G_{31}=-\frac{1}{R_4}$，$G_{23}=G_{32}=-\frac{1}{R_3}$。互导可写成 $G_{ij}=G_{ji}(i\neq j)$，互导总为负。

（3）等号右侧：

第一项 $\sum I_{Sk}$，表示与节点相连接的电流源的代数和。其中流入节点电流为正，流出为负。

第二项 $\sum G_k U_{Sk}$，表示与节点相连接的电压源与其串联电导的乘积的代数和。其中电压源正极性端指向节点取正，否则取负。

图 3-5 所示电路的节点电压方程为

$$\left(\frac{1}{R_4}+\frac{1}{R_4}\right)u_{n1}-\frac{1}{R_1}u_{n2}-\frac{1}{R_4}u_{n3}=I_{S1}+\frac{u_S}{R_4}$$

$$-\frac{1}{R_1}u_{n1}+\left(\frac{1}{R_1}+\frac{1}{R_2}+\frac{1}{R_3}\right)u_{n2}-\frac{1}{R_3}u_{n3}=0$$

$$\left(-\frac{1}{R_4}-\frac{1}{R_3}\right)u_{n2}+\left(\frac{1}{R_3}+\frac{1}{R_4}\right)u_{n3}=I_{S2}-\frac{u_S}{R_4}$$

解方程求出节点电压，进而求出各支路电压及其他的待求量。

对于具有 n 个节点的电路，可列写 $n-1$ 个独立的节点电压方程，一般方程可写成

$$G_{ii}u_{ni}-G_{ij}u_{nj}=\sum_{\text{节点}i}I_{Sk}+\sum_{\text{节点}i}G_kU_{Sk}$$

3.3.2 节点电压法应用示例

1. 基本的节点电压法

【例 3-5】 用节点电压法求图 3-6 所示电路各支路电流。

解

用接地符号标出参考节点，标出两个节点电压 u_1 和 u_2 的参考方向，如图 3-6 所示，观察法列出节点方程，即

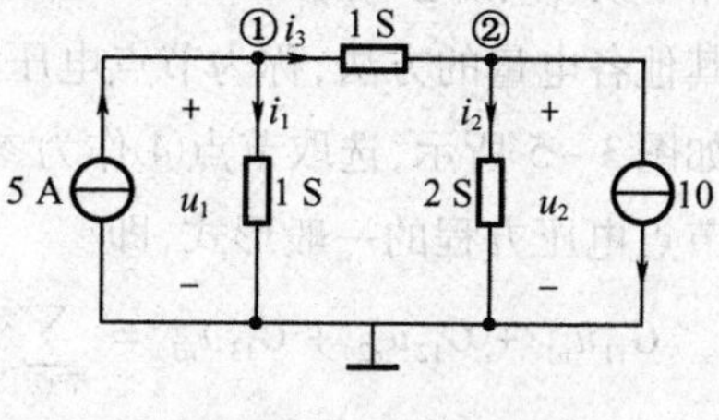

图 3-6 【例 3-5】图

$$\begin{cases}(1\ \text{S}+1\ \text{S})u_1-(1\ \text{S})u_2=5\ \text{A}\\-(1\ \text{S}+1\ \text{S})u_1+(1\ \text{S}+2\ \text{S})u_2=-10\ \text{A}\end{cases}$$

整理得到

$$\begin{cases}2u_1-u_2=5\ \text{V}\\-u_1+3u_2=-10\ \text{V}\end{cases}$$

解得各节点电压为

$$u_1=1\ \text{V},u_2=-3\ \text{V}$$

选定各电阻支路电流参考方向如图 3－6 所示，可求得

$$\begin{cases} i_1=(1\ \text{S})u_1=1\ \text{A} \\ i_2=(2\ \text{S})u_2=-6\ \text{A} \\ i_3=(1\ \text{S})(u_1-u_2)=4\ \text{A} \end{cases}$$

2. 含有无伴电压源支路的节点电压法

【例 3－6】　用节点电压法求图 3－7 电路中的节点电压和 8 V 电压源所在支路电流 i_6。

解

无伴电压源是指没有电阻与之串联的电压源的支路。这样的电压源有两种处理方法。

方法一：可选择特殊的参考点，选择无伴电压源的一端为参考节点。此时，无伴电压源另外一端的节点电压为已知（电压源的电压）。

方法二：设电压源所在支路电流为变量列写方程，此电流当独立电流源处理，再列写补充方程（补充方程：用节点电压表示电压源的源电压）。

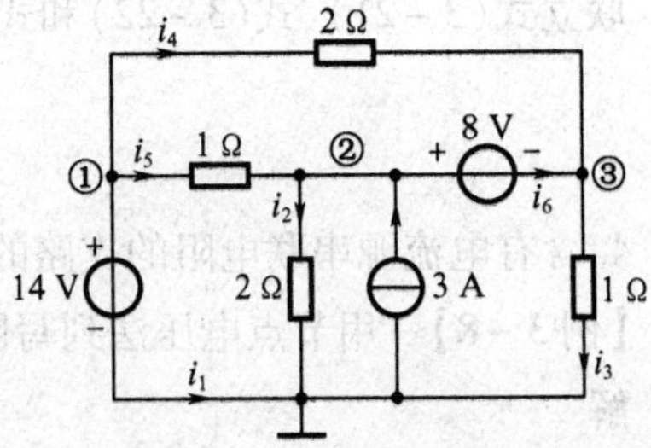

图 3－7　【例 3－6】图

例 3－6 选择 14 V 电压源的"－"极性端作为参考点，那么节点①的电压为

$$u_{n1}=14\ \text{V}$$

假设 8 V 电压源所在支路电流为 i_6，对节点②③列写节点电压方程：

节点②
$$-\frac{1}{1\ \Omega}u_{n1}+\left(\frac{1}{1\ \Omega}+\frac{1}{2\ \Omega}\right)u_{n2}=-i_6+3\ \text{A} \qquad (3-18)$$

节点③
$$-\frac{1}{2\ \Omega}u_{n1}+\left(\frac{1}{1\ \Omega}+\frac{1}{2\ \Omega}\right)u_{n3}=i_6 \qquad (3-19)$$

补充方程：用节点电压表示 8 V 电压源的源电压

$$u_{n2}-u_{n3}=8\ \text{V} \qquad (3-20)$$

联立式(3－18)、式(3－19)和式(3－20)方程，可解得

$$u_{n2}=12\ \text{V},u_{n3}=4\ \text{V},i_6=-1\ \text{A}$$

3. 含有受控源的电路的节点电压

【例 3－7】　用节点电压法求图 3－8 电路中的电压 U。

解

图 3－9 中存在 50 V 的无伴电压源，故选择无伴电压源的"－"极性端作为参考点。则

$$u_{n1}=50\ \text{V}$$

$$u_{n3}=15I \qquad (3-21)$$

电路中含有受控电源：受控源当独立电源使用，用节点电压表示控制量作为补充方程。

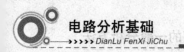

对节点②列写节点电压方程：

节点②

$$-\frac{1}{5\ \Omega}u_{n1}+(\frac{1}{5\ \Omega}+\frac{1}{20\ \Omega}+\frac{1}{4\ \Omega})u_{n2}-\frac{1}{4\ \Omega}u_{n3}=0 \tag{3-22}$$

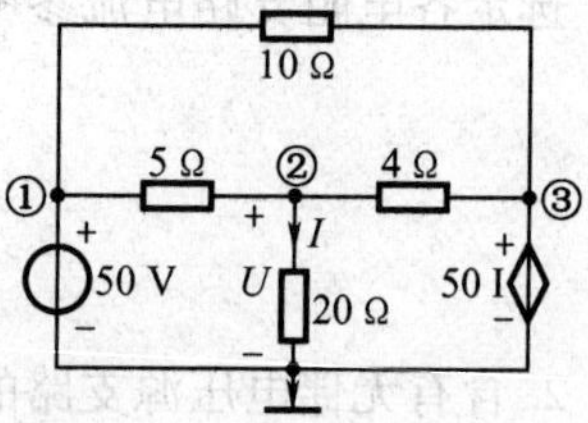

图 3－8 【例 3－7】图

列写补充方程（用节点电压表示控制量），即

$$I=\frac{u_{n2}}{20\ \Omega} \tag{3-23}$$

联立式(3－21)、式(3－22)和式(3－23)方程，解得

$$u_{n2}=32\ \text{V}$$

故 $$U=u_{n2}=32\ \text{V}$$

4. 含有电流源串联电阻的支路的节点电压法

【例 3－8】 用节点电压法列写图 3－9 所示电路用节点电压法方程。

解

图 3－9 电路中电阻 R_2 所在支路电流唯一由电流源 i_S 确定，对外电路而言，与电流源串联的电阻 R_2 无关。所以电导 $\frac{1}{R_2}$ 不应出现在节点电压方程中。

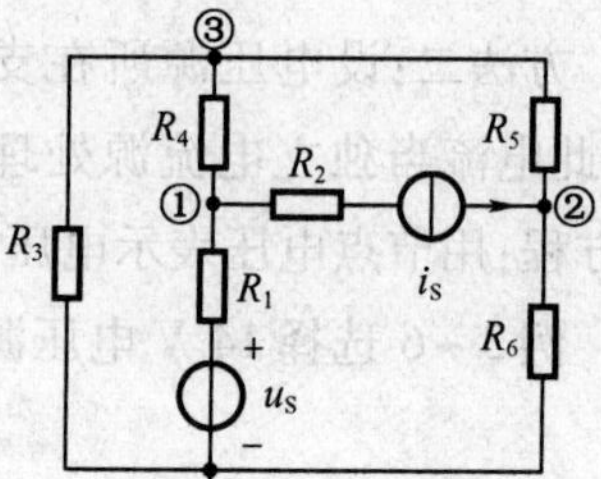

图 3－9 【例 3－8】图

对节点①②③列写节点电压方程：

节点① $$\left(\frac{1}{R_1}+\frac{1}{R_4}\right)u_{n1}-\frac{1}{R_4}u_3=\frac{U_S}{R_1}-i_S$$

节点② $$\left(\frac{1}{R_5}+\frac{1}{R_6}\right)u_{n2}-\frac{1}{R_5}u_3=i_S$$

节点③ $$\frac{1}{R_4}u_{n1}-\frac{1}{R_5}u_{n2}+\left(\frac{1}{R_3}+\frac{1}{R_4}+\frac{1}{R_5}\right)u_{n3}=0$$

电路中含有与电流源（或受控电流源）串联的电阻不列入节点电压方程的自导和互导里。

3.4 弥尔曼定理

对于只含有两个节点的电路（如图 3－10 所示），其节点电压方程为

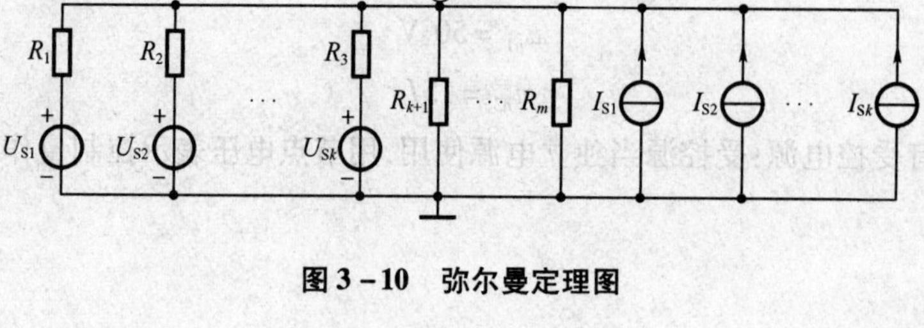

图 3－10 弥尔曼定理图

$$\left(\frac{1}{R_1}+\frac{1}{R_2}+\cdots+\frac{1}{R_k}+\frac{1}{R_1'}+\cdots+\frac{1}{R_k'}\right)u_{n1}=\frac{U_{S1}}{R_1}+\frac{U_{S2}}{R_2}+\cdots+\frac{U_{Sk}}{R_k}+I_{S1}+I_{S2}+\cdots+I_{Sk}$$

整理得

$$u_{n1}=\frac{\frac{U_{S1}}{R_1}+\frac{U_{S2}}{R_2}+\cdots+\frac{U_{Sk}}{R_k}+I_{S1}+I_{S2}+\cdots+I_{Sk}}{\left(\frac{1}{R_1}+\frac{1}{R_2}+\cdots+\frac{1}{R_k}+\frac{1}{R_1'}+\cdots+\frac{1}{R_k'}\right)}$$

$$=\frac{\sum_{i=1}^{k}(G_iU_{Si}+I_{Si})}{\sum_{i=1}^{m}G_i} \tag{3-24}$$

式(3-24)称为弥尔曼定理。分母表示独立节点相连接的所有电导之和,各项总为正;分子表示电流源代数和或者等效电流源代数和,当电流源或者等效电流源电流参考方向指向独立节点时取正号,否则取负号。

重点串联

1. 支路电流法列写电路方程的一般步骤

(1)假设各支路电流及参考方向。

(2)列写 b 个方程:

①针对独立节点列写 KCL 方程$(n-1)$个;

②选择独立回路(一般选择内网孔)列写 KVL 方程$(b-n+1)$个。

(3)求解上述方程,得到 b 个支路电流。

特殊电源处理:

①受控电源的处理是受控源当独立电源使用,然后列写补充方程。

补充方程是用支路电流表示受控源的控制量。

②无伴电流源(无并联电阻的电流源)的处理方法有两种。

一是设无伴电流源两端电压为 U,列写补充方程,补充方程是用支路电流表示电流源所在支路电流。

二是选择特殊的回路,只有一个回路经过无伴电流源所在支路,那么支路电流为无伴电流源源电流。

2. 回路电流法列写电路方程的一般步骤

(1)选取 $m=b-(n-1)$独立回路,将回路电流及绕行方向标注图中。

(2)对 m 个独立回路,以回路电流为未知量,列写其 KVL 方程。

(3)求解上述方程,得到 m 个回路电流。

特殊电源处理:

①受控电源的处理是受控源当独立电源使用,然后列写补充方程。

补充方程是用回路电流表示受控源的控制量。

②无伴电流源(无并联电阻的电流源)的处理方法有两种。

一是设无伴电流源两端电压为 U，列写补充方程，补充方程是用回路电流表示电流源所在支路电流。

二是选择特殊的回路，只有一个回路经过无伴电流源所在支路，那么回路电流为无伴电流源源电流。

3. 节点电压法分析一般步骤

(1)选取节点 O 为参考点。

(2)列写节点电压为变量的方程。

(3)支路电压是节点电压的线性组合。

特殊电源特殊处理：

(1)无伴电压源(没有电阻与之串联的电压源)支路。

一是设电压源所在支路电流为变量列写方程，此电流当独立电流源处理。再列写补充方程。补充方程是用节点电压表示电压源的源电压。

二是可选择特殊的参考点：选择无伴电压源的一端为参考节点。此时，无伴电压源 另外一端为的节点电压为已知(电压源的电压)。

(2)受控电源的处理是受控源当独立电源使用，列写补充方程。

补充方程是用节点电压表示控制量。

(3)电流源串电阻的支路

该电阻不列节点电压方程中(电流源串电阻不算自导和互导里)，该电阻不影响所在支路电流。

4. 弥尔曼定理

对于只含有两个节点的电路如图 3 - 9 所示，其节点电压方程整理为

$$u_{n1} = \frac{\dfrac{U_{S1}}{R_1} + \dfrac{U_{S2}}{R_2} + \cdots + \dfrac{U_{Sk}}{R_k} + I_{S1} + I_{S2} + \cdots + I_{Sk}}{\left(\dfrac{1}{R_1} + \dfrac{1}{R_2} + \cdots + \dfrac{1}{R_k} + \dfrac{1}{R'_1} + \cdots + \dfrac{1}{R'_k}\right)} = \frac{\sum\limits_{i=1}^{k} (G_i U_{Si} + I_{Si})}{\sum\limits_{i=1}^{m} G_i}$$

式中，分母表示独立节点相连接的所有电导之和，各项总为正；分子表示电流源代数和或者等效电流源代数和，当电流源或者等效电流源电流参考方向指向独立节点时取正号，否则取负号。

习　题　3

一、填空题

1. 为了减少方程式数目，在电路分析方法中我们引入了________电流法、________电压法。

2. 以客观存在的支路电流为未知量，直接应用________定律和________定律求解电路的方法，称为________法。

3. 当复杂电路的支路数较多、回路数较少时，应用________电流法可以适当减少方程式数目。这种解题方法中，是以________的________电流为未知量，直接应用________定律求解电路的方法。

4. 当复杂电路的支路数较多、节点数较少时，应用________电压法可以适当减少方程式数目。这种解题方法中，是以________的________电压为未知量，直接应用________定律和________定律求解电路的方法。

5. 平面图的回路内再无任何支路的闭合回路称为________。

6. 在网孔分析法中，若在非公共支路有已知电流源，可作为________。

7. 在节点分析法中，若已知电压源接地，可作为________。

8. 对于一个由 n 个节点，b 条支路所组成的电路可列出的独立方程总数是________。

9. 题图 3－1 所示电路，其网孔电流 i_1 = ________ A。

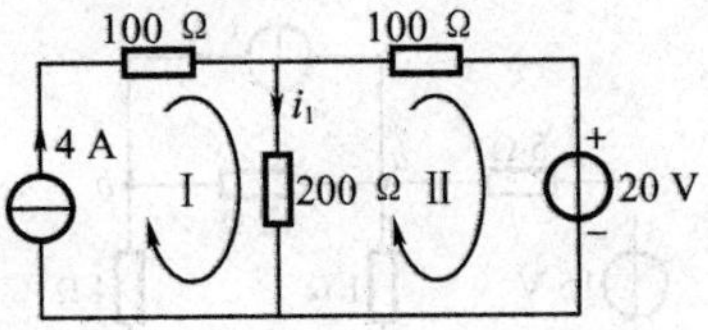

题图 3－1

10. 见图 2－3，两个电阻串联，$R_1:R_2=1:2$，总电压为 60 V，则 U_1 的大小为________。

二、选择题

1. 在有 n 个节点、b 条支路的连通电路中，可以列出独立 KCL 方程和独立 KVL 方程的个数分别为________。

A. $n;b$　　　　B. $b-n+1;n+1$

C. $n-1;b-1$　　　　D. $n-1;b-n+1$

2. 自动满足基尔霍夫电压定律的电路求解法是________。

A. 支路电流法　　B. 回路电流法　　C. 节点电压法

3. 自动满足基尔霍夫电流定律的电路求解法是________。

A. 支路电流法　　B. 回路电流法　　C. 节点电压法

4. 必须设立电路参考点后才能求解电路的方法是________。

A. 支路电流法　　B. 回路电流法　　C. 节点电压法

5. 网孔电流是一种________电流。

A. 沿着网孔边界流动的真实

B. 沿着网孔边界流动的假想

C. 线性相关的独立变量

D. 以上说法都不对

6. 列网孔方程时,要把元件和电源变为________才列方程式。

A. 电导元件和电压源　　B. 电阻元件和电压源

C. 电导元件和电流源　　D. 电阻元件和电流源

7. 列节点方程时,要把元件和电源变为________才列方程式。

A. 电导元件和电压源　　B. 电阻元件和电压源

C. 电导元件和电流源　　D. 电阻元件和电流源

8. 列网孔方程时,互电阻符号取________,而节点分析时,互电导符号取________。

A. 流过互电阻的网孔电流方向相同取 +,反之取 −;

B. 恒取 +　　C. 恒取 −

9. 题图 3−2 电路中节点 a 的节点电压方程为________。

A. $8U_a-2U_b=2$　　B. $1.7U_a-0.5U_b=2$

C. $1.7U_a+0.5U_b=2$　　D. $1.7U_a-0.5U_b=-2$

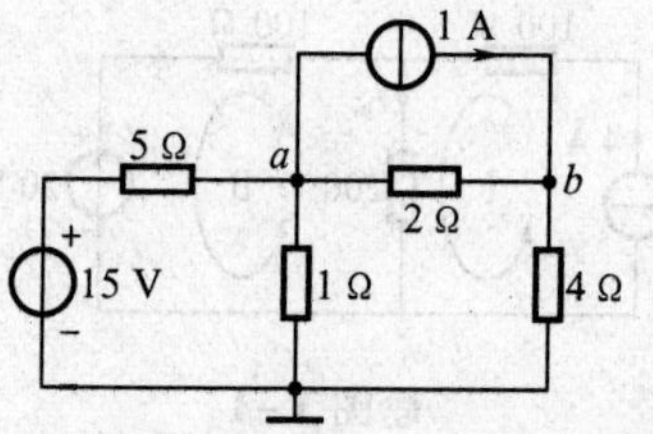

题图 3−2

10. 题图 3−3 电路中网孔 1 的回路电流方程为________。

A. $11I_{m1}-3I_{m2}=6$　　B. $11I_{m1}+3I_{m2}=6$

C. $11I_{m1}+3I_{m2}=6$　　D. $11I_{m1}-3I_{m2}=6$

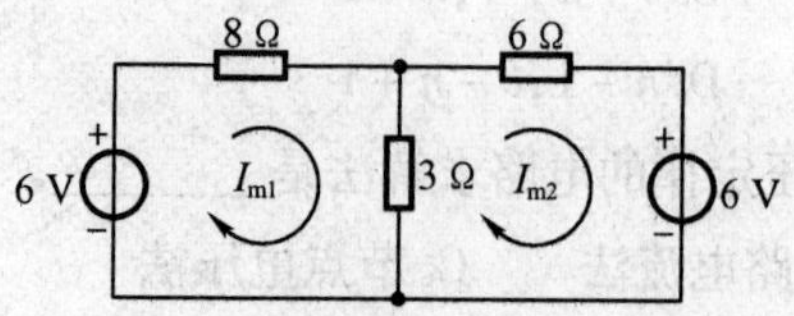

题图 3−3

三、计算题

1. 试用支路电流法求图 3－4 中的两台直流发电机并联电路中的负载电流 I 及每台发电机的输出电流 I_1 和 I_2。已知：$R_1=1\ \Omega, R_2=0.6\ \Omega, R=24\ \Omega, E_1=130\ \text{V}, E_2=117\ \text{V}$。

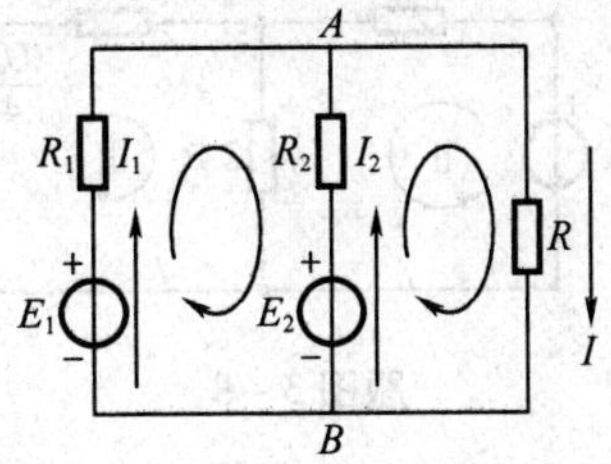

题图 3－4

2. 试用支路分析法求题图 3－5 所示电路中电压 u 和电流 i_x。

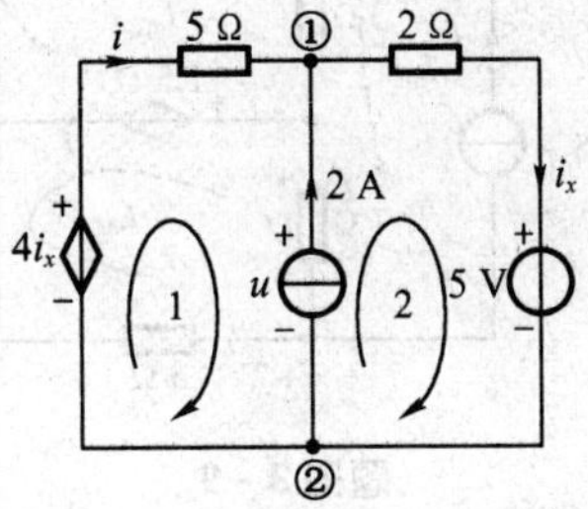

题图 3－5

3. 试用回路电流法求题图 3－6 所示电路中的电流 i 和电压 U_{ab}。

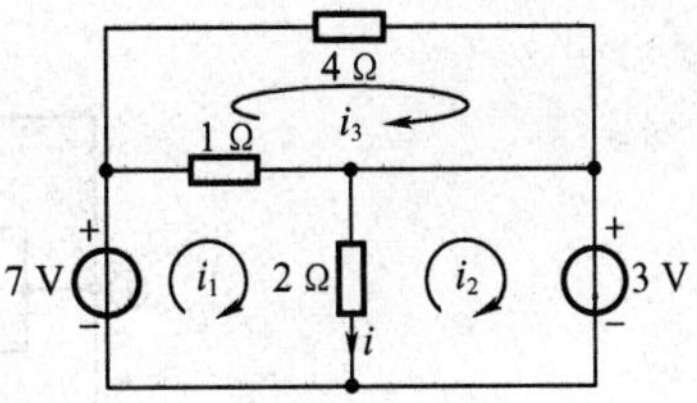

题图 3－6

4. 用回路分析法求题图 3－7 电流 I 和电压 U。

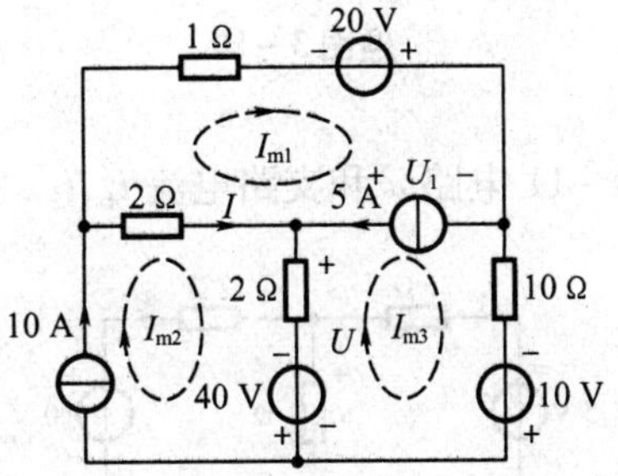

题图 3－7

5. 用回路电流法求解题图 3－8 所示电路中 10 V 电压源发出的功率。

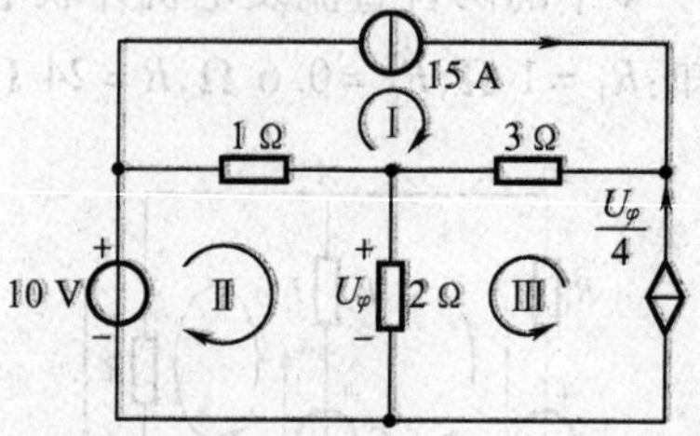

题图 3－8

6. 求题图 3－9 所示受控源发出的功率。

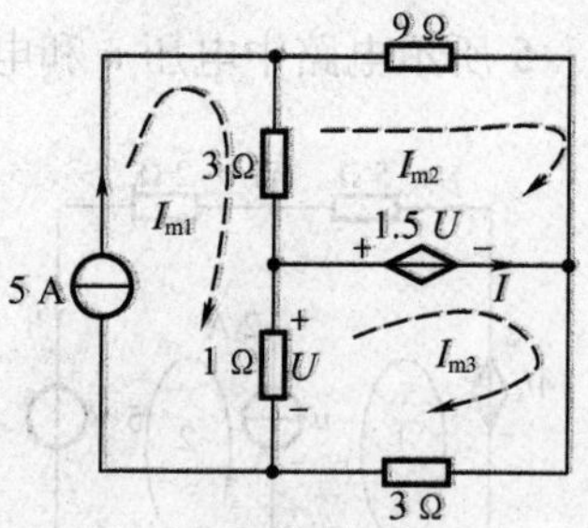

题图 3－9

7. 用节点电压法求图题 3－10 所示电路各支路电压。

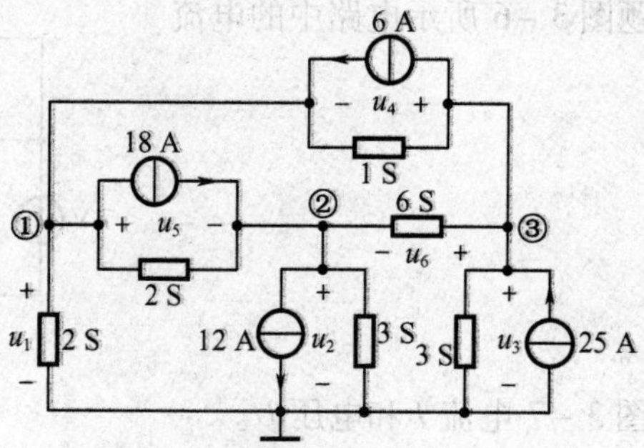

题图 3－10

8. 用节点电压法求题图 3－11 电路 u 和支路电流 i_1，i_2。

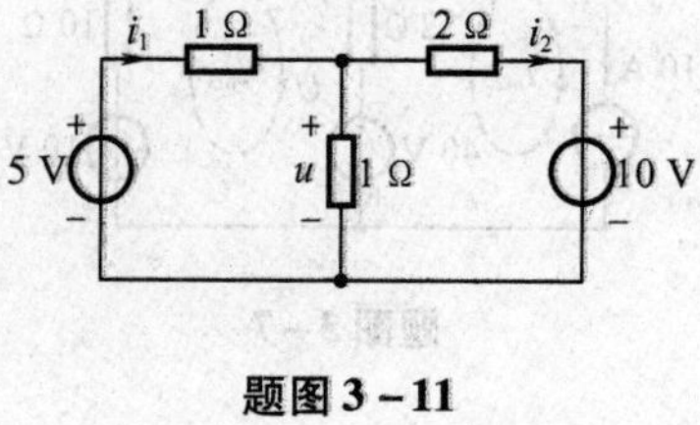

题图 3－11

9. 用节点电压法求题图 3－12 所示电路的节点电压。

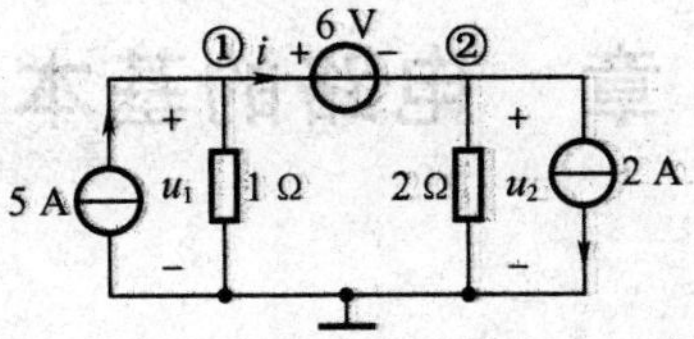

题图 3－12

10. 应用节点电压法求题图 3－13 中的 U 和 I。

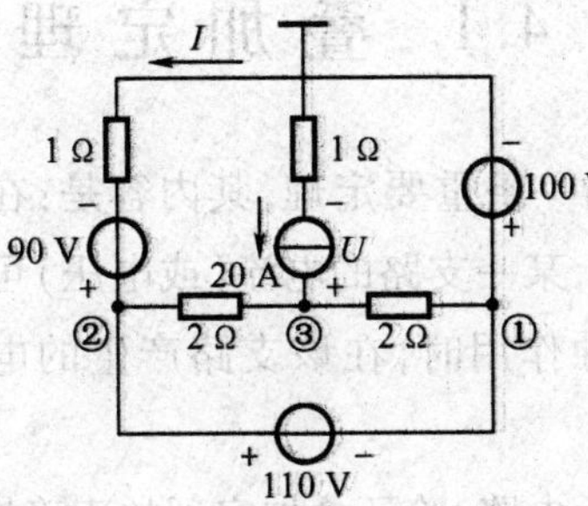

题图 3－13

第 4 章　电路的基本定理

本章以直流电路为例，介绍电路理论中几个最常用的重要定理，包括叠加定理、戴维南定理、诺顿定理、替代定理及最大功率传输定理。通过本章的学习，学会利用这些定理对电路进行等效变换，从而简化求解过程。

4.1　叠加定理

叠加定理是线性电路中的一条重要定理，其内容是：在多个电源共同作用的线性电路中，某一支路的电流（或电压）可以看成是电路中各独立电源单独作用时，在该支路产生的电流（或电压）的代数和。

我们可以通过图 4－1 所示电路，验证叠加定理的正确性。

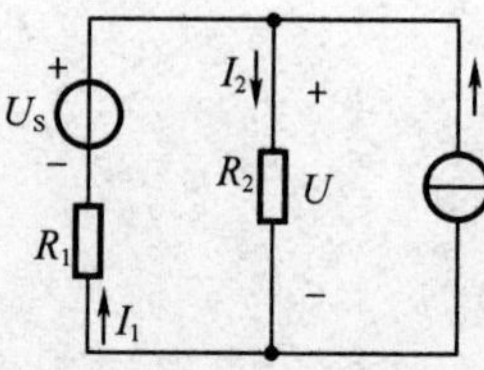

图 4－1　叠加定理证明图例

根据图 4－1 所示电路列节点电压方程为

$$U=\frac{\frac{U_S}{R_1}+I_S}{\frac{1}{R_1}+\frac{1}{R_2}}=\frac{\frac{U_S}{R_1}}{\frac{1}{R_1}+\frac{1}{R_2}}+\frac{I_S}{\frac{1}{R_1}+\frac{1}{R_2}}=\frac{R_2}{R_1+R_2}U_S+\frac{R_1R_2}{R_1+R_2}I_S=U'+U'' \quad (4-1)$$

将式(4－1)代入支路电流方程式，整理得

$$I_1=\frac{U_S-U}{R_1}=\frac{U_S}{R_1+R_2}-\frac{R_2}{R_1+R_2}I_S=I_1'+I_1'' \quad (4-2)$$

$$I_2=\frac{U}{R_2}=\frac{U_S}{R_1+R_2}+\frac{R_1}{R_1+R_2}I_S=I_2'+I_2'' \quad (4-3)$$

观察式(4－1)、式(4－2)和式(4－3)不难看出，节点电压和支路电流均为各电压源的电压和电流源的电流的一次函数，均可看成各独立电源单独作用时产生的响应的叠加，如图 4－2 所示。

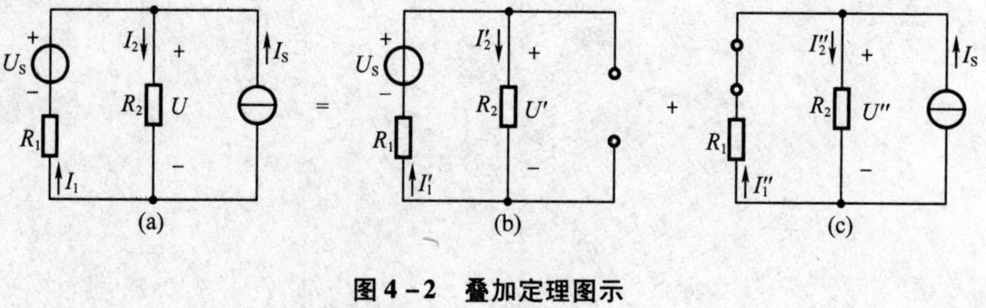

图 4－2　叠加定理图示

由图 4-2(b)不难得出

$$I'_1=I'_2=\frac{U_S}{R_1+R_2},U'=I'_2\times R_2=\frac{R_2}{R_1+R_2}U_S$$

由图 4-2(c)不难得出

$$I''_1=-\frac{R_2}{R_1+R_2}I_S,I''_2=\frac{R_1}{R_1+R_2}I_S,U''=I''_2\times R_2=\frac{R_1R_2}{R_1+R_2}I_S$$

将上述结果与式(4-1)、式(4-2)和式(4-3)进行比较,结果是一样的。

应用叠加定理时应注意以下几点:

(1)在每个独立电源单独作用的等效电路中,不作用的独立电源要置零处理。方法是:独立电压源短路,独立电流源开路,而电路的结构及所有电阻和受控源均不得更动。

(2)叠加定理只适用于线性电路求解电流和电压的响应,不能用来计算功率。这是因为线性电路中的电流和电压与激励呈一次函数关系,而功率与激励不再是一次函数关系。例如图 4-2 电路中 R_2 电阻上的功率

$$P_{R_2}=I_2^2R_2=(I'_2+I''_2)^2R_2\neq I'^2_2R_2+I''^2_2R_2$$

(3)解题时要标明原电路中支路电流、电压的参考方向。若分电流、分电压与原电路中电流、电压的参考方向相反时,叠加时相应项前加“-”号。

(4)若电路中含有受控源,应用叠加定理时,受控源不要单独作用。在独立源每次单独作用时受控源要保留其中。

(5)各独立电源“单独作用”,是指每个独立电源逐个作用一次。在解题时遇到有多个独立源时也可将若干个独立源分组作用,但必须保证每个独立电源只能参与叠加一次,不能多次作用,也不能一次也不作用。

【例 4-1】 用叠加定理求图 4-3(a)所示电路的电流 I 和电压 U。

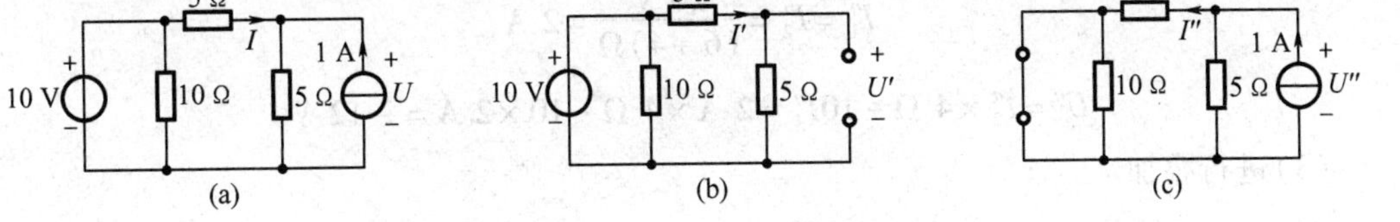

图 4-3 【例 4-1】图

解

(1)10 V 电压源单独作用,1 A 电流源视为开路,等效电路如图 4-3(b)所示。

$$I'=\frac{10\ \text{V}}{5\ \Omega+5\ \Omega}=1\ \text{A}$$

$$U'=I'\times5\ \Omega=1\ \text{A}\times5\ \Omega=5\ \text{V}$$

(2)1 A 电流源单独作用,10 V 电压源视为短路,等效电路如图 4-3(c)所示。

$$I''=\frac{5\ \Omega}{5\ \Omega+5\ \Omega}\times1\ \text{A}=0.5\ \text{A}$$

$$U''=I''\times 5\ \Omega=0.5\ \text{A}\times 5\ \Omega=2.5\ \text{V}$$

(3)进行叠加

$$U=U'+U''=5\ \text{V}+2.5\ \text{V}=7.5\ \text{V}$$

$$I=I'-I''=1\ \text{A}-0.5\ \text{A}=0.5\ \text{A}$$

【例 4-2】 用叠加定理求图 4-4(a)所示电路的电流 I_1、I_2 和电压 U。

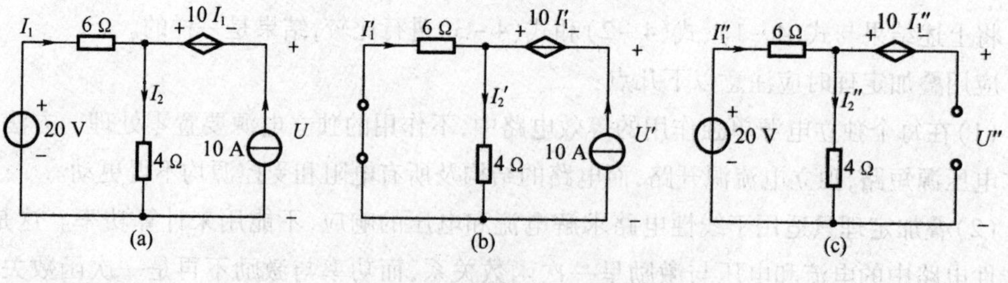

图 4-4 【例 4-2】图

解

(1)10 A 电流源单独作用,20 V 电压源视为短路,受控源保留不变,受控源的控制量为 I_1',等效电路如图 4-4(b)所示。

$$I_1'=-\frac{4\ \Omega}{(6+4)\Omega}\times 10\ \text{A}=-4\ \text{A}$$

$$I_2'=I_1'+10\ \text{A}=10-4=6\ \text{A}$$

$$U'=I_2'\times 4\ \Omega-10I_1'=6\ \text{A}\times 4\ \Omega-10\times(-4\ \text{A})=64\ \text{V}$$

(2)20 V 电压源单独作用,10 A 电流源视为开路,受控源保留不变,受控源的控制量为 I_1'',等效电路如图 4-4(c)所示。

$$I_1''=I_2''=\frac{20\ \text{V}}{(6+4)\Omega}=2\ \text{A}$$

$$U''=I_2''\times 4\ \Omega-10I_1''=2\ \text{A}\times 4\ \Omega-10\times 2\ \text{A}=-12\ \text{V}$$

(3)进行叠加

$$I_1=I_1'+I_1''=-4\ \text{A}+2\ \text{A}=-2\ \text{A}$$

$$I_2=I_2'+I_2''=6\ \text{A}+2\ \text{A}=8\ \text{A}$$

$$U=U'+U''=64\ \text{V}+(-12\ \text{V})=52\ \text{V}$$

4.2 等效电源定理

工程实际中,经常遇到只需要计算复杂电路中的某一支路的电压、电流或功率问题,或者是电路中某一支路的参数需要经常变动而仅对该支路的电压、电流求解。这种情况应用等效电源定理来求解最为方便,此法是将除去待求支路的其余部分电路用一个等效电源来代替,这样就能把复杂的电路化为简单回路求解了。

4.2.1 戴维南定理

戴维南定理指出:任何一个线性含源一端口(二端)网络,对外电路而言,总可以用一个电压源串联电阻的电路模型来等效代替,如图 4-5 所示。其中电压源的电压 u_{OC} 等于线性含源一端口网络 a、b 两端之间的开路电压。电阻 R_i 等于线性含源一端口网络中所有独立源置零,受控源保留其中的 a、b 两端之间的等效电阻。

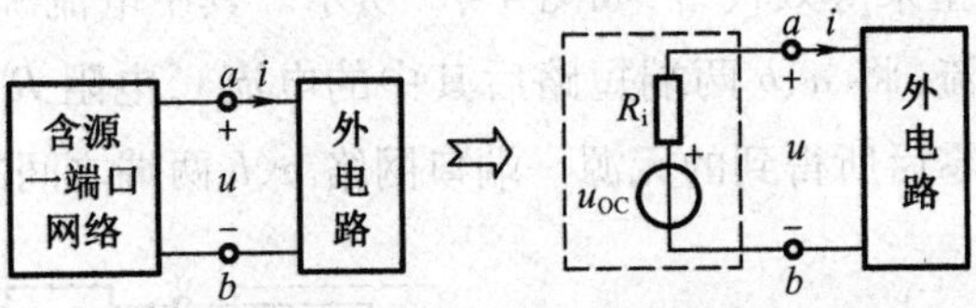

图 4-5 戴维南定理图示

【例 4-3】 求如图 4-6 所示一端口网络的戴维南等效电路。

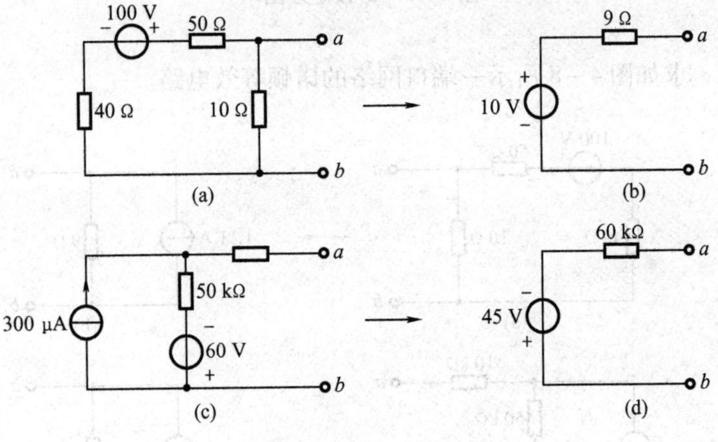

图 4-6 【例 4-3】图

解

图 4-6(a)中,设一端口网络的开路电压 u_{OC} 的参考方向是由 a 指向 b,则

$$u_{OC}=\frac{10\ \Omega}{40\ \Omega+50\ \Omega+10\ \Omega}\times 100\ \text{V}=10\ \text{V}$$

将电压源用短路代替后的等效电阻 R_i 为

$$R_i=\frac{90\ \Omega\times 10\ \Omega}{100\ \Omega}=9\ \Omega$$

最后得到一端口网络的戴维南等效电路如图 4-6(b)所示。

图 4-6(c)中,设一端口网络的开路电压 u_{OC} 的参考方向是由 a 指向 b,则

$$u_{OC}=-60\ \text{V}+50\times 10^3\times 300\times 10^{-6}\ \text{V}=-45\ \text{V}$$

将电压源用短路代替以及电流源用开路代替后的等效电阻 R_i 为

$$R_i=(10+50)\text{k}\Omega=60\ \text{k}\Omega$$

最后得到一端口网络的戴维南等效电路如图 4-6(d)所示。

4.2.2 诺顿定理

诺顿定理指出:任何一个线性含源一端口(二端)网络,对外电路而言,总可以用一个电流源并联电阻的电路模型来等效代替,如图 4-7 所示。其中电流源的电流 i_{SC} 等于线性含源一端口网络的短路电流(将 a、b 两端短路后其中的电流),电阻 R_i 等于线性含源一端口网络中所有独立电源置零后所得到的无源一端口网络 a、b 两端之间的等效电阻。

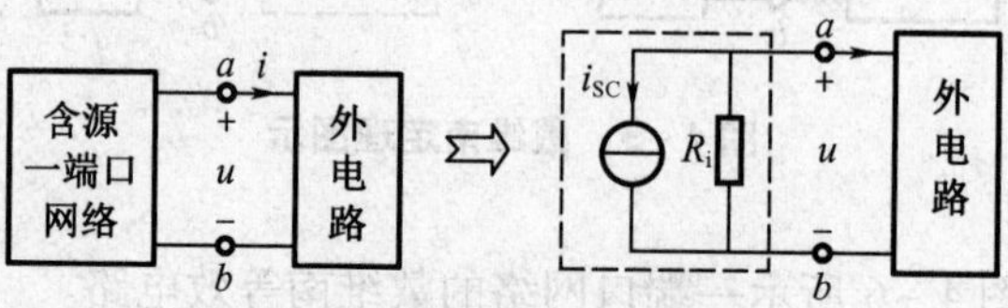

图 4-7 诺顿定理图示

【例 4-4】 求如图 4-8 所示一端口网络的诺顿等效电路。

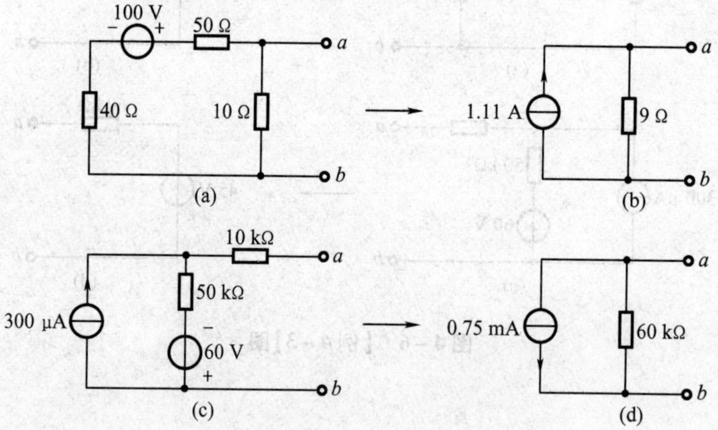

图 4-8 【例 4-4】图

解

图 4-8(a)中,设一端口网络的短路电流 i_{SC} 方向是由 a 流向 b,则

$$i_{SC}=\frac{100\ \text{V}}{40\ \Omega+50\ \Omega}=1.11\ \text{A}$$

$$R_i=\frac{90\times10}{100}\Omega=9\ \Omega$$

最后得到一端口网络的诺顿等效电路如图 4-8(b)所示。

图 4-8(c)中,设一端口网络的短路电流 i_{SC} 方向是由 a 流向 b,根据叠加定理得

$$i_{SC}=\frac{50\ \text{k}\Omega}{(10+50)\text{k}\Omega}\times 300\ \mu\text{A}-\frac{60\ \text{V}}{(10+50)\ \text{k}\Omega}=-0.75\ \text{mA}$$

$$R_i=(10+50)\ \text{k}\Omega=60\ \text{k}\Omega$$

最后得到一端口网络的诺顿等效电路如图4-8(d)所示。这里要注意画等效电路时电流源的电流方向,因为没变换前i_{SC}的真实方向是由b流向a,所以变换后i_{SC}的方向向下。

应用戴维南定理和诺顿定理时应注意以下几点:

(1)“等效”是指对外电路(待求支路或外接负载)等效,至于电源内部则是不相等的。例如当$R_L=\infty$时,电压源的内阻R_i中不损耗功率,而电流源的内阻R_i中则损耗功率。

(2)要求被等效的含源一端口网络必须是线性的,内部允许含有独立源和线性元件。至于外电路,则没有任何限制,可以是有源的或无源的、线性的或非线性的。

(3)变换部分与外电路不能存在耦合关系(电、磁及光的耦合)。

(4)多数一端口网络可进行戴维南等效,也可进行诺顿等效,视问题的需要而定。但是若一端口网络的等效电阻$R_i=0$,则该一端口网络只有戴维南等效电路,而无诺顿等效电路。若一端口网络的等效电阻$R_i=\infty$,则该一端口网络没有戴维南等效电路,只有诺顿等效电路。

(5)画等效电源电路时,应注意等效电源的参考方向。因为等效电源定理是对外电路等效,所以要保证变换前后外电路的电压或电流的方向是一致的。

4.2.3 等效电阻R_i的几种求法

应用等效电源求解电路的难点在于求解等效电阻R_i,通常可以选用以下几种方法:

1. 利用电阻的串并联等效关系

若除源后的无源一端口网络中只有电阻,而且电阻之间的串并联关系比较清晰,可以采用此法。

【例4-5】 用戴维南定理求图4-9(a)电路中的电流I。

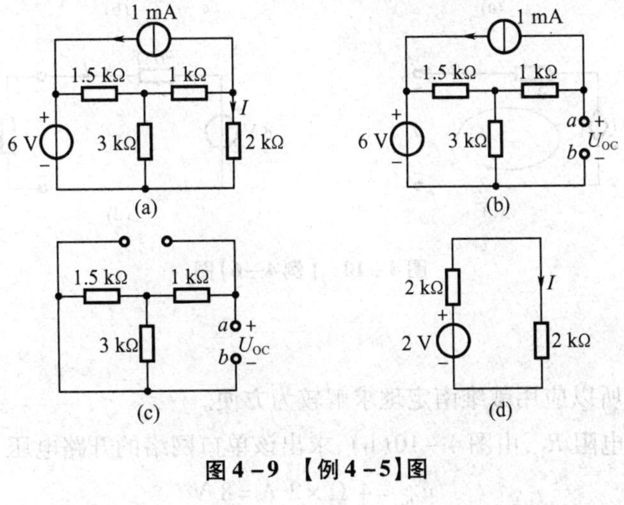

图4-9 【例4-5】图

解

(1)求开路电压 U_{OC}。将 1 kΩ 电阻断开,电路如图 4-9(b),利用叠加定理

$$U_{OC}=\frac{3\ \text{k}\Omega}{1.5\ \text{k}\Omega+3\ \text{k}\Omega}\times 6\ \text{V}-\left(\frac{1.5\ \text{k}\Omega\times 3\ \text{k}\Omega}{1.5\ \text{k}\Omega+3\ \text{k}\Omega}+1\ \text{k}\Omega\right)\times 1\ \text{mA}=2\ \text{V}$$

(2)求等效电阻 R_i。将图 4-9(a)图中的独立电压源短路,独立电流源开路,等效电路如图 4-9(c)所示,根据电阻串、并联等效化简得 a、b 间等效电阻,即

$$R_{ab}=R_i=1\ \text{k}\Omega+\frac{1.5\ \text{k}\Omega\times 3\ \text{k}\Omega}{1.5\ \text{k}\Omega+3\ \text{k}\Omega}=2\ \text{k}\Omega$$

(3)画戴维南等效电路。画出戴维南等效电路接上待求支路如图 4-9(d),故得

$$I=\frac{2\ \text{V}}{2\ \text{k}\Omega+2\ \text{k}\Omega}=0.5\ \text{mA}$$

2. 外加激励法

在含有受控源的电路中,受控源不能置零,所以不能按电阻串、并联的方法求 R_i,可以采用"加压求流"法或"加流求压"法求解。即将一端口网络内的所有独立源置零,保留受控源,然后在端口处外加独立电压源 u_i,求端口处电流 i_i 或在端口处加独立电流源 i_i,求端口电压 u_i,然后按式(4-4)求 R_i,即

$$R_i=\frac{u_i}{i_i} \tag{4-4}$$

【例 4-6】 在图 4-10(a)所示电路中,当 $R_L=10\ \Omega$ 时,电压 u 为多少？若要使 $u=30$ V,R_L 应为何值?

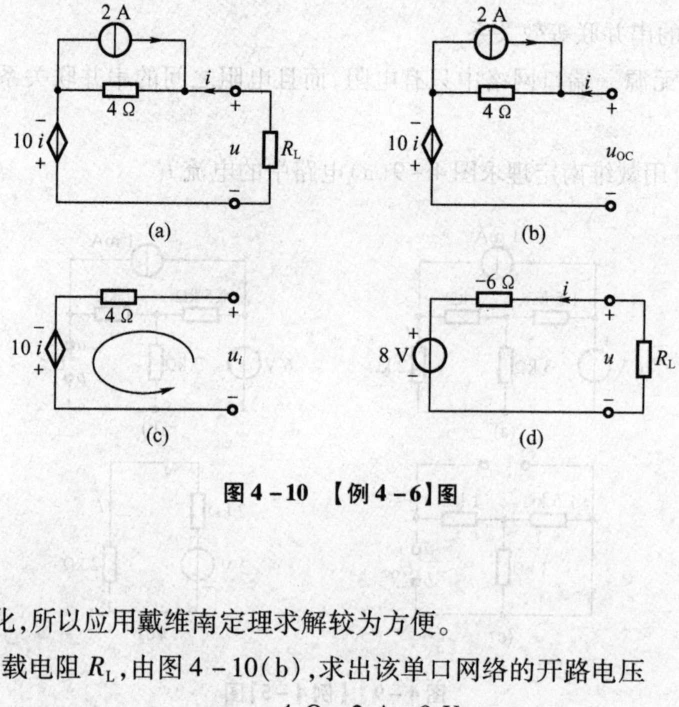

图 4-10 【例 4-6】图

解

此题 R_L 变化,所以应用戴维南定理求解较为方便。

首先断开负载电阻 R_L,由图 4-10(b),求出该单口网络的开路电压

$$u_{OC}=4\ \Omega\times 2\ \text{A}=8\ \text{V}$$

采用"加压求流"法求等效电阻 R_i。由图 4-10(c)，列出回路的 KVL 方程，得

$$u_i = 4\ \Omega \times i_i - 10\ \Omega \times i_i = -6\ \Omega \times i_i$$

根据式(4-4)解得

$$R_i = \frac{u_i}{i_i} = -6\ \Omega$$

等效电阻出现负值，这在含受控源的一端口网络中是可能的。最后得到该电路的戴维南等效电路如图 4-10(d)所示。

当 $R_L = 10\ \Omega$ 时，得电压 u 为

$$u = \frac{8\ \text{V}}{10\ \Omega + (-6\ \Omega)} \times 10\ \Omega = 20\ \text{V}$$

若 $u = 30$ V，求得 R_L 值为

$$u = \frac{8\ \text{V}}{R_L + (-6\ \Omega)} \times R_L = 30\ \text{V}$$

$$R_L = 8.2\ \Omega$$

3. 开路、短路法

此方法不用除源，可以直接利用含源一端口网络求解。即先求开路电压 u_{OC}，再求短路电流 i_{SC}，然后按式(4-5)求 R_i。

$$R_i = \frac{u_{OC}}{i_{SC}} \tag{4-5}$$

【例 4-7】 求如图 4-11(a)所示电路的戴维南和诺顿等效电路。

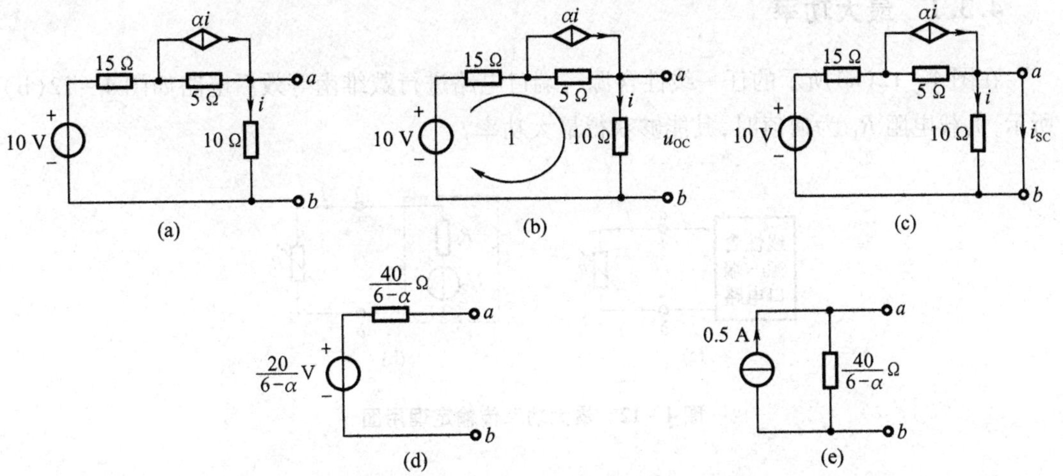

图 4-11　【例 4-7】图

解

(1)求开路电压。在图 4-11(a)电路中，设开路电压参考方向由 a 指向 b，如图 4-11(b)所示，按选定绕行方向列出回路 1 的 KVL 方程，可以求出开路电压 u_{OC}。

$$(15\ \Omega+10\ \Omega)i+5\ \Omega\times(i-\alpha i)=10\ \text{V}$$

$$i=\frac{10}{30-5\alpha}\ \text{A}=\frac{2}{6-\alpha}\ \text{A}$$

$$u_{OC}=10i=\frac{20}{6-\alpha}\ \text{V}$$

(2)求短路电流。将两端网络的 a、b 间短路，电路如图 4－11(c)中，由于 a、b 间短路，$i=0$，故受控电流源可以视为开路。

$$i_{SC}=\frac{10\ \text{V}}{15\ \Omega+5\ \Omega}=0.5\ \text{A}$$

(3)求等效电阻。根据式(4－5)解得

$$R_i=\frac{u_{OC}}{i_{SC}}=\frac{40}{6-\alpha}\ \Omega$$

(4)画等效电路。戴维南等效电路如图 4－11(d)所示，诺顿等效电路如图 4－11(e)所示。

4.3 最大功率传输定理

一个线性含源一端口电路，当所接负载不同时，一端口电路传输给负载的功率也有所不同。讨论负载为何值时能从电路获得最大功率及最大功率的值是多少具有一定的工程意义。

4.3.1 最大功率

在图 4－12(a)所示的任一线性含源一端口电路进行戴维南等效后电路如图 4－12(b)所示，负载电阻 R_L 为何值时，其能够获得最大功率？

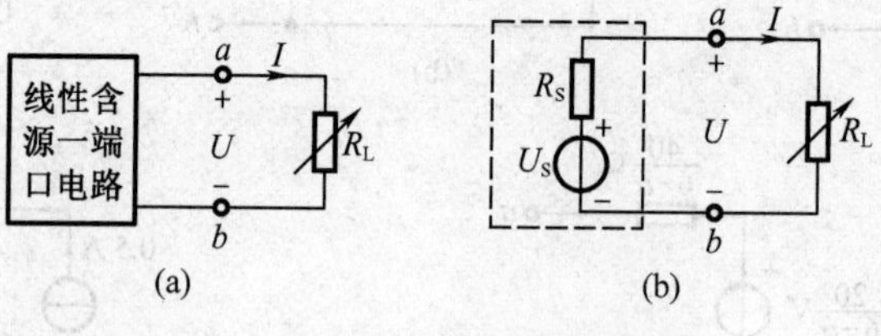

图 4－12 最大功率传输定理用图

由图 4－12(b)可知，负载获得的功率为

$$P_L=I^2R_L=\left(\frac{U_S}{R_S+R_L}\right)^2R_L \tag{4-6}$$

为了求得 R_L 改变时 P_L 的最大值，对式(4－6)求一阶导数，并令其为零，即

$$\frac{dP_L}{dR_L}=\frac{(R_S+R_L)^2-2R_L(R_S+R_L)}{(R_S+R_L)^4}\times U_S^2=\frac{(R_S-R_L)U_S^2}{(R_S+R_L)^3}=0 \tag{4-7}$$

解出
$$R_L = R_S \tag{4-8}$$

并且，当 $R_L < R_S$ 时，$\frac{dP_L}{dR_L} > 0$；当 $R_L > R_S$ 时，$\frac{dP_L}{dR_L} < 0$。故当 $R_L = R_S$ 时，P_L 为唯一的极大值，且为最大值。

由此可见，在直流电路中，当负载电阻 R_L 等于等效电源内电阻 R_S 时，负载 R_L 获得最大功率，这就是最大功率传输定理。此时电路称为实现“功率匹配”，式(4－8)称为最大功率匹配条件。

在满足最大功率匹配条件时，负载 R_L 获得的最大功率为

$$P_{Lmax} = I^2 R_L = \left(\frac{U_S}{R_S + R_L}\right)^2 R_L$$

$$P_{Lmax} = \frac{U_S^2}{4R_S} = \frac{U_S^2}{4R_L} \tag{4-9}$$

【例4－8】　电路如图4－13(a)所示，求电阻 R_L 为何值时它可以获得到最大功率？最大功率 P_{Lmax} 为多少？

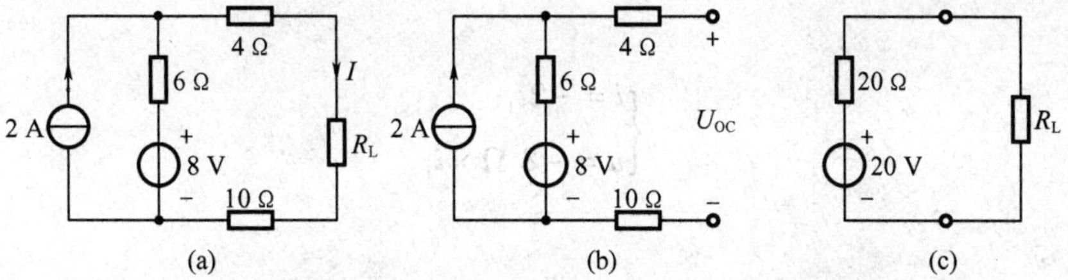

图4－13　【例4－8】图

解

将负载 R_L 开路，求图4－13(b)的戴维南等效电路。

$$U_{OC} = 8\ \text{V} + 2\ \text{A} \times 6\ \Omega = 20\ \text{V}$$

$$R_i = 4\ \Omega + 6\ \Omega + 10\ \Omega = 20\ \Omega$$

等效戴维南电路如图4－13(c)所示。当 $R_L = 20\ \Omega$ 时，R_L 获得最大功率，即

$$P_{Lmax} = \frac{U_{OC}^2}{4R_L} = \frac{20^2}{4 \times 20} = 5\ \text{W}$$

【例4－9】　图4－14(a)为线性直流电路，求电阻 R_L 为何值时它可以获得最大功率？最大功率 P_{Lmax} 为多少？

解　(1)将负载 R_L 开路，求开路电压 u_{OC}，电路如图4－14 (b)所示。对回路1列KVL方程得

$$(2\ \Omega + 4\ \Omega) \times i_1 + 2\ \Omega \times i_1 = 16\ \text{V}$$

解得 $i_1 = 2$ A。开路电压 u_{OC} 为

$$u_{OC} = 4\ \Omega \times i_1 + 2\ \Omega \times i_1 = 12\ \text{V}$$

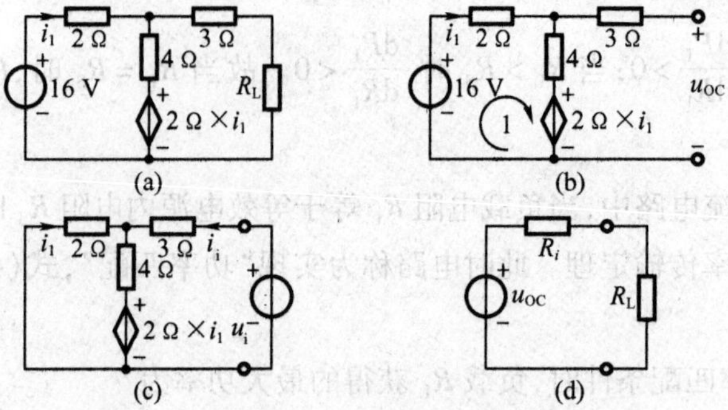

图 4-14 【例 4-9】图

将独立电源置零，求等效电阻 R_i。由于电路内部存在受控电源，因此采用外施激励法求等效电阻。电路如图 4-14(c)所示，对左右两网孔分别列 KVL 得

$$\begin{cases}2\ \Omega\times i_1+4\ \Omega\times(i_1+i)+2\ \Omega\times i_1=0\\3\ \Omega\times i+4\ \Omega\times(i_1+i)+2\ \Omega\times i_1=u\end{cases}$$

整理得

$$\begin{cases}i=-2i_1\\u=-8\ \Omega\times i_1\end{cases}$$

解得

$$R_i=\frac{u_i}{i_i}=4\ \Omega$$

戴维南等效电路如图 4-14 (d)所示。

(2)计算最大功率。根据最大功率传输定理，当电阻

$$R_L=R_i=4\ \Omega$$

时可以获得最大功率，最大功率为

$$P_{Lmax}=\frac{u_{OC}^2}{4R_i}=\frac{(12\ \text{V})^2}{4\times4\ \Omega}=9\ \text{W}$$

4.3.2 传输效率

电路的传输效率定义为负载获得的功率与电源发出的功率的比值，用符号 η 表示。若用 P_L 表示负载获得的功率，用 P_S 表示电源发出的功率，则

$$\eta=\frac{P_L}{P_S}\times100\% \tag{4-10}$$

在图 4-15(b)中，在负载匹配时，电路的传输效率为

$$\eta=\frac{P_L}{P_S}=\frac{I^2R_L}{I^2(R_S+R_L)}\times100\%=\frac{R_L}{2R_L}\times100\%=50\% \tag{4-11}$$

可以看出，在负载获得最大功率时，传输效率却很低，有一半的功率消耗在等效电源内部。这种情况在电力系统中是不允许的，电力系统要求高效率传输功率，因此应使 R_L 远远大于 R_S。而在自动检测、通信系统中，往往要求信号强，所以负载获得最大功率是主要问题，通常工作在功率匹配状态。

有一点需要注意，在图 4－15(b)中，负载匹配时等效电源的传输效率是50%。但是端口内部消耗的功率并不等于端口等效电阻消耗的功率，电路的传输效率并不一定是50%。

【例4－10】 根据图 4－15 所示的电路，试求：

(1) R_L 为何值时获得最大功率，并计算此最大功率。

(2) 40 V 电压源的传输效率是多少？

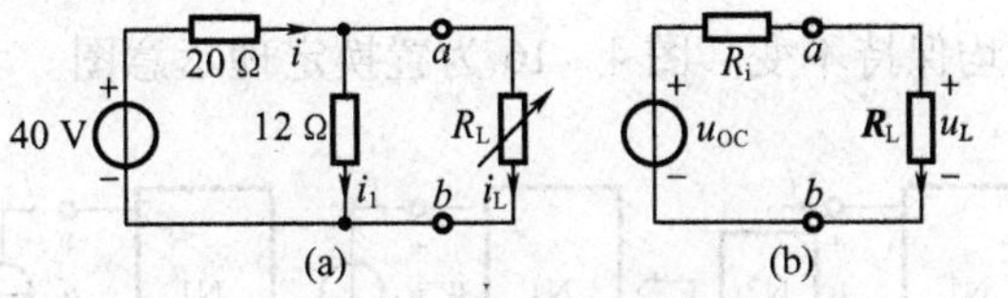

图 4－15 【例 4－10】图

解

断开负载 R_L，求 a、b 端口左侧电路的戴维南等效电路参数为

$$u_{OC}=\frac{12\ \Omega}{20\ \Omega+12\ \Omega}\times 40\ \text{V}=15\ \text{V}$$

$$R_i=20\ \Omega//12\ \Omega=7.5\ \Omega$$

戴维南等效电路如图 4－15 (b)所示。由最大功率传输定理得，当 $R_L=R_i=7.5\ \Omega$ 时，负载获得最大功率，最大功率为

$$P_{L\max}=\frac{U_{OC}^2}{4R_L}=\frac{(15\ \text{V})^2}{4\times 7.5\ \Omega}=7.5\ \text{W}$$

当负载获得最大功率时，负载电流、电压为

$$i_L=\frac{u_{OC}}{R_i+R_L}=\frac{15\ \text{V}}{7.5\ \Omega+7.5\ \Omega}=1\ \text{A}$$

$$u_L=R_L\times i_L=7.5\ \Omega\times 1\ \text{A}=7.5\ \text{V}$$

由图 4－15(a)得 12 Ω 电流为

$$i_1=\frac{u_L}{12\ \Omega}=\frac{7.5\ \text{V}}{12\ \Omega}=\frac{5}{8}\text{A}$$

由 KCL 得

$$i=i_1+i_L=\frac{5}{8}\text{A}+1\text{A}=\frac{13}{8}\text{A}$$

40 V 电压源发出的功率为

$$P_S=40\ \text{V}\times\frac{13}{8}\text{A}=65\ \text{W}$$

传输效率为

$$\eta = \frac{7.5\ \text{W}}{65\ \text{W}} \times 100\% = 11.5\%$$

由此题可以看出,虽然等效开路电压的传输效率为50%,但电路中的实际电压的传输效率仅为11.5%。

4.4 置换定理

置换定理(又称替代定理):在具有唯一解的线性或非线性电路中,若某一端口的电压为 u 或电流为 i,则可以用 $U_S = u$ 的电压源或 $i_S = i$ 的电流源来置换该端口。置换后电路其他各处的电压、电流值均保持不变。图4-16为置换定理示意图。

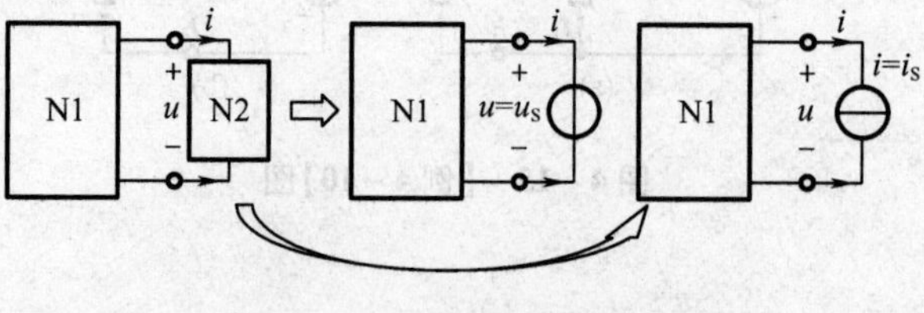

图4-16 置换定理图示

下面我们通过实例,进一步说明置换定理的含义。

在图4-17(a)所示电路中,利用节点电压法,不难求出

$$u = \frac{\dfrac{20\ \text{V}}{6\ \Omega} + \dfrac{4\ \text{V}}{4\ \Omega}}{\dfrac{1}{6\ \Omega} + \dfrac{1}{8\ \Omega} + \dfrac{1}{4\ \Omega}} = 8\ \text{V}$$

(1)若用8 V电压源置换4 Ω电阻和4 V电压源串联支路,置换后电路如图4-17(b)所示。则

$$i_1 = \frac{20\ \text{V} - 8\ \text{V}}{6\ \Omega} = 2\ \text{A}$$

$$i_2 = \frac{8\ \text{V}}{8\ \Omega} = 1\ \text{A}$$

$$i_3 = i_1 - i_2 = 2\ \text{A} - 1\ \text{A} = 1\ \text{A}$$

可见,置换后各支路电流和置换前是一样的。

(2)若用1 A电流源置换4 Ω电阻和4 V电压源串联支路,置换后电路如图4-17(c)所示。利用节点电压法,不难求出

$$u = \frac{\dfrac{20\ \text{V}}{6\Omega} - 1\ \text{A}}{\dfrac{1}{6\ \Omega} + \dfrac{1}{8\ \Omega}} = 8\ \text{V}$$

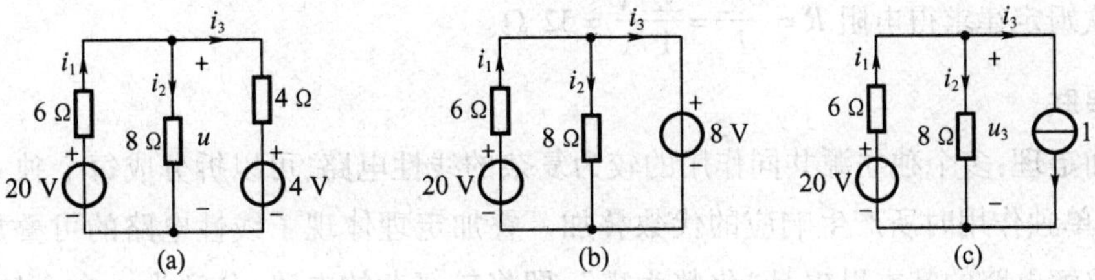

图 4 - 17

可见,置换后电压 u 不变,则各支路电流也没有变化。

使用置换定理时应注意以下几点:

①无论电路是线性的还是非线性的,是时变的还是非时变的,置换定理都适用;

②置换定理要求置换前后电路具有唯一解;

③置换定理要求除了被置换部分发生变化外,其余部分在置换前后必须保持完全相同;

④被置换的支路或二端网络,可以是无源的,也可以是含有独立源的,还可以是含有受控源的。但是被替代的部分与原电路的其他部分间不应有耦合,也就是说在图 4 - 17 受控源的控制量和电源部分不应分别出现在 N1 和 N2 中。

【例 4 - 11】　在图 4 - 18(a)电路中,已知电流 $I=1$ A,求电阻 R 的值。

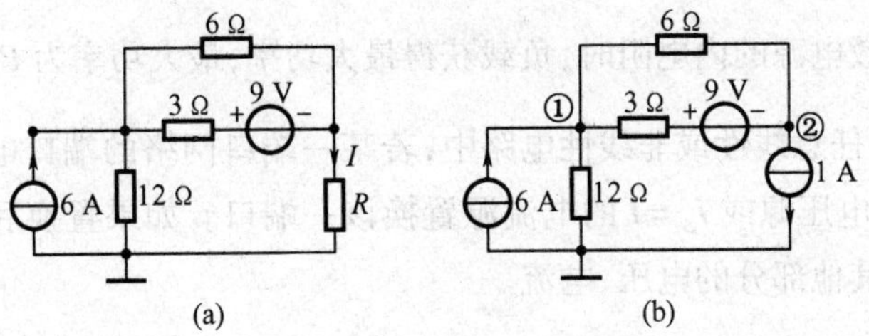

图 4 - 18　【例 4 - 11】图

解

根据置换定理,用 1 A 的电流源置换图 4 - 18 (a)电路中的电阻 R,如图 4 - 18 (b)所示。列节点电压法方程,即

$$\begin{cases}\left(\dfrac{1}{12\ \Omega}+\dfrac{1}{3\ \Omega}+\dfrac{1}{6\ \Omega}\right)U_{\text{N1}}-\left(\dfrac{1}{3\ \Omega}+\dfrac{1}{6\ \Omega}\right)U_{\text{N2}}=6\ \text{A}+\dfrac{9\ \text{V}}{3\ \Omega}\\ -\left(\dfrac{1}{3\Omega}+\dfrac{1}{6\Omega}\right)U_{\text{N1}}+\left(\dfrac{1}{3\ \Omega}+\dfrac{1}{6\ \Omega}\right)U_{\text{N2}}=-\dfrac{9\ \text{V}}{3\ \Omega}-1\ \text{A}\end{cases}$$

整理得

$$\begin{cases}7U_{\text{N1}}-6U_{\text{N2}}=108\\ -U_{\text{N1}}+U_{\text{N2}}=-8\end{cases}$$

解出 $U_{\text{N1}}=60$ V,$U_{\text{N2}}=52$ V。

根据欧姆定律求得电阻 $R=\dfrac{U_{N2}}{I}=\dfrac{52\ \mathrm{V}}{1\ \mathrm{A}}=52\ \Omega$。

重点串联

1. 叠加定理：多个独立源共同作用的较为复杂的线性电路，可以拆分成每个独立源（或几个一组）单独作用时所产生响应的代数叠加。叠加定理体现了线性电路的可叠加性，用叠加定理求解电路的基本思想是“化整为零”，即将较复杂的电路，分解为一个个较简单的电路进行求解。

2. 等效电源定理：等效电源定理包括戴维南和诺顿两个定理。戴维南定理：线性含源一端口网络的对外作用可以用电压源等效代替，等效电压源的电压等于此一端口网络的开路电压，等效电阻是此一端口网络内部各独立电源置零后所得的等效电阻。常用的等效电阻求解方法有：电阻串联、并联等效变换，外加激励法，开路、短路法。诺顿定理：线性含源一端口网络的对外作用可以用电流源等效代替，等效电流源的电流等于此一端口网络的短路电流，等效电阻是此一端口网络内部各独立电源置零后所得的等效电阻。在负载需要经常变化的场合，应用等效电源定理求解最为方便。应用等效电源定理时要注意，一端口网络内部必须是线性的，内部允许含有独立源和线性元件。至于外电路，则没有任何限制，可以是有源的或无源的、线性的或非线性的。

3. 在需要求解负载为何值时能从电路获得最大功率的问题，往往需要先求解戴维南（或诺顿）等效电路，然后利用最大功率传输定理最为简便。最大功率传输定理告诉我们：当负载电阻等于等效电源的内电阻时，负载获得最大功率，最大功率为 $P_{\mathrm{Lmax}}=\dfrac{U_S^2}{4R_S}=\dfrac{U_S^2}{4R_L}$。

4. 置换定理：在任意线性或非线性电路中，若某一端口网络的端口电压为 U，端口电流为 I，则用 $U_S=U$ 的电压源或 $I_S=I$ 的电流源置换该一端口。如果置换后的电路有唯一解，则置换不影响电路其他部分的电压、电流。

习　题　4

一、填空题

1. 在多个电源共同作用的________电路中，任一支路的响应均可看成是由各个激励源________下在该支路上所产生的响应的叠加，称为叠加定理。

2. 应用叠加定理除源时，电压源________处理，电流源________处理。

3. 叠加定理适用于求解线性电路中的________和________，不可计算________。

4. 等效电源定理包括________和________。

5. 题图 4－1 所示有源二端网络的戴维南等效电路中电压源的电压为________V；串联的电阻值为________Ω。

6. 题图 4－2 所示有源二端网络的诺顿等效电路中电流源的电流为________A；并联电阻值为________Ω。

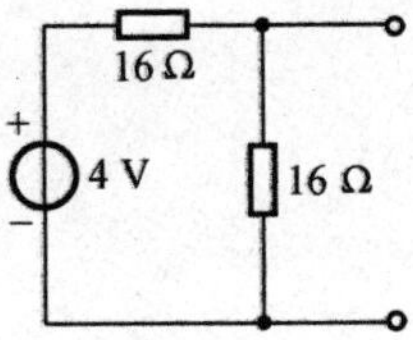

题图 4－1

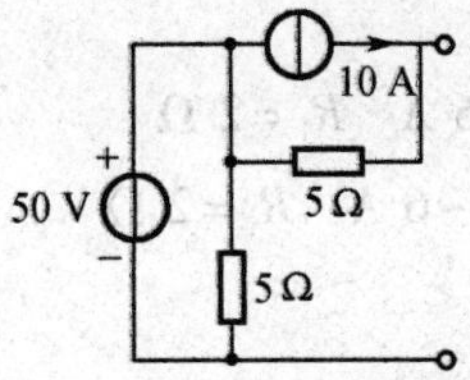

题图 4－2

7. 电路中满足________条件时，被称为阻抗匹配，此时负载可________功率。

8. 实验测得有源二端网络的开路电压 $U_{OC}=6$ V，短路电流 $I_{SC}=2$ A，当外接 3 Ω 电阻时，其端电压 $U=$________V。

9. 实验测得有源二端网络的开路电压 $U_{OC}=5$ V，当接入 10 Ω 电阻时，测得其端电压为 2 V，则等效电源的等效电阻为________Ω。

10. 已知题图 4－3 所示电路 3 Ω 电阻的端电压为 $U=6$ V，利用置换定理，可以求出 $U_1=$________V。

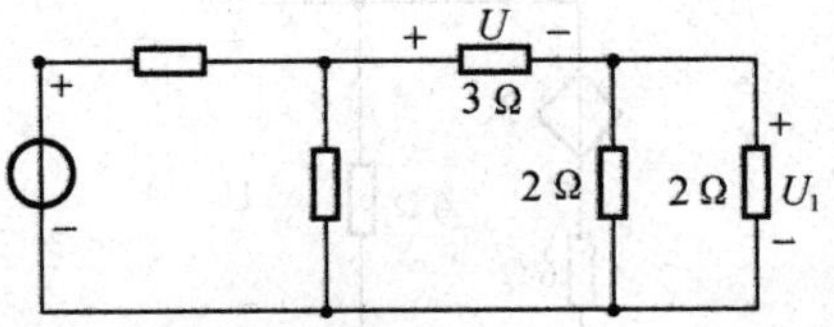

题图 4－3

二、选择题

1. 叠加定理只适用于________。

A. 交流电路　　B. 直流电路　　C. 线性电路　　D. 任何电路

2. 题图 4－4 电路中 *ab* 短路线中电流 I_{ab} =________。

A. 1 A　　B. 2 A　　C. 3 A　　D. －1 A

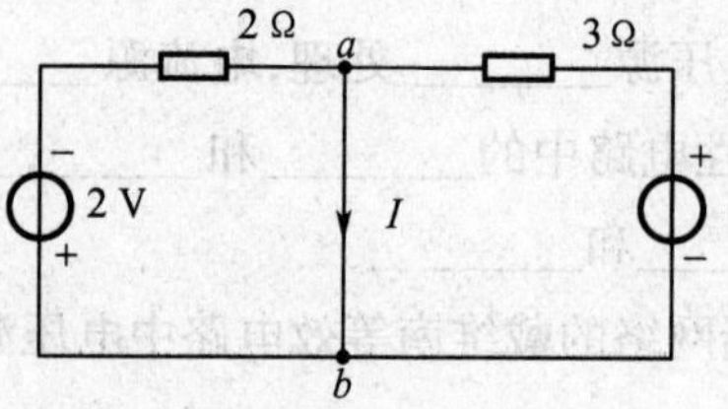

题图 4－4

3. 将题图 4－5(a)所示电路等效为题图 4－5(b)所示的电流源等效电路，则电路参数为________。

A. $I_{SC}=6$ A　$R_i=2$ Ω　　B. $I_{SC}=9$ A　$R_i=8$ Ω

C. $I_{SC}=-6$ A　$R_i=2$ Ω　　D. $I_{SC}=-9$ A　$R_i=4$ Ω

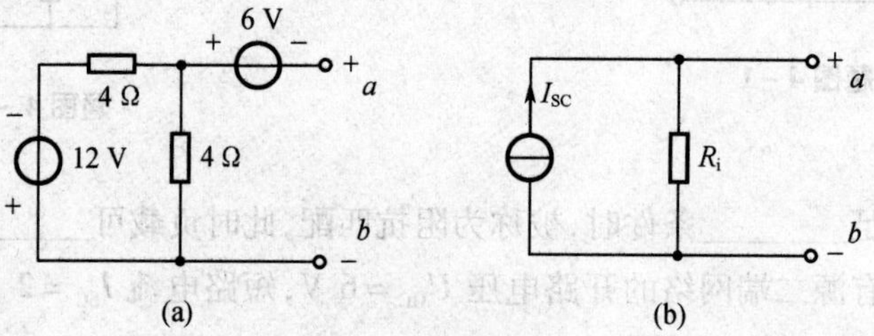

题图 4－5

4. 题图 4－6 所示二端网络的等效电阻为________。

A. 3 Ω　　B. 6 Ω　　C. －3 Ω　　D. －6 Ω

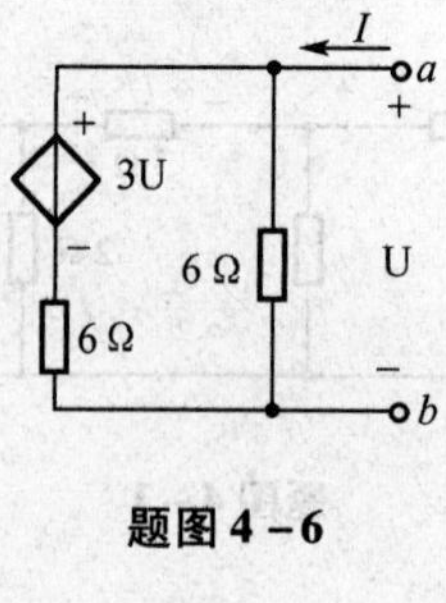

题图 4－6

5. 实验测得有源二端网络在关联参考方向下的外特性曲线如题图 4－7 所示，则其戴维南等效电路的参数为________。

A. $U_{OC}=2\ \text{V}\quad R_i=1\ \Omega$　　B. $U_{OC}=2\ \text{V}\quad R_i=0.5\ \Omega$

C. $U_{OC}=4\ \text{V}\quad R_i=2\ \Omega$　　D. $U_{OC}=-2\ \text{V}\quad R_i=2\ \Omega$

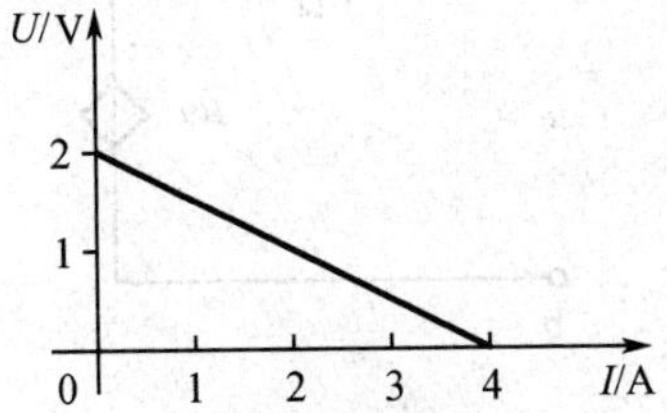

题图 4－7

6. 电路如题图 4－8 所示，则其 R_L 两端的戴维南等效电路的参数为________。

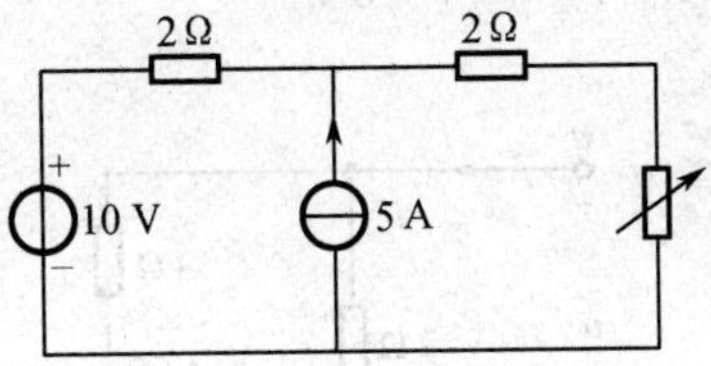

题图 4－8

A. $U_{OC}=10\ \text{V}\quad R_i=2\ \Omega$　　B. $U_{OC}=10\ \text{V}\quad R_i=4\ \Omega$

C. $U_{OC}=20\ \text{V}\quad R_i=2\ \Omega$　　D. $U_{OC}=20\ \text{V}\quad R_i=4\ \Omega$

7. 题图 4－9 电路中，若 R_L 可变，则 R_L 所能获得的最大功率 P_{max} 为________。

A. 5 W　B. 10 W　C. 20 W　D. 40 W

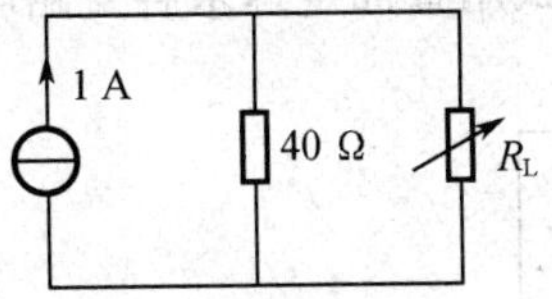

题图 4－9

8. 电路如题图 4－10 所示，当负载匹配时，负载 R_L 获得的最大功率为________。

A. 6.75 W

B. 4.5 W

C. 1.5 W

D. 3 W

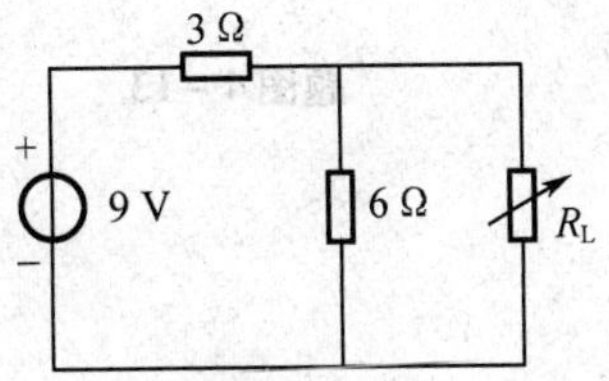

题图 4－10

9. 有源二端网络如题图 4－11 所示。该二端网络的等效电阻 R_{ab} 为________。

A. 1 Ω　　B. $1+\mu$　　C. $1-\mu$　　D. $\dfrac{1}{1+\mu}$

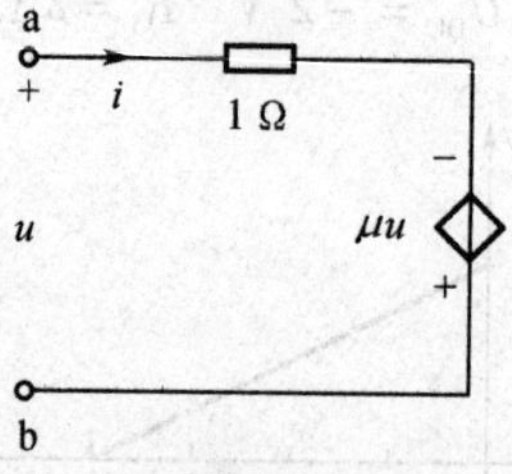

题图 4－11

10. 有源二端网络如题图 4－12 所示。该二端网络的等效电阻 R_{ab} 为________。

A. 2 Ω　　B. $\dfrac{4}{3}$ Ω　　C. $\dfrac{8}{6-r}$　　D. $\dfrac{6-r}{8}$

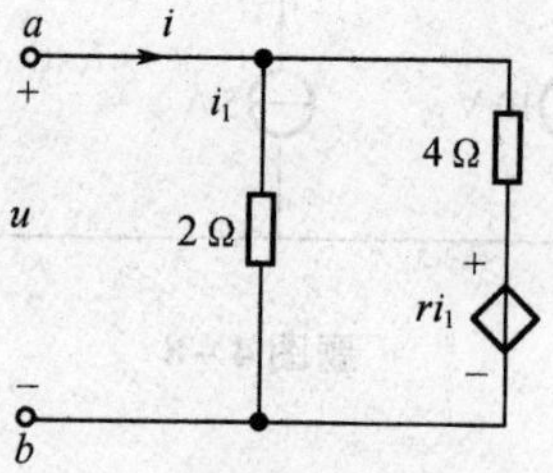

题图 4－12

三、计算题

1. 已知电路如题图 4－13 所示。试应用叠加原理计算支路电流 I 和电流源的电压 U。

2. 电路如题图 4－14 所示。试用叠加定理求各支路电流及电流源功率。

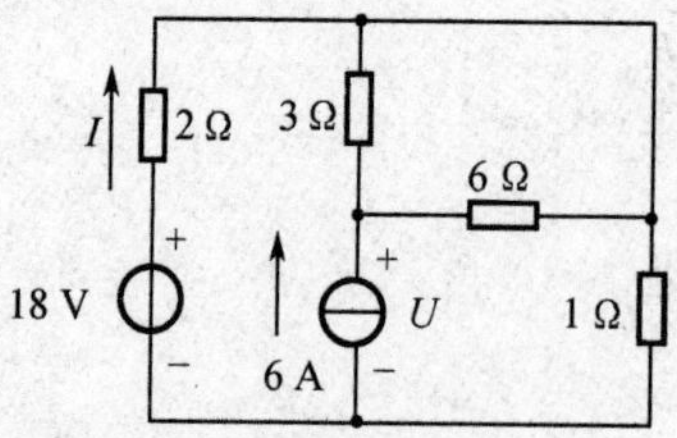

题图 4－13

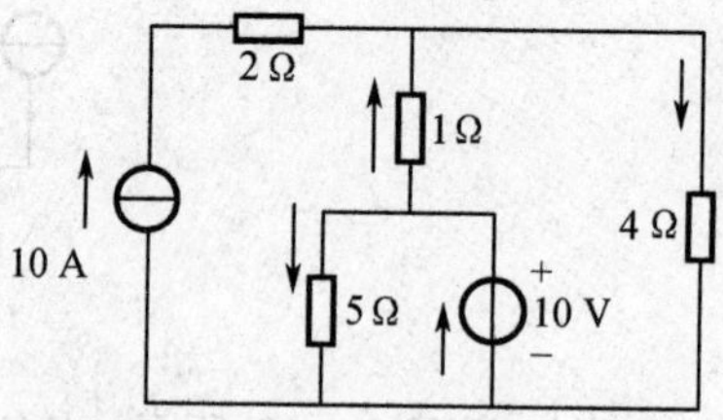

题图 4－14

3. 用叠加定理求题图 4－15 所示电路的电流 I 及 1 Ω 电阻消耗的功率。

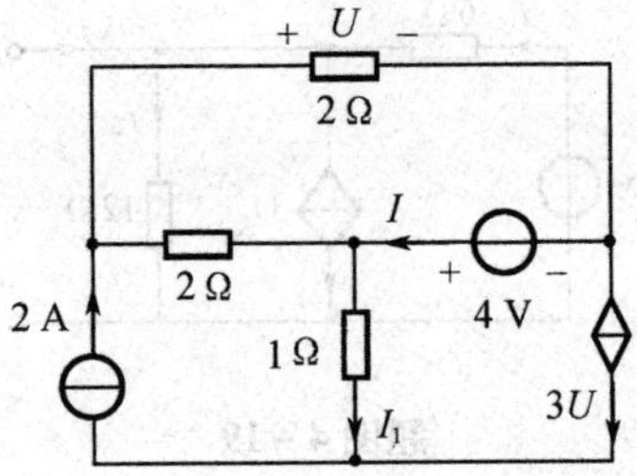

题图 4－15

4. 用叠加定理求题图 4－16 所示电路的电流 i，已知 $\mu=5$。

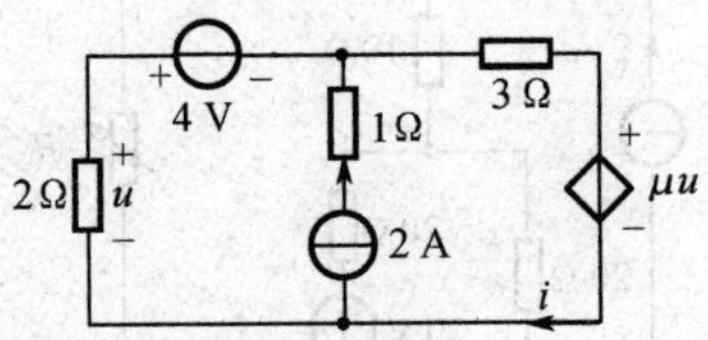

题图 4－16

5. 试用戴维南定理求题图 4－17 所示电路中的电流 i。

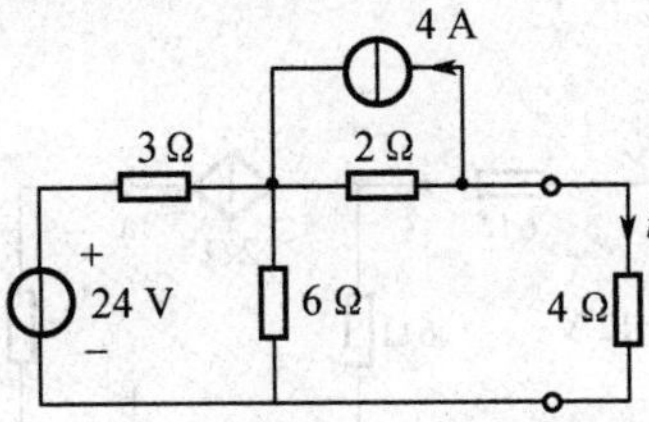

题图 4－17

6. 试用戴维南定理求题图 4－18 所示电路中的电流 i。

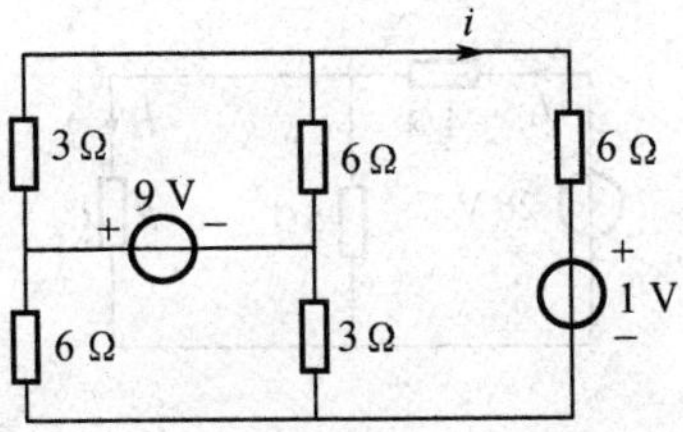

题图 4－18

7. 求题图 4 - 19 所示电路的戴维南等效电路。

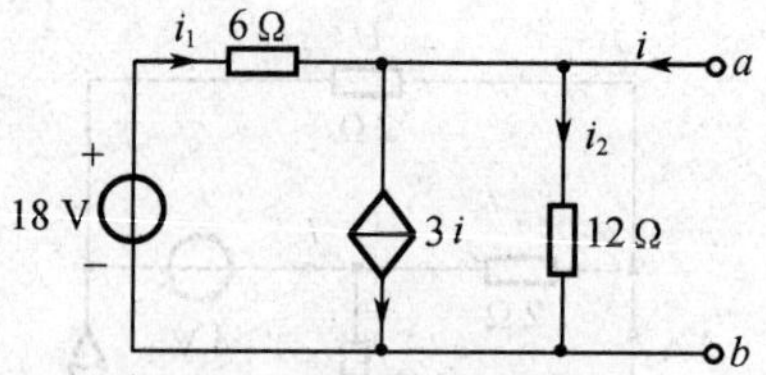

题图 4 - 19

8. 题图 4 - 20 为线性直流电路，求负载 R_L 为何值时它可以获得最大功率，并求最大功率。

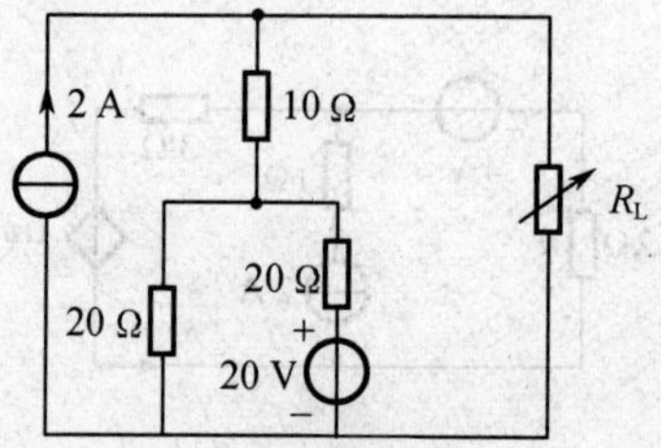

题图 4 - 20

9. 题图 4 - 21 所示电路为线性直流电路，求负载 R_L 为何值时它可以获得最大功率，并求最大功率。

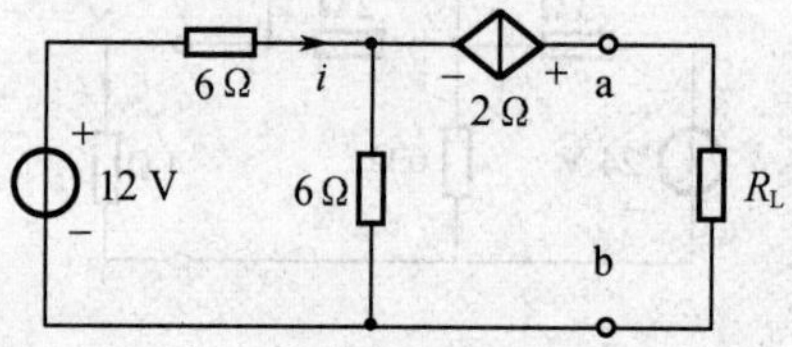

题图 4 - 21

10. 题图 4 - 22 所示电路，已知 $I_2=2$ A，应用置换定理求电阻 R 和电流 I_1。

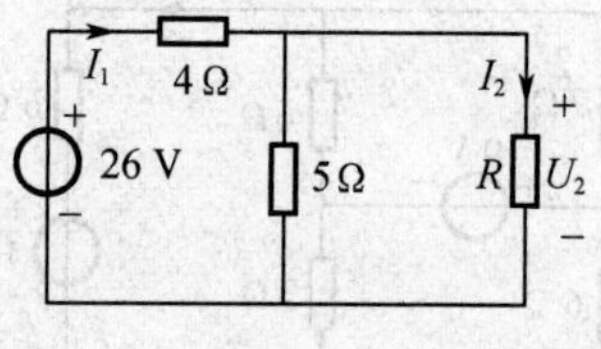

题图 4 - 22

第5章　动态电路的时域分析

本章介绍一阶动态电路方程的建立,包括一阶 RC 电路、一阶 RL 电路,零输入响应、零状态响应及全响应等概念,一阶动态电路的计算。通过本章学习掌握一阶动态电路分析方法——三要素法。

5.1　动态电路方程的建立

5.1.1　动态电路及其暂态过程产生的原因

在前面的章节中介绍了电容元件和电感元件,这两种元件的电压和电流的约束关系是通过微分或积分表示的,所以称为动态元件,又称为储能元件。含有动态元件的电路称为动态电路。动态电路的状态发生改变(换路)后,动态元件吸收或释放一定的能量。吸收或释放能量的过程实际上不可能瞬间完成,需要经历一段过渡时间,动态电路在过渡时间中的工作状态称为暂态。描述动态电路的方程是动态元件的伏安关系,也就是微分-积分关系。

下面对电阻电路和动态电路换路后的过程进行比较。

图5-1所示为电阻电路和波形图。$t<0$ 时开关断开,电路处于一种稳态,输出端电压为零,即 $i_2=0,u_2=0$。电路在 $t=0$ 时开关闭合,即发生换路,用 $t=0_-$ 和 $t=0_+$ 分别表示换路前和换路后瞬间,显然在 $t=0_+$ 时开关已经闭合,电路状态立即跳到另一种稳态,输出电压为一定数值,满足 $u_2=R_2U_S/(R_1+R_2)$。当 $t>0$ 时开关已经处于闭合的稳定状态。也就是说在 $t=0$ 电路发生换路时,电路状态的改变是立即发生的,无过渡过程,具有即时性。

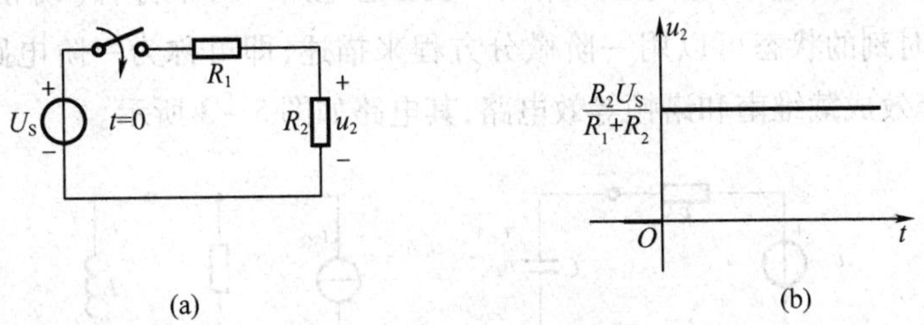

图5-1　静态电路图和波形图

图5-2所示为电容元件构成的动态电路和电压波形图。$t<0$ 时开关断开,电路处于一种稳态,输出端电压为零,即 $i_C=0,u_C=0$。电路在 $t=0$ 时开关闭合,即发生换路,用 $t=0_-$ 和 $t=0_+$ 分别表示换路前和换路后瞬间,显然在 $t=0_+$ 时开关已经闭合,电路状态经过一段

过渡过程后，上升到另一种稳态。电容两端电压是时间的函数，即 $u_C = \frac{1}{C}\int i_C \mathrm{d}t$。当 $t > 0$ 时开关已经处于闭合的稳定状态。由于电容属于储能元件，因此在 $t = 0$ 电路发生换路时，因为电路内部含有储能元件，能量的储存和释放都需要一定的时间来完成，电路状态的改变就需要一定的暂态过程。

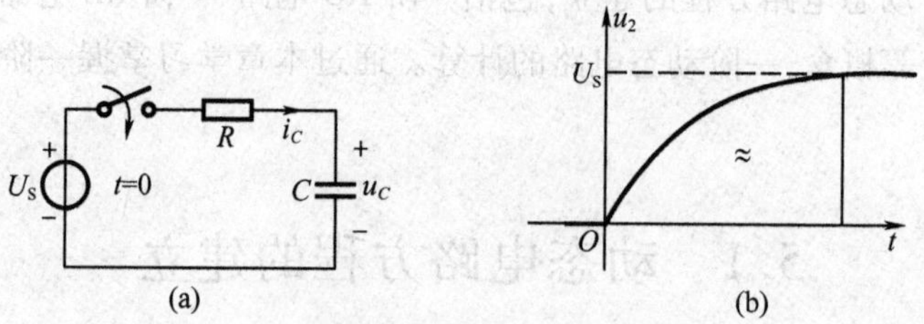

图 5-2　动态电路图和波形图

因此，换路和含有储能元件是电路具有暂态过程的两个原因。动态电路的时域分析主要是以时间为自变量列写电路方程，求解相应的电压或电流，从而分析其变化规律。动态电路的过渡过程可能会在极短的时间内产生瞬间的大电流或大电压，因此要学习暂态过程，从而有效地避免其对用电器的危害。

5.1.2　动态电路方程的建立

在动态电路中，除有电阻、电源外，还有动态元件（电容、电感），而动态元件的电流与电压的约束关系是微分与积分关系，根据 KCL、KVL 和元件的 VCR 所建立的电路方程是以时间为自变量的线性常微分方程，求解微分方程就可以得到所求的电压或电流。如果电路中的无源元件都是线性时不变的，那么动态电路方程是线性常系数微分方程。

求解的复杂性取决于微分方程的阶数。分析过程中，常根据微分方程的阶数为电路分类，用一阶微分方程描述电路，就称为一阶电路，还有二阶、三阶、高阶等。

本章的重点是一阶电路，它是最简单的一类暂态电路。对于含有（或等效）一个电容或电感的电路，某时刻的状态可以用一阶微分方程来描述，即可称为一阶电路。任何一个一阶电路都可以等效成戴维南和诺顿等效电路，其电路如图 5-3 所示。

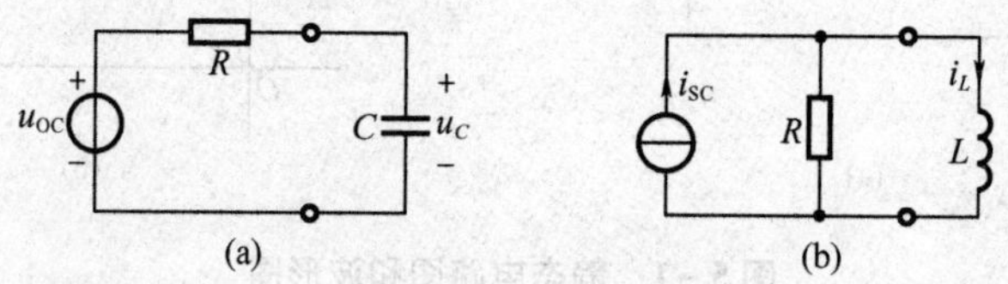

图 5-3　一阶电路的等效电路

(a)戴维南等效电路；(b)诺顿等效电路

图 5-3(a) 所示 RC 电路 KVL 方程

$$RC\frac{\mathrm{d}u_C}{\mathrm{d}t}+u_C=u_{\mathrm{OC}} \tag{5-1}$$

图 5-3(b) 所示 RL 电路 KVL 方程

$$\frac{L}{R}\frac{\mathrm{d}i_L}{\mathrm{d}t}+i_L=i_{\mathrm{SC}} \tag{5-2}$$

因此一阶电路微分方程可以统一表示为

$$\tau\frac{\mathrm{d}f(t)}{\mathrm{d}t}+f(t)=g(t) \tag{5-3}$$

5.2　电路初始条件的确定

5.2.1　换路定律

电容元件存储的电场能量在换路时不能跃变，电场能量为 $W_C=\frac{1}{2}Cu_C^2$，因此电容电压不能跃变。因为电容元件的电压电流关系为 $i_C=C\frac{\mathrm{d}u_C}{\mathrm{d}t}$，若电容的电压跃变，将导致其电流为无穷大，这通常是不可能的，因此电容电压不能跃变。

电感元件存储的磁场能量在换路时不能跃变，磁场能量为 $W_{\mathrm{L}}=\frac{1}{2}Li_{\mathrm{L}}^2$，因此电感电流不能跃变。因为电感元件的电压电流关系为 $u_L=L\frac{\mathrm{d}i_L}{\mathrm{d}t}$，若电感的电流跃变，将导致其端电压变为无穷大，这通常是不可能的，因此电感电流不能跃变。

在换路前后电容电流和电感电压为有限值的条件下，换路前后瞬间电容电压和电感电流不能跃变，这就是换路定理，即

$$u_C(0_+)=u_C(0_-),\ i_L(0_+)=i_L(0_-) \tag{5-4}$$

式(5-4)中换路前瞬间 $t=0_-$ 的量值称为原始值，换路后瞬间 $t=0_+$ 的量值称为初始值。换路定理表明，在换路瞬间电容电压 $u_C(t)$ 是连续变化的或称渐变的，电感电流 $i_L(t)$ 也是连续的。而电路中电容电流、电感电压、电阻电压、电流和电流源的电压、电压源的电流等量是可以跃变的。

5.2.2　电路初始值的计算

初始值是指换路后瞬间 $t=0_+$ 时刻的电压、电流值。初始值一般分为两大类：一类是在 $t=0_+$ 时刻不能跃变的初始值 $u_C(0_+)$ 和 $i_L(0_+)$；另一类是在 $t=0_+$ 时刻可以跃变的初始值 $u(0_+)$ 和 $i(0_+)$。其中 $u_C(0_+)$ 和 $i_L(0_+)$ 可以根据换路定理来确定，而 $u(0_+)$ 和 $i(0_+)$ 要根据独立初始条件及电路的基本定理来列方程求解。

求初始值的一般步骤：

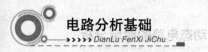

(1)由换路前($t=0_-$时刻)电路，求$u_C(0_-)$和$i_L(0_-)$。

(2)由换路定理得出$u_C(0_+)$和$i_L(0_+)$。

(3)作$t=0_+$时刻等效电路。在$t=0_+$时刻，若电容有初始储能，$u_C(0_+)$为一定的量值，电容可置换为一量值与$u_C(0_+)$相等、方向一致的电压源，若电容没有初始储能，即$u_C(0_+)=0$，电容可以用短路等效。同理，在$t=0_+$时刻，电感若有初始储能，$i_L(0_+)$为一定的量值，电感可置换为一量值与$i_L(0_+)$相等、方向一致的电流源；若电感没有初始储能，即$i_L(0_+)=0$，可以用开路等效。

(4)由$t=0_+$时刻电路求解所需的$u(0_+)$和$i(0_+)$。

列写电路方程仍然依据电路变量的结构约束和元件约束，即

$$\text{KCL: } \sum i(0_+)=0$$

$$\text{KVL: } \sum u(0_+)=0$$

$$\text{VCR: } u_R(0_+)=Ri_R(0_+) \text{ 或 } i_R(0_+)=Gu_R(0_+)$$

可见，在$t=0_+$时刻动态元件置换后的电路中，只剩下电阻元件、受控电源和独立电源组成的电阻电路，可用分析直流电路的各种方法来求解出$u_C(0_+)$、$i_L(0_+)$之外的各初始值$f(0_+)$。

【例5-1】 图5-4(a)所示电路$t<0$时处于稳态，$t=0$时开关闭合。求初始值$i_L(0_+)$和$i(0_+)$。

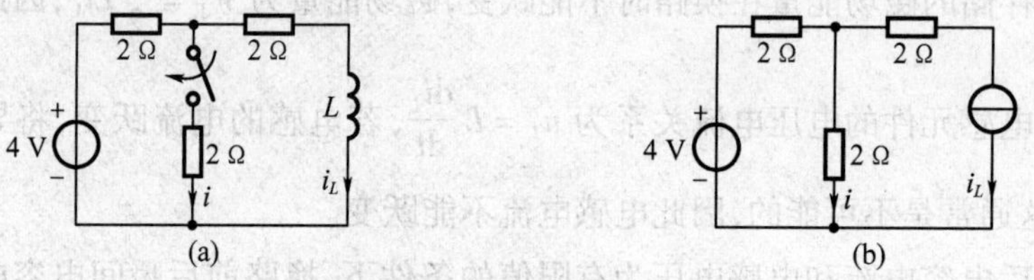

图5-4 【例5-1】图

解

(1)换路前，$t<0$时电感处于短路，则

$$i_L(0_-)=\frac{4\ \text{V}}{2\ \Omega+2\ \Omega}=1\ \text{A}$$

(2)$t=0_+$时刻换路，根据换路定律得

$$i_L(0_+)=i_L(0_-)=1\ \text{A}$$

(3)作$t=0_+$时刻等效电路。电感可置换成一电流源等于1 A的直流电流源，如图5-4(b)所示。

(4)利用叠加定理得

$$i(0_+)=\frac{4\ \text{V}}{2\ \Omega+2\ \Omega}-\frac{2\ \Omega}{2\ \Omega+2\ \Omega}\times 1\ \text{A}=0.5\ \text{A}$$

【例5-2】　在如图5-5(a)所示电路中,已知 $R_1=9\ \Omega$,$R_2=12\ \Omega$,$U_S=9\ V$。当 $t<0$ 时,电路处于稳态;$t=0$ 时,开关闭合。假设开关闭合前电容电压为零,试求换路后的初始值 $u_1(0_+)$、$i_C(0_+)$。

解

(1)根据题意,开关闭合前电容电压为0,即 $u_C(0_-)=0$。

(2)根据换路定理可得

$$u_C(0_+)=u_C(0_-)=0$$

(3)作 $t=0_+$ 时刻等效电路,电容两端相当于短路,如图5-5(b)所示。

(4)列写方程求初始值,即

$$u_2(0_+)=u_C(0_+)=0$$

$$i_2(0_+)=\frac{u_2(0_+)}{R_2}=\frac{0\ V}{12\ \Omega}=0\ A$$

$$u_1(0_+)=U_S=9\ V$$

$$i_1(0_+)=\frac{u_1(0_+)}{R_1}=\frac{9\ V}{9\ \Omega}=1\ A$$

$$i_C(0_+)=i_1(0_+)-i_2(0_+)=(1-0)A=1\ A$$

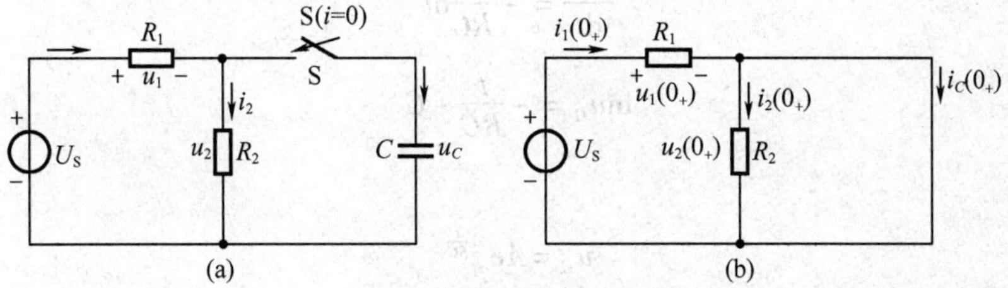

图5-5　【例5-2】图

5.3　一阶电路的零输入响应

本章主要按照引起电路响应能量来源对一阶电路进行分析。这些能量来源包括独立电源(也称为输入或激励)和电容或电感的初始储能(也称为初始状态),因而响应分为三类:①零输入响应,是动态电路在换路后,无独立电源的作用情况下,仅由初始储能引起的响应;②零状态响应,是动态电路在换路前无初始储能,仅在外加激励作用下引起的响应;③全响应,是外加激励和初始储能共同作用引起的响应。

5.3.1 *RC* 电路的零输入响应

RC 零输入响应电路如图 5－6(a)所示。

开关原来与 a 点接通处于稳态，电容上的电压 $u_C(0_-)=U_0$。$t=0$ 时开关由 a 点接到 b 点，电容的初始储能将通过电阻释放出来。$t\geqslant 0$ 时构成图 5－6(b)所示 *RC* 放电电路。根据 KVL，有

$$-u_R+u_C=-Ri_C+u_C=RC\frac{\mathrm{d}u_C}{\mathrm{d}t}+u_C=0 \tag{5-5}$$

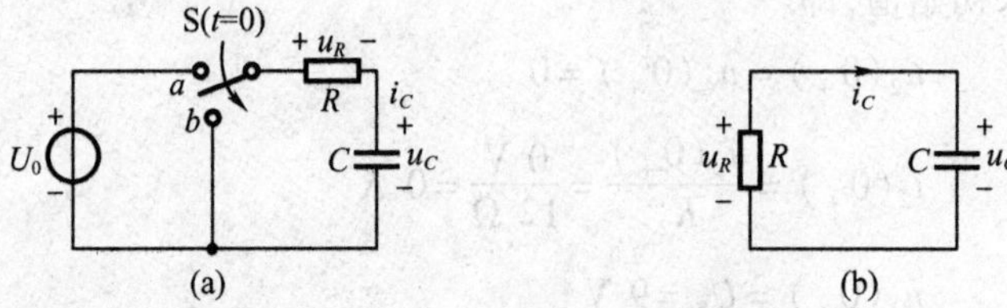

图 5－6 *RC* 电路的零输入响应

式(5－5)为一阶常系数线性齐次微分方程，分离变量为

$$\frac{\mathrm{d}u_C}{\mathrm{d}t}=-\frac{1}{RC}\mathrm{d}t$$

$$\ln u_C=-\frac{t}{RC}+C \tag{5-6}$$

解得

$$u_C=A\mathrm{e}^{-\frac{t}{RC}}$$

根据换路定律电容电压初始值为 $u_C(0_+)=u_C(0_-)=U_0$，得

$$u_C=U_0\mathrm{e}^{-\frac{t}{RC}}\ (t\geqslant 0) \tag{5-7}$$

$$i_C=\frac{u_C}{R}=C\frac{\mathrm{d}u_C}{\mathrm{d}t}=-\frac{U_0}{R}\mathrm{e}^{-\frac{t}{RC}}\ (t\geqslant 0) \tag{5-8}$$

式(5－5)和式(5－7)分别为电容放电过程中电压表达式，均为指数变化规律。其变化曲线如图 5－7 所示，可以看出 u_C、i_C 均随时间逐渐减小、最终衰减到零，这表明 *RC* 电路的零输入响应就是电容电压在衰减的过程，也就是其储存的电场能量通过电阻转换为热能而消耗的过程。

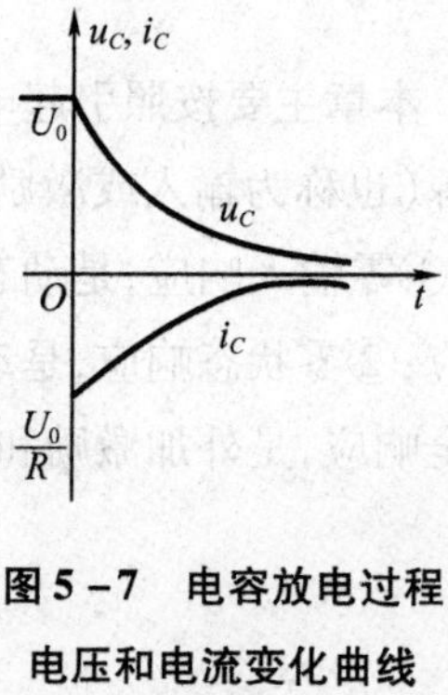

图 5－7 电容放电过程电压和电流变化曲线

在 $t=0$ 处 u_C 是连续的，而 i_C 则由零跃变到 U_0/R。如果 R 很小，则在放电开始的一瞬间，将会产生很大的放电电流。

令 $\tau=RC$，表征它们衰减的快慢，它具有时间单位($\Omega\times\mathrm{F}=\frac{\mathrm{V}}{\mathrm{A}}\times\frac{\mathrm{C}}{\mathrm{V}}=\frac{\mathrm{C}}{\mathrm{A}}=\frac{\mathrm{C}}{\mathrm{C/s}}=\mathrm{s}$)，称为电路的时间常数。它的大小决定了

一阶电路零输入过渡过程进展的快慢，它是反映过渡过程特性的一个重要的量。当 t 等于不同的 τ 值时，计算结果如表 5－1 所示。

表 5－1 τ 对放电时间的影响

t	0	τ	2τ	3τ	4τ	5τ	…	∞
$u_C(t)$	U_0	$0.368U_0$	$0.135U_0$	$0.05U_0$	$0.018U_0$	$0.007U_0$	…	0

时间常数中 Ri_C 越大，所需过渡过程越长，经过 $3\tau \sim 5\tau$ 的时间，放电基本结束，电路达到新的稳定状态。

【例 5－3】 如图 5－8(a)所示的电路已处于稳态，$t=0$ 时，开关由 a 拨向 b，求 $t\geqslant 0$ 时的 $u_C(t)$ 及 $i_C(t)$。

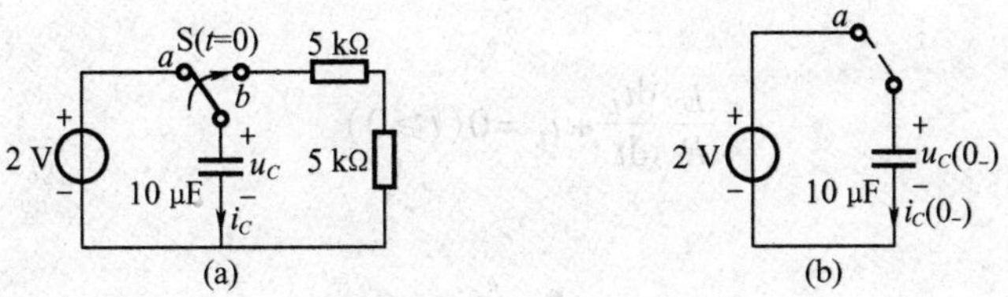

图 5－8 【例 5－3】图

解

(1)换路前($t<0$)，电路的等效电路如图 5－8(b)所示。

$$u_C(0_-)=2\ \mathrm{V}$$

(2)$t=0_+$ 换路，根据换路定理得

$$u_C(0_+)=u_C(0_-)=2\ \mathrm{V}$$

(3)当 $t\geqslant 0$ 时，电容以外的戴维南等效电路的等效电阻为

$$R_i=5\ \mathrm{k\Omega}+5\ \mathrm{k\Omega}=10\ \mathrm{k\Omega}$$

时间常数为

$$\tau=R_iC=10\ \mathrm{k\Omega}\times 10\ \mathrm{\mu F}=0.1\ \mathrm{s}$$

因此，换路后电容电压和电流的表达式为

$$u_C(t)=U_0e^{-\frac{t}{\tau}}=2e^{-10t}\ \mathrm{V}(t\geqslant 0)$$

$$i_C(t)=C\frac{\mathrm{d}u_C}{\mathrm{d}t}=10\times 10^{-6}\times(-10\times 2)e^{-10t}\ \mathrm{A}=-0.2e^{-10t}\ \mathrm{mA}(t\geqslant 0)$$

5.3.2 一阶 *RL* 电路的零输入响应

RL 零输入响应电路如图 5-9 所示。$t<0$ 时电路已处于稳态，电感上的电流 $i_L(0_-)=I_S$。$t=0$ 瞬间开关由 a 拨向 b。$t>0$ 时，电感的能量不断地释放，电感上的电流不断地减小，直到所有的能量释放完毕。

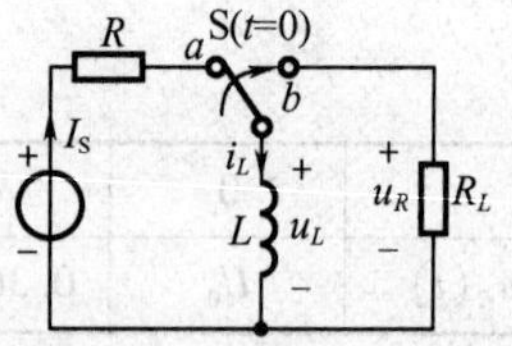

图 5-9 **RL 的零输入响应电路**

电路发生换路后，可得

$$u_L-u_R=L\frac{\mathrm{d}i_L}{\mathrm{d}t}-Ri_R=0$$

又因为 $i_R=-i_L$，所以

$$L\frac{\mathrm{d}i_L}{\mathrm{d}t}+Ri_L=0(t\geqslant 0)$$

整理得

$$\frac{L}{R}\frac{\mathrm{d}i_L}{\mathrm{d}t}+i_L=0(t\geqslant 0)$$

其通解为

$$i_L(t)=Ae^{-\frac{R}{L}t}(t\geqslant 0)$$

由换路定理可知 $i_L(0_+)=i_L(0_-)=I_S$，那么 $A=I_S$，因此

$$i_L(t)=I_S e^{-\frac{R}{L}t}$$

$$u_L(t)=L\frac{\mathrm{d}i_L}{\mathrm{d}t}=-RI_S e^{-\frac{R}{L}t}\quad(t\geqslant 0)$$

它们在时间轴上的变化曲线如图 5-10 所示。

与 *RC* 电路类似，$\frac{L}{R}$也反映了 *RL* 电路的衰减快慢，也具有时间的量纲，因此 *RL* 电路的时间常数 $\tau=\frac{L}{R}$。L 越大或 R 越小，则释放磁场能量所需要的时间越长，也就是暂态过程越长。

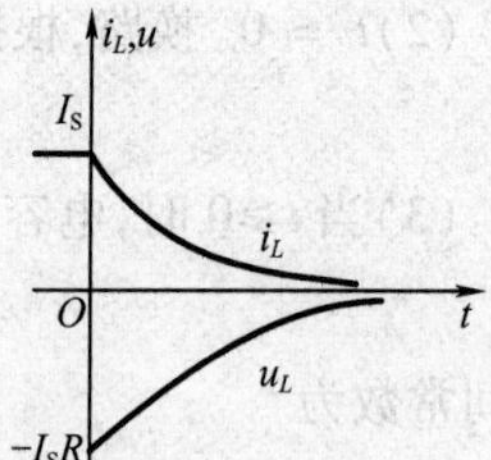

图 5-10 **电感电流和电压的变化曲线**

【例 5-4】 如图 5-11 所示电路，已知 $U_S=15\text{ V}$，$R_1=5\ \Omega$，$R_2=1\text{ k}\Omega$，$L=0.4\text{ H}$。$t<0$ 时电路处于直流稳态，$t=0$ 时开关断开。求换路后电感电流 $i_L(t)$ 以及电阻 R_2 两端电压 $u_2(t)$。

解

(1) 换路前，$t<0$，电路电感相当于短路，有

$$i_L(0_-)=\frac{U_S}{R_1}=\frac{15\text{ V}}{5\ \Omega}=3\text{ A}$$

(2) $t=0_+$ 时刻换路，根据换路定律得

$$i_L(0_+)=i_L(0_-)=3\text{ A}$$

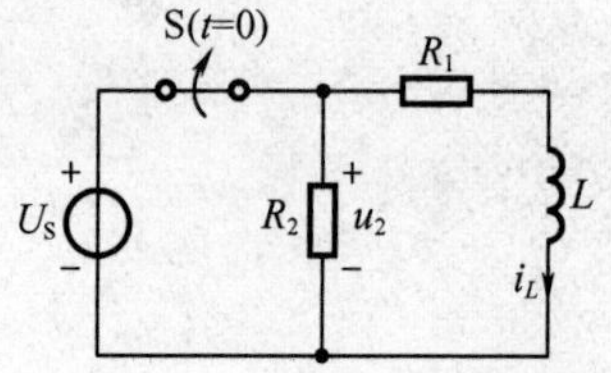

图 5-11 【例 5-4】图

(3)换路后,时间常数为

$$\tau=\frac{L}{R_i}=\frac{0.4\ \text{H}}{R_1+R_2}=\frac{0.4\ \text{H}}{5\ \Omega+1\ \text{k}\Omega}\approx 0.4\ \text{ms}$$

因此

$$i_L(t)=I_0\text{e}^{-\frac{T}{\tau}}=3\text{e}^{-2.5\times 10^3 t}\quad (t\geqslant 0)$$

$$u_2(t)=-R_2 i_L=-1\ \text{k}\Omega\times 3\text{e}^{-2.5\times 10^3 t}\text{A}=-3\times 10^3\text{e}^{-2.5\times 10^3}\ \text{V}\quad (t\geqslant 0)$$

5.3.3　一阶电路零输入响应的一般形式

由5.3.1节和5.3.2节分析可知,一阶电路的零输入响应的一般形式为

$$r(t)=r(0_+)\text{e}^{-\frac{t}{\tau}}\quad (t\geqslant 0)$$

其中时间常数 τ,对于一阶 RC 电路为 $\tau=R_iC$,一阶 RL 电路为 $\tau=L/R_i$。

从一阶电路的一般形式可以看出:

(1)只要求出响应的初始值和电路的时间常数,就可以写出电路的零输入响应表达式。

(2)在同一电路中不同变量的时间常数是相同的。

(3)零输入响应与其初始值成正比。

5.4　一阶电路的零状态响应

5.4.1　一阶 *RC* 电路的零状态响应

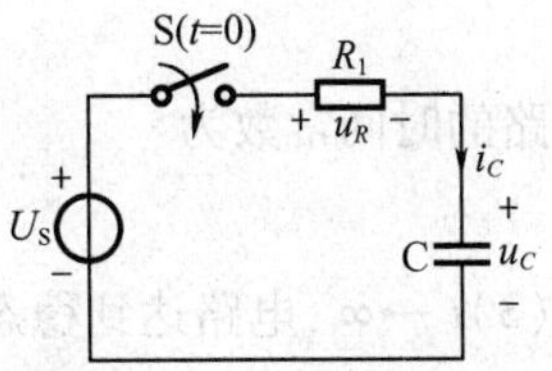

图5-12　一阶 *RC* 零状态响应电路

电路如图5-12所示,$t<0$ 时刻开关已经处于稳态,即 $u_C(0_-)=0$ V,$t=0$ 时刻开关闭合。

$$U_S=u_R+u_C=RC\frac{\text{d}u_C}{\text{d}t}+u_C\qquad(5-9)$$

式(5-9)为一阶线性非齐次微分方程。方程的解由通解和特解组成

$$u_C=A\text{e}^{-\frac{t}{\tau}}+U_S$$

其中 $\tau=RC$,又因为 $u_C(0_-)=u_C(0_+)=0$ V,因此 $A=-U_S$,将其代入上式得 RC 电路零状态响应表达式为

$$u_C=-U_S\text{e}^{-\frac{t}{\tau}}+U_S=U_S(1-\text{e}^{-\frac{t}{\tau}})\qquad(5-10)$$

$$i_C=C\frac{\text{d}u_C}{\text{d}t}=\frac{U_S}{R}\text{e}^{-\frac{t}{\tau}}$$

可见,只要确定换路后电路稳态值 $u_C(\infty)$ 和时间常数 τ,就可以直接写出电容电压的零状态响应表达式。

一阶 RC 零状态响应的电压和电流变化曲线如图5-13所示,电路换路后电路的状态为电容充电的过程。

当 $t\geqslant 0$ 时,电路处于新的稳态,此时 $U_S=u_C(\infty)$,因此式(5-10)可以写成

$$u_C=u_C(\infty)(1-\mathrm{e}^{-\frac{t}{\tau}})\tag{5-11}$$

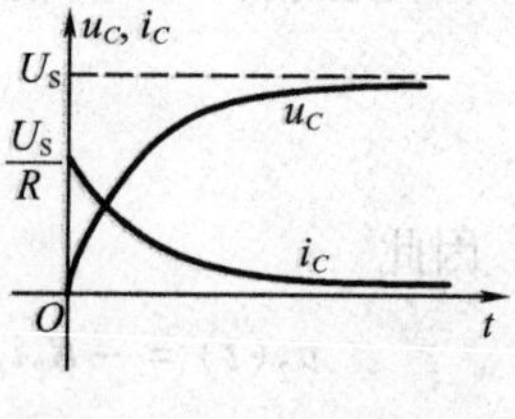

图 5-13　一阶 *RC* 零状态响应的电压和电流曲线

【例 5-5】　如图 5-14(a)所示电路，已知换路前电容上初始储能为 0，当 $t=0$ 时，开关 S 闭合，求换路后电容上的电压 $u_C(t)$。

解

(1)换路前，电容上的初始储能为 0。

(2)$t=0_+$ 时换路，换路后，电容元件两端以外的戴维南等效电路如图 5-14(b)所示，其中

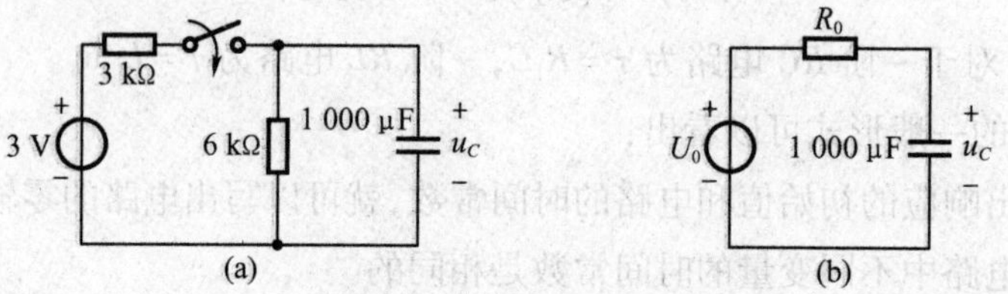

图 5-14　【例 5-5】图

$$U_0=\frac{6}{6+3}\times3=2\ \mathrm{V}$$

$$R_\mathrm{i}=\frac{3\ \mathrm{k\Omega}\times6\ \mathrm{k\Omega}}{3\ \mathrm{k\Omega}+6\ \mathrm{k\Omega}}=2\ \mathrm{k\Omega}$$

该电路的时间常数为

$$\tau=R_\mathrm{i}C=2\ \mathrm{k\Omega}\times1\ 000\ \mathrm{\mu F}=2\ \mathrm{s}$$

(3)$t\to\infty$，电路达到稳态，此时电容的稳态值为

$$u_C(\infty)=U_0=2\ \mathrm{V}$$

根据一阶 *RC* 零状态响应的表达式(5-11)得

$$u_C(t)=u_C(\infty)(1-\mathrm{e}^{-\frac{T}{\tau}})=2(1-\mathrm{e}^{-\frac{T}{2}})\mathrm{V}\quad(t\geqslant0)$$

5.4.2　一阶 *RL* 电路的零状态响应

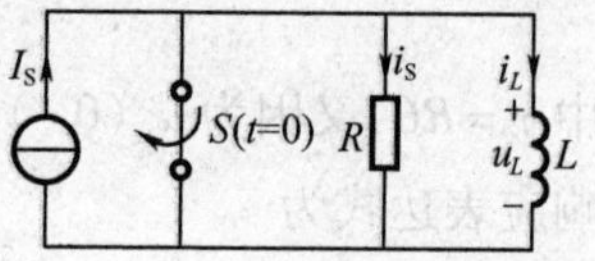

图 5-15　*RL* 零状态响应电路

一阶 *RL* 电路如图 5-15 所示，I_S 为直流电流源，$t<0$ 时，开关 S 闭合，电路处于稳态，电感中的电流 $i_L(0_-)=0$。当 $t=0$ 时，开关 S 断开，电感上没有初始储能，$i_L(0_+)=i_L(0_-)=0$，在 I_S 的作用下，电路产生了零状态响应。

电路换路后得一阶线性非齐次微分方程为

$$i_R+i_L=\frac{L}{R}\frac{\mathrm{d}i_L}{\mathrm{d}t}+i_L=I_S$$

与一阶 *RC* 零状态响应电路类似，该方程的解为

$$i_L(t)=I_S(1-\mathrm{e}^{-\frac{R}{L}t})$$

即 RL 电路的零状态响应表达式为

$$i_L(t)=I_S(1-e^{-\frac{t}{\tau}})=i_L(\infty)(1-e^{-\frac{t}{\tau}}) \tag{5-12}$$

式中　$\tau=\dfrac{L}{R}$——电路的时间常数；

$i_L(\infty)$——换路后电路的稳态值。

电感两端的电压为

$$u_L(t)=L\frac{di_L}{dt}=RI_S e^{-\frac{R}{L}t}$$

$i_L(t)$、$u_L(t)$波形如图5-16所示。

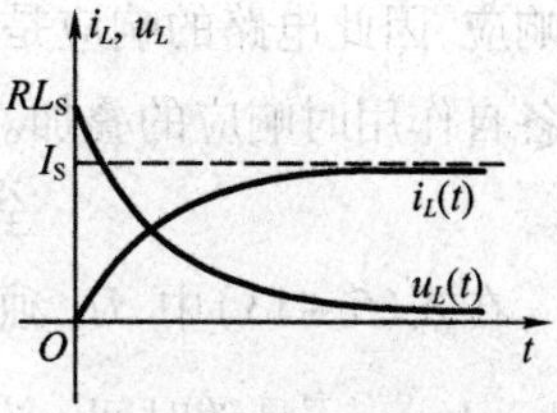

图5-16　RL 零状态响应电路的 $i_L(t)$ 和 $u_L(t)$ 的波形

【例5-6】　如图5-17所示电路，$U_S=6\ \text{V}$，$R_1=3\ \text{k}\Omega$，$R_2=6\ \text{k}\Omega$，$L=0.4\ \text{H}$。已知 $t<0$ 时电感电流为0，$t=0$ 时开关闭合，求换路后电感电流 $i_L(t)$ 和电感电压 $u_L(t)$。

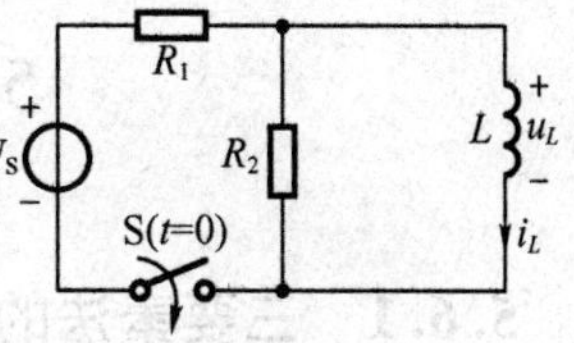

图5-17　【例5-6】图

解

(1)换路前，$t<0$ 时 $i_L(0_-)=0$。

(2)$t=0_+$ 时换路，根据换路定理得

$$i_L(0_+)=i_L(0_-)=0$$

(3)$t\to\infty$，电路进入稳态，电感相当于短路，此时电感电流为

$$i_L(\infty)=\frac{6\ \text{V}}{3\ \text{k}\Omega}=2\ \text{mA}$$

电路的时间常数为

$$\tau=\frac{L}{R_i}=\frac{0.4\ \text{H}}{\frac{3\times6}{3+6}\ \text{k}\Omega}=0.2\ \text{ms}$$

根据 RL 电路零状态响应表达式得

$$i_L(t)=i_L(\infty)(1-e^{-\frac{t}{\tau}})=2\times10^{-3}(1-e^{-5\times10^3t})\quad(t\geqslant0)$$

$$u_L(t)=L\frac{di_L}{dt}=0.4\times2\times10^{-3}\times5\times10^3e^{-5\times10^3t}=4e^{-5\times10^3t}\text{A}\quad(t\geqslant0)$$

5.5　一阶电路的完全响应

全响应电路如图5-18所示，若 $t<0$ 时电容电压 $u_C(0_-)=U_0$，$t=0$ 时开关闭合。则有

$$RC\frac{du_C}{dt}+u_C=U_S$$

该一阶线性非齐次方程的完全解为

$$u_C=U_S+Ae^{-\frac{t}{\tau}}$$

根据换路定理可知 $u_C(0_-)=u_C(0_+)=U_0$,求得

$$A=U_0-U_S$$

因此

$$u_C=U_S+(U_0-U_S)e^{-\frac{t}{\tau}} \tag{5-13}$$

整理得,一阶电路的全响应表达式为

$$u_C=U_0e^{-\frac{t}{\tau}}+U_S(1-e^{-\frac{t}{\tau}}) \tag{5-14}$$

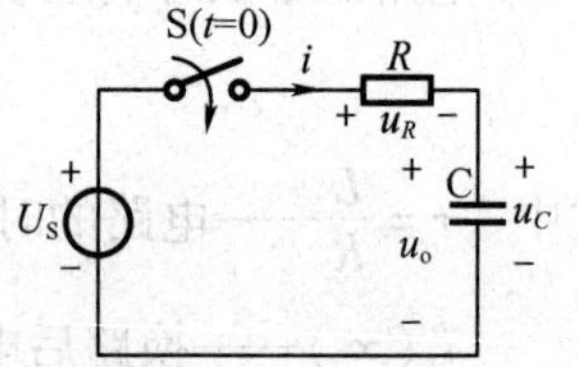

图 5-18　一阶全响应电路

从式(5-14)可以看出,如果把电压源 U_S 置零,$u_C(0_-)=u_C(0_+)=U_0$,这是仅由电路的初始储能产生的响应,电路恰好是零输入响应。如果 $U_0=0$ 时,这是仅由独立电源产生的响应,因此电路的响应是零状态响应。根据线性电路的叠加性质,电路的响应是两种激励各自作用时响应的叠加。说明一阶电路全响应可以表示为

全响应 =(零输入响应)+(零状态响应)

在式(5-13)中,U_S 独立电压源,换路后,响应仍然稳定存在的分量,称为稳态分量;$(U_0-U_S)e^{-\frac{t}{\tau}}$是随时间 t 按指数规律而逐渐衰减为零的分量,所以称为瞬态分量。因此,全响应也可以表示为

全响应 =(稳态分量)+(暂态分量)

5.6　一阶电路的三要素法

5.6.1　三要素法的概念

一阶电路在直流激励作用下,电路变量有初始值,换路后按指数规律变化至新的稳态值,暂态过程的速度与时间常数有关。若设响应初始值为 $f(0_+)$,稳态值为 $f(\infty)$,时间常数为 τ,则全响应 $f(t)$ 的通式可以表示为

$$f(t)=f(\infty)+[f(0_+)-f(\infty)]e^{-\frac{t}{\tau}} \tag{5-15}$$

由此可见,在直流激励作用下,任何一阶电路的响应都可以由 $f(0_+)$、$f(\infty)$ 和 τ 三个要素确定,就可以得出一阶电路的全响应,这种方法就称为三要素法。

5.6.2　三要素法分析动态电路的一般步骤

1. 初始值 $f(0_+)$

关于电路初始值的计算,首先计算换路前电容电压 $u_C(0_-)$ 或电感电流 $i_L(0_-)$,由换路定理可求得初始值为 $u_C(0_+)=u_C(0_-)$ 或 $i_L(0_+)=i_L(0_-)$;然后作换路瞬间的等效电路,将电容元件用电压为 $u_C(0_+)$ 的电压源代替,将电感用电流为 $i_L(0_+)$ 的电流源等效代替;最后通过该等效电路,求其他初始值。

2. 稳态解为 $f(\infty)$

换路后达到新的稳态,直流激励作用下,电容视为开路,电感视为短路。作 $t\to\infty$ 时等

效电路,求出稳态值$f(\infty)$。

3. 时间常数τ

一阶RC电路的时间常数$\tau=R_iC$,一阶RL电路的时间常数$\tau=\frac{L}{R_i}$,其中,R_i为换路后电容或电感两端看过去的戴维南等效电路的等效电阻。

【例5-7】 如图5-19(a)所示电路,$R_1=5\ \Omega$,$R_2=5\ \Omega$,$U_S=5\ V$,$t<0$电路处于稳态,$t=0$时开关S闭合,求$t>0$时电容电压$u_C(t)$、电阻R_1和电流$i_1(t)$。

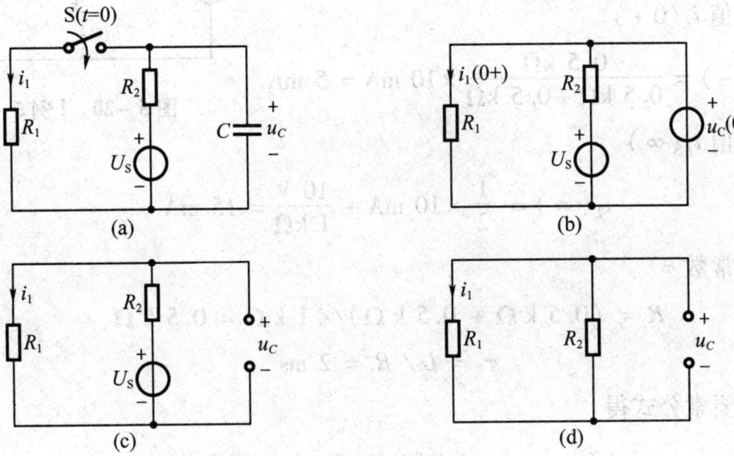

图5-19 【例5-7】图

(a)等效电路;(b)$t=0$时刻等效电路;

(c)$t=\infty$时等效电路;(d)戴维南等效电阻

解

(1)求初始值

开关闭合前,电容相当于开路,$u_C(0_-)=5\ V$。

根据换路定理可知,$u_C(0_+)=u_C(0_-)=5\ V$。

(2)求稳态值

$t\to\infty$,电路进入稳态,电容相当于开路,其等效电路如图5-19(c)所示。则稳态值为

$$u_C(\infty)=\frac{R_1}{R_1+R_2}U_S=\frac{5\ \Omega}{5\ \Omega+5\ \Omega}\times 5\ V=2.5\ V$$

(3)求时间常数

电路换路后从电容C两端看过去的戴维南等效电路的等效电阻如图5-19(d)所示。时间常数为

$$\tau=R_iC=\frac{5\ \Omega\times 5\ \Omega}{5\ \Omega+5\ \Omega}\times 1\ F=2.5\ s$$

(4)求u_C和i根据三要素公式求$u_C(t)$和$i_1(t)$,即

$$u_C(t)=u_C(\infty)+[u_C(0_+)-u_C(\infty)]e^{-\frac{t}{\tau}}$$

$$=2.5\ \text{V}+[5\ \text{V}-2.5\ \text{V}]e^{-\frac{t}{2.5\ \text{s}}}$$

$$=2.5+2.5\ e^{-\frac{2}{5}t}\ \text{V}(t\geqslant 0)$$

$$i_1(t)=\frac{u_C(t)}{R_1}=0.5+0.5\ e^{-0.4t}\ \text{A}(t\geqslant 0)$$

【例 5-8】 如图 5-20 所示电路，$t<0$ 时电路已处于稳态，$t=0$ 时开关闭合，求 $i_L(t)(t\geqslant 0)$。

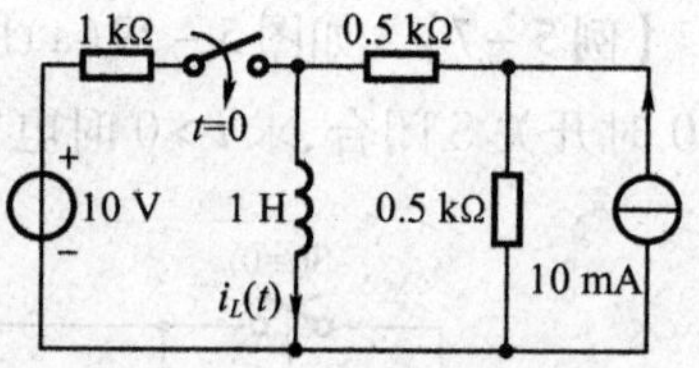

图 5-20 【例 5-8】图

解

(1) 求初始值 $i_L(0+)$

$$i_L(0+)=i_L(0-)=\frac{0.5\ \text{k}\Omega}{0.5\ \text{k}\Omega+0.5\ \text{k}\Omega}\times 10\ \text{mA}=5\ \text{mA}$$

(2) 求稳态值 $i_L(\infty)$

$$i_L(\infty)=\frac{1}{2}\times 10\ \text{mA}+\frac{10\ \text{V}}{1\ \text{k}\Omega}=15\ \text{mA}$$

(3) 求时间常数 τ

$$R_{\text{i}}=(0.5\ \text{k}\Omega+0.5\ \text{k}\Omega)//1\ \text{k}\Omega=0.5\ \text{k}\Omega$$

$$\tau=L/R_{\text{i}}=2\ \text{ms}$$

(4) 代入三要素公式得

$$i_L(t)=i_L(\infty)+[i_L(0_+)-i_L(\infty)]e^{-\frac{t}{\tau}}$$

$$=15+(5-15)e^{-500t}$$

$$=15-10e^{-500t}\ \text{mA}(t\geqslant 0)$$

重点串联

1. 动态电路暂态过程产生的原因

电路含有动态元件和发生换路。

2. 换路定理

在换路瞬间，电容电流为有限值时，其电压不能跃变；电感电压为有限值时，其电流不能跃变，即

$$u_C(0_+)=u(0_-),i_L(0_+)=i_L(0_-)$$

3. 初始值

初始值是指换路后瞬间 $t=0_+$ 时刻的电压、电流值。

求初始值的步骤：

(1) 由换路前($t=0_-$ 时刻)电路，求 $u_C(0_-)$ 和 $i_L(0_-)$；

(2) 由换路定理得出 $u_C(0_+)$ 和 $i_L(0_+)$；

(3) 作 $t=0_+$ 时刻等效电路，在 $t=0_+$ 时刻，电容可置换为一量值与 $u_C(0_+)$ 相等、方向一致的电压源，电感可置换为一量值与 $i_L(0_+)$ 相等、方向一致的电流源；

(4) 由 $t=0_+$ 时刻电路求解所需的 $u(0_+)$ 和 $i(0_+)$。

4. 零输入响应和零状态响应和全响应

(1)零输入响应

动态电路在换路后,无独立电源的作用情况下,仅由初始储能引起的响应。

(2)零状态响应

动态电路在换路前无初始储能,仅在外加激励作用下引起的响应。

(3)全响应

外加激励和初始储能共同作用引起的响应。

5. 三要素表达式

在直流激励作用下,任何一阶电路的响应都可由$f(0_+)$、$f(\infty)$和τ三个要素确定,从而得到一阶电路的全响应,这种方法就称为三要素法。三要素的表达式为

$$f(t)=f(\infty)+[f(0_+)-f(\infty)]e^{-\frac{t}{\tau}}$$

(1)初始值$f(0_+)$

根据换路前电容电压$u_C(0_-)$或电感电流$i_L(0_-)$,由换路定理求得初始值$u_C(0_+)=u_C(0_-)$或$i_L(0_+)=i_L(0_-)$。然后作换路瞬间的等效电路,将电容换成电压为$u_C(0_+)$的电压源,将电感换成电流为$i_L(0_+)$的电流源,从而求其他初始值。

(2)稳态解为$f(\infty)$

换路后,$t\to\infty$,电路进入稳态,直流激励作用下,电容视为开路,电感视为短路。画出$t\to\infty$时等效电路,求出稳态值$f(\infty)$。

(3)时间常数τ

一阶RC电路的时间常数$\tau=R_iC$,一阶RL电路的时间常数$\tau=\dfrac{L}{R_i}$,其中R_i为换路后电容或电感两端看进去的戴维南等效电路的等效电阻。

习 题 5

一、填空题

1. 暂态是指从一种________态过渡到另一种________态所经历的过程。

2. 一阶电路是指用________阶微分方程来描述的电路。

3. 动态电路及其暂态过程产生的原因：电路________和________。

4. 在电路中，电源的突然接通或断开，电源瞬时值的突然跳变，某一元件的突然介入或被移去等，统称为________。

5. 换路定律指出：一阶电路发生换路时，状态变量不能发生跳变。该定律用公式可表示为________和________。

6. 电容充放电的快慢与________有关，其中 C 越大则充放电速度越________。

7. 一阶电路的三要素法中的三要素指的是________、________和________。

8. 求三要素法的稳态值 $f(\infty)$ 时，应该将电感 L ________处理，电容 C ________处理，然后求其他稳态值。

9. 一阶 RC 电路的时间常数 $\tau=$________；一阶 RL 电路的时间常数 $\tau=$________。时间常数 τ 的取值决定于电路的________和________。

10. 由时间常数可知，在一阶 RL 电路中，L 一定时，R 值越大过渡过程进行的时间就越________。

二、选择题

1. 下列说法正确的是________。

A. 电感电压为有限值时，电感电流可以跃变

B. 电感电流为有限值时，电感电压不能跃变

C. 电容电压为有限值时，电容电流不能跃变

D. 电容电流为有限值时，电容电压不能跃变

2. 通常在下列哪种电路中，电容开路处理，电感短路处理________。

A. 暂态　　B. 稳态　　C. 过渡过程　　D. 以上均可

3. 工程上认为 $R=25\ \Omega$、$L=50\ \text{mH}$ 的串联电路中发生暂态过程时将持续________。

A. 30 ~ 50 ms　　B. 37.5 ~ 62.5 ms

C. 6 ~ 10 ms　　D. 10 ~ 15 ms

4. 题图 5－1 所示，电路换路前已达稳态，在 $t=0$ 时断开开关 S，则该电路________。

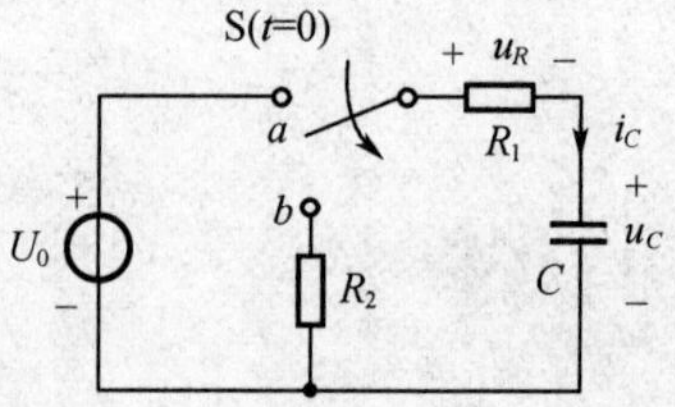

题图 5－1

A. 电路没有储能元件，不会产生过渡过程

B. 电路有储能元件 C 且发生换路，要产生过渡过程

C. 因为换路时元件 C 的电压储能不发生变化，所以该电路不产生过渡过程

D. 不确定

5. 题图 5－2 所示，在开关闭合瞬间，不发生跃变的量是________。

A. i_L 和 i_C　　B. i_L 和 u_1　　C. i_2 和 i_L　　D. u_L 和 i_C

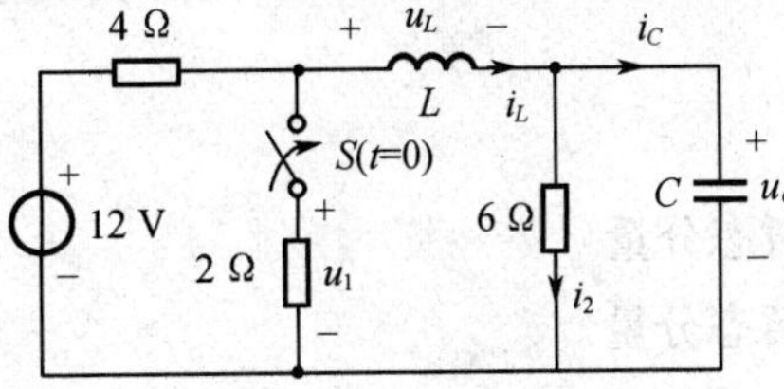

题图 5－2

6. 题图 5－3 所示，电路处于稳态，在 $t=0$ 时刻开关断开，则 $u_C(0_+)$ 等于________。

A. 2 V　　B. 3 V　　C. 4 V　　D. 0 V

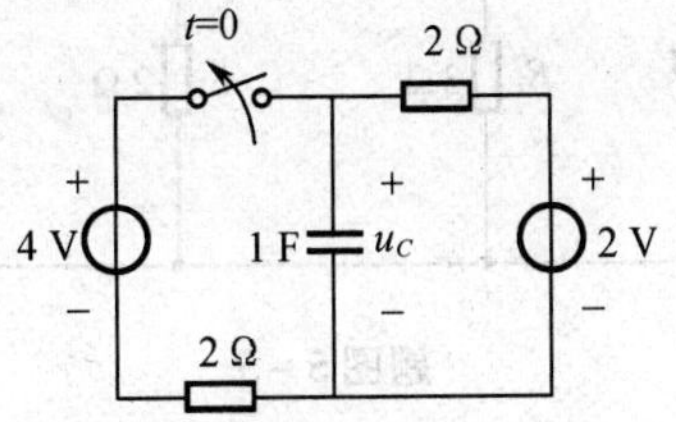

题图 5－3

7. 题图 5－4 所示，电路已处于稳态，$t=0$ 时开关断开，则 $i(0_+)$ 等于________。

A. －1 A　　B. －2 A　　C. 1 A　　D. 2 A

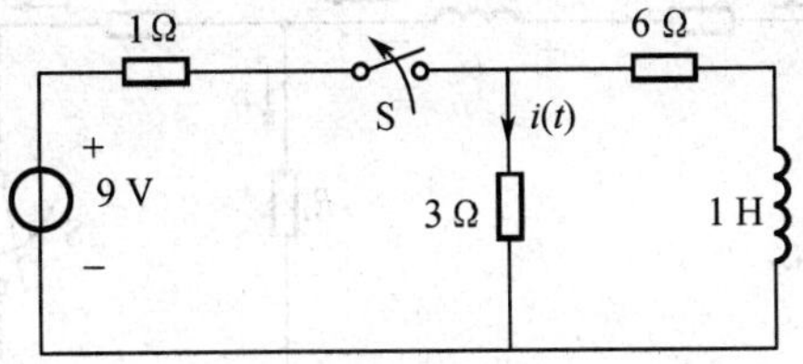

题图 5－4

8. RC 一阶电路的全响应 $u_C=(10-6e^{-10t})$ V，若仅将电容的初始储能增加一倍，则相应 u_C 变为________。

A. $10-2e^{-10t}$　　B. $10+2e^{-10t}$

C. $20+15e^{-10t}$　　D. $20-15e^{-10t}$

9. 由动态元件的初始储能所产生的响应________。

A. 仅有稳态分量

B. 仅有暂态分量

C. 既有稳态分量，又有暂态分量

D. 既无稳态分量，也无暂态分量

10. 无初始储能的动态电路在外加激励作用下引起的响应＿＿＿＿＿。

A. 仅有稳态分量

B. 仅有暂态分量

C. 既有稳态分量，又有暂态分量

D. 既无稳态分量，也无暂态分量

三、计算题

1. 题图 5－5 所示，$t=0_-$ 时电路已达稳态，$t=0$ 时开关 S 打开，求 $t=0_+$ 时刻电容电压。

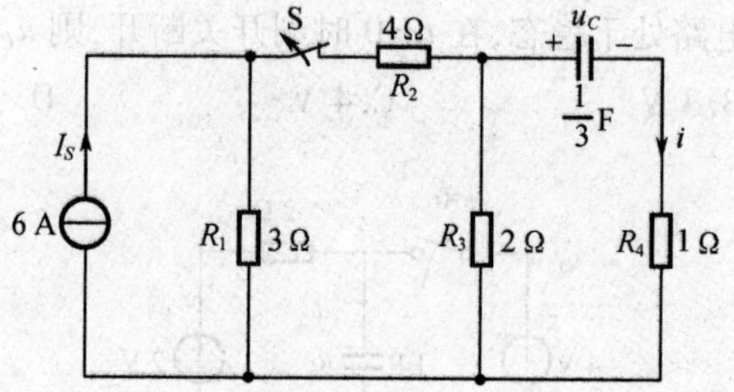

题图 5－5

2. 题图 5－6 所示，直流电源激励下的动态电路，已知 $U_S=20$ V，$R_1=10$ Ω，$R_2=30$ Ω，$R_3=20$ Ω，开关 S 打开时，电路处于稳态。$t=0$ 时 S 闭合，求 S 闭合瞬间各电压、电流的初始值。

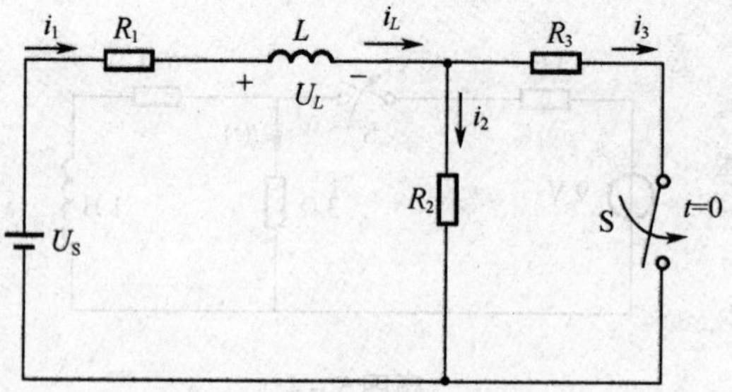

题图 5－6

3. 题图 5－7 所示，已知 $E=5$ V，$R_1=20$ kΩ，$R_2=30$ kΩ，$C=50$ μF，开关 S 闭合前，电容两端电压为零。求：S 闭合后电容元件上的初始值和稳态值。

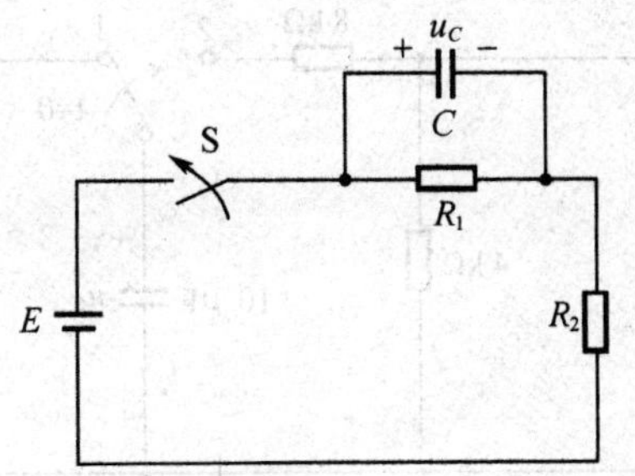

题图 5 -7

4. 题图 5 -8 所示，$t=0$ 时开关闭合，求 $t\geqslant0$ 时的 $i_L(t)$。

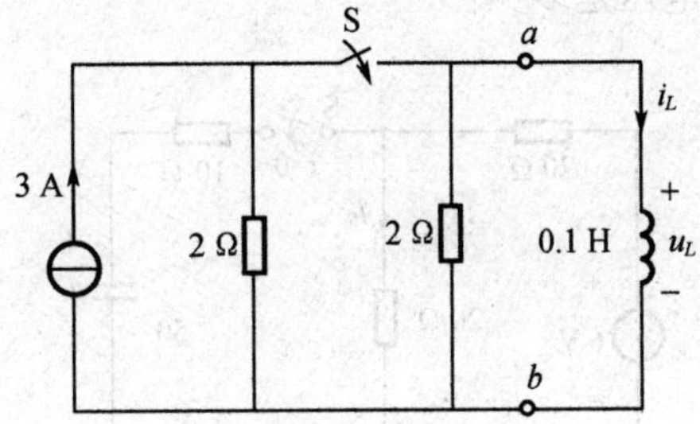

题图 5 -8

5. 题图 5 -9 所示，开关动作前电路已达稳态，$t=0$ 时开关 S 拨到下方，求 $t\geqslant0_+$ 时的 $i_L(t)$ 和 $u_L(t)$。

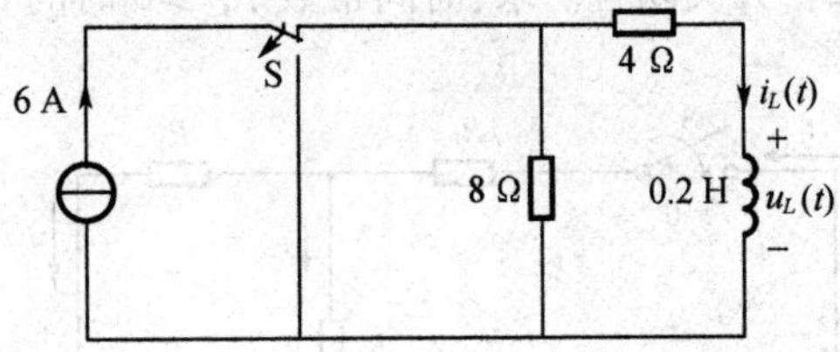

题图 5 -9

6. 题图 5 -10 所示，电路已处于稳态。$t=0$ 时，开关由 1 拨向 2，求 $t\geqslant0$ 时的 $u_C(t)$ 和 $i_C(t)$。

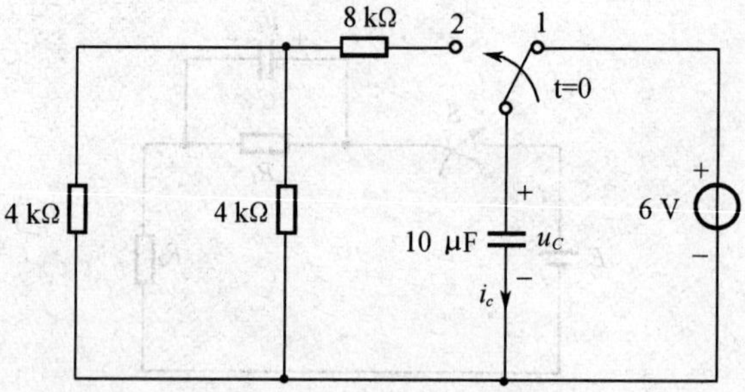

题图 5－10

7. 题图 5－11 所示，电路 $t=0$ 时刻开关 S 闭合，开关闭合前电路处于未充电。问开关闭合后经 1 ms 时间的电容电压是多少？

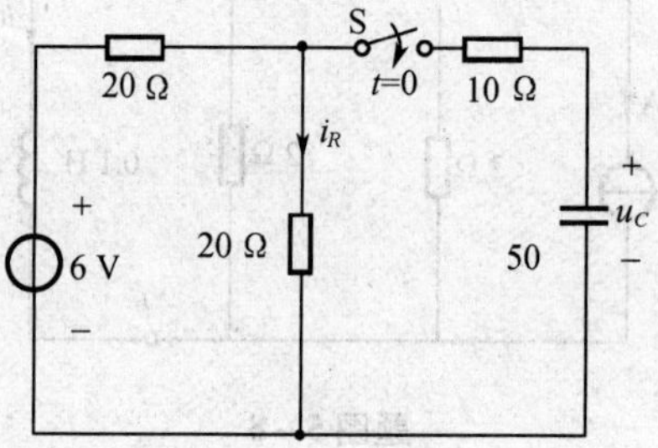

题图 5－11

8. 题图 5－12 所示，已知 $U_S=12$ V，$R_1=3$ kΩ，$R_2=6$ kΩ，$R_3=2$ kΩ，$C=5$ μF，开关 S 闭合前电容未充过电，$t=0$ 时，开关闭合。求：时间常数 τ；$t\geqslant 0$ 时的 $u_C(t)$ 和 $i_C(t)$。

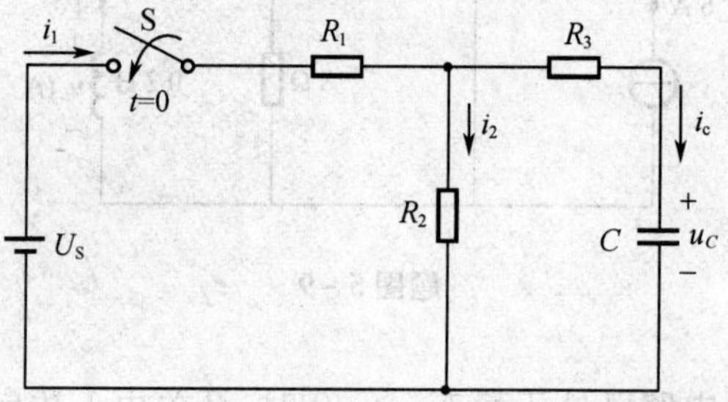

题图 5－12

9. 题图 5－13 所示，已知电感电流 $i_L(0_-)=0$，$t=0$ 时闭合开关，求 $t\geqslant 0$ 的电感电流和电感电压。

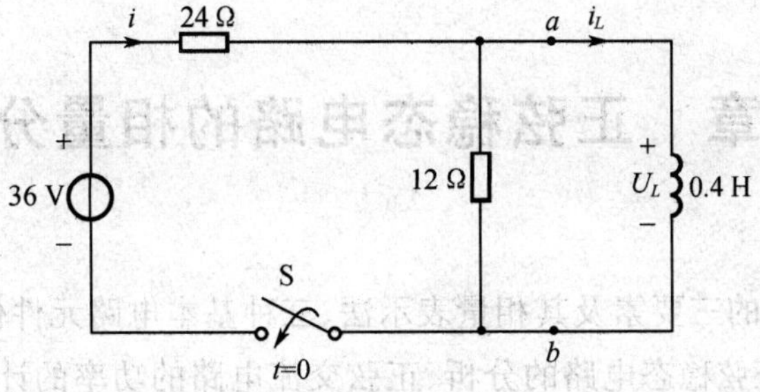

题图 5－13

10. 题图 5－14 所示，电路处于稳定状态，$t=0$ 时开关闭合，求 $t\geqslant0$ 时的 $u_C(t)$。

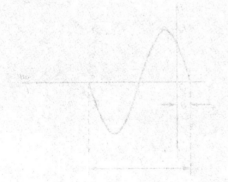

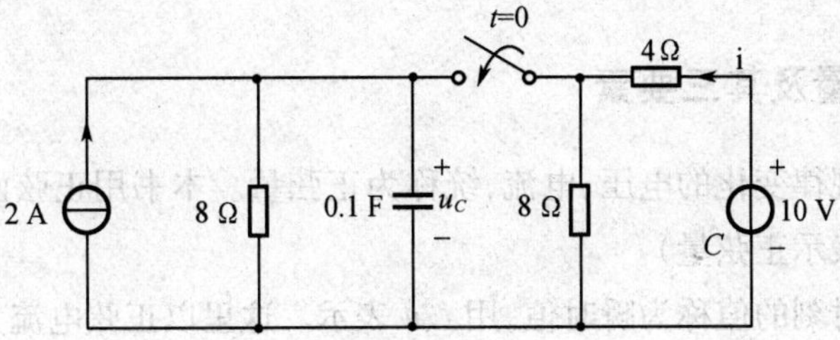

题图 5－14

第 6 章　正弦稳态电路的相量分析法

本章介绍正弦量的三要素及其相量表示法、三种基本电路元件伏安关系的相量表示、阻抗和导纳的概念、正弦稳态电路的分析、正弦交流电路的功率的计算及电路的谐振和互感电路。通过本章的学习，掌握正弦稳态电路的分析法——相量法。

6.1　正弦交流电的基本概念

6.1.1　正弦量及其三要素

电路中按正弦规律变化的电压、电流，统称为正弦量。本书用正弦函数表示正弦量（有些书中用余弦函数表示正弦量）。

正弦量在任一时刻的值称为瞬时值，用 i、u 表示。这里以正弦电流为例，设有正弦电流 i，i 的图形如图 6－1 所示，其数学表达式为

$$i = I_m \sin(\omega t + \psi_i) \tag{6-1}$$

式中的三个常数 I_m、ω 和 ψ_i 称为正弦量的三要素。

I_m 称为正弦量的幅值。它是正弦量在整个变化过程中所能达到的最大值，即 $\sin(\omega t + \psi_i) = 1$ 时，有 $i_{max} = I_m$，如图 6－1 所示。

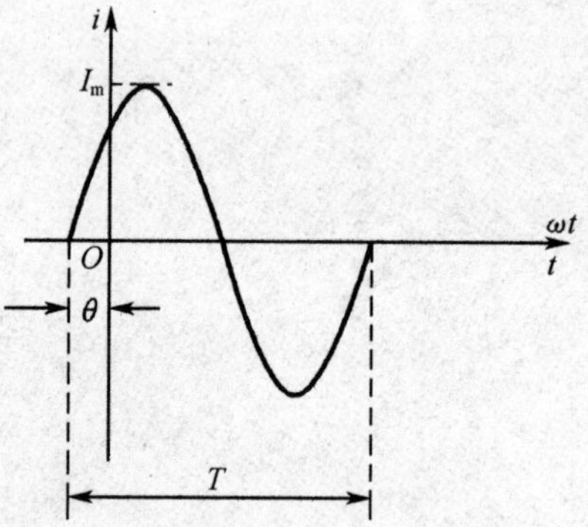

图 6－1　正弦电流图

$\omega t + \psi_i$ 是随时间变化的角度，反映了正弦量变化的进程，称为正弦量的相位或相角。ω 称为正弦量的角频率，它反映了正弦量变化的速率，即

$$\omega = \frac{d}{dt}(\omega t + \psi_i)$$

角频率 ω 的单位为 rad/s。正弦量的角频率 ω、周期 T 和频率 f 之间的关系为

$$\omega T = 2\pi,\quad \omega = 2\pi f,\quad f = 1/T$$

频率 f 的单位为 Hz（赫兹）。我国和大多数国家工业用电频率都采用 50 Hz，有些国家采用 60 Hz。工程中还常以频率区分电路，如音频电路、高频电路、甚高频电路等。

ψ_i 为正弦量的初相位（角），简称初相，它是正弦量在 $t = 0$ 时的相角。初相的单位用弧度或度表示，一般规定 $|\psi_i| \leq 180°$。这里须说明，正弦量的初相与计时起点有关。

6.1.2　正弦量的有效值

正弦量电压、电流的瞬时值是随时间变化的，为了简单地衡量其大小，常采用有效值，用相对应的大写字母表示。数字电流表、电压表中显示的数值都是有效值。电流有效值 I 定义如下：令正弦电流 i 和直流电流 I 分别通过阻值相等的电阻 R，如果在相等的时间 T 内，两个电阻消耗的能量相等，即

$$I^2RT = \int_0^T i^2 R\mathrm{d}t$$

可得 I 为

$$I = \sqrt{\frac{1}{T}\int_0^T i^2 \mathrm{d}t}$$

$$= \sqrt{\frac{1}{T}\int_0^T I_{\mathrm{m}}^2 \sin^2(\omega t + \psi_{\mathrm{i}})\mathrm{d}t}$$

$$I = I_{\mathrm{m}}/\sqrt{2} = 0.707I_{\mathrm{m}} \tag{6-2}$$

同理可得正弦电压的有效值与幅值的关系为

$$U = U_{\mathrm{m}}/\sqrt{2} = 0.707U_{\mathrm{m}} \tag{6-3}$$

6.1.3　相位差

在电路中，任意两个同频率的正弦量的相位角之差，称为相位差，用 φ 表示。相位差是区别同频率正弦量的重要标志之一。例如，设两个同频率的正弦电压 u、正弦电流 i 分别为

$$u = U_{\mathrm{m}}\sin(\omega t + \psi_u)$$
$$i = I_{\mathrm{m}}\sin(\omega t + \psi_{\mathrm{i}})$$

它们的相位差 φ 为

$$\varphi = (\omega t + \psi_u) - (\omega t + \psi_{\mathrm{i}}) = \psi_u - \psi_{\mathrm{i}}$$

可见，同频率正弦量的相位差等于它们的初相位之差，是一个与时间无关的常数。

当 $\varphi = 0$ 时，表明 $\psi_u = \psi_{\mathrm{i}}$，称为电压 u 与电流 i 同相位，简称同相。如图 6-2(a)所示，电压 u 和电流 i 同时达到零点，同时达到最大值。

当 $\varphi > 0$ 时，表明 $\psi_u > \psi_{\mathrm{i}}$，称电压 u 超前于电流 i，或称电流 i 滞后于电压 u。若 $\psi_u > 0$，$\psi_{\mathrm{i}} > 0$，如图 6-2(b)所示。

当 $\varphi < 0$ 时，表明 $\psi_u < \psi_{\mathrm{i}}$，称电压 u 滞后于电流 i，或称电流 i 超前于电压 u。若 $\psi_u > 0$，$\psi_{\mathrm{i}} > 0$，如图 6-2(c)所示。

当 $\varphi = \pm\pi$ 时，称电压 u 和电流 i 相位相反，简称反相，如图 6-2(d)所示。

当 $\varphi = \pm\pi/2$ 时，称电压 u 和电流 i 正交，如图 6-2(e)所示。

可见，两个同频率的正弦量的计时起点($t=0$)不同时，它们的相位和初相位不同，但是相位差相同，即两个同频率的正弦量的相位差与计时起点无关。

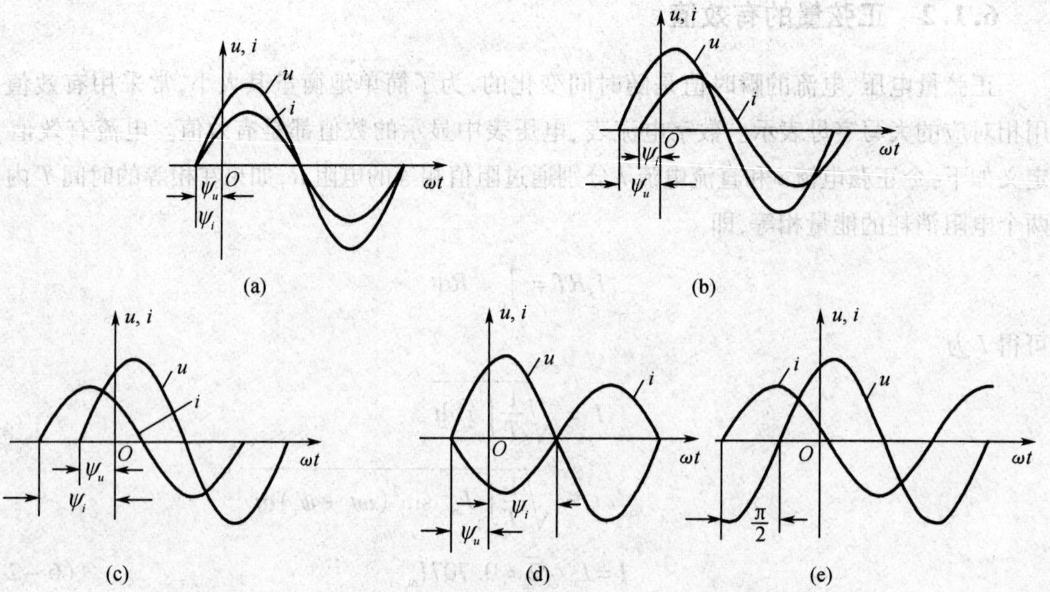

图 6-2　两同频率正弦量的相位关系

【例 6-1】　已知正弦交流电压 $u=311\sin(314t+60°)$ V，求电压的有效值、频率和周期。

解

电压的有效值为

$$U=\frac{U_{\mathrm{m}}}{\sqrt{2}}=\frac{311}{\sqrt{2}}=220\ \mathrm{V}$$

电压的频率为

$$f=\frac{\omega}{2\pi}=\frac{314}{2\pi}=50\ \mathrm{Hz}$$

电压的周期为

$$T=\frac{1}{f}=\frac{1}{50}=0.02\ \mathrm{s}$$

【例 6-2】　在某电路中，电流 $i=8\sin(\omega t+60°)$ A，$u_1=120\sin(\omega t-180°)$ V，求 i 与 u_1 的相位关系。

解

i 与 u_1 的相位差

$$\varphi=60°-(-180°)=240°$$

取 φ 在 $-\pi$ 与 π 之间，所以 $\varphi=-120°<0$，i 滞后于 u_1 120°。

6.2 正弦交流电的相量表示法

相量法是分析正弦稳态电路的简便方法，用相量法可以简化正弦函数的代数运算。借用复数的极坐标表示法表示正弦函数（既相量法），可以简化正弦稳态电路的分析和计算。

6.2.1 复数及其表示形式

一个复数可以用代数形式、三角形式、指数形式和极坐标形式来表示。复数 A 的代数形式为

$$A = a + jb$$

式中 a、b——实数；

a——复数的实部；

b——复数的虚部；

$j = \sqrt{-1}$——虚数单位。

在直角坐标系中，以横坐标为实数轴，纵坐标为虚数轴，这样构成的平面叫作复平面。一个复数 A 用对应坐标点的有向线段（向量）来表示，如图 6－3 所示。根据图 6－3 可知，若复数 A 与横轴正方向之间的夹角为 θ，则复数 A 的三角形式为

$$A = a + jb = |A|(\cos\theta + j\sin\theta)$$

式中 $|A|$——复数 A 的模；

θ——复数 A 的辐角，可以用弧度或度表示。

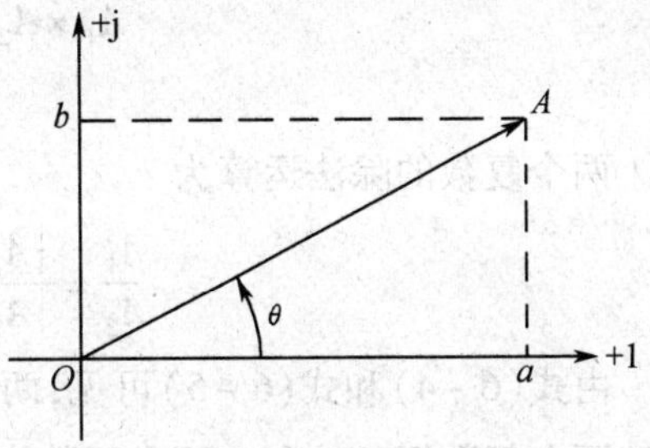

图 6－3 复数的几何表示

由图 6－2 可知如下关系式，即

$$|A| = \sqrt{a^2 + b^2}$$

$$\theta = \arctan\frac{b}{a}$$

$$a = |A|\cos\theta$$

$$b = |A|\sin\theta$$

根据欧拉公式

$$e^{j\theta} = \cos\theta + j\sin\theta$$

可以把复数的三角形式改写成指数形式，即

$$A = |A|e^{j\theta}$$

复数的指数形式还可以改写成极坐标形式，即

$$A = |A|\angle\theta$$

复数的加、减运算常用代数形式。设两个复数分别为 $A_1 = a_1 + jb_1$，$A_2 = a_2 + jb_2$，则

$$A_1 \pm A_2 = (a_1 + jb_1) \pm (a_2 + jb_2)$$

$$=(a_1 \pm a_2) \pm j(b_1 \pm b_2)$$

即几个复数相加或相减就是它们的实部和虚部分别相加或相减。

复数的加减运算也可用平行四边形法则，在复平面上用向量的相加和相减求得，如图 6－4 所示。

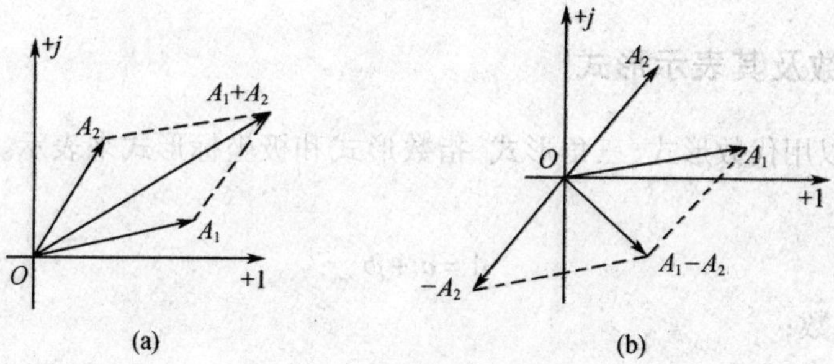

图 6－4 复数代数和的图解法

复数的乘、除法运算常用极坐标形式。即两个复数的乘法运算为

$$\begin{aligned} A_1 \times A_2 &= |A_1| \angle\theta_1 \times |A_2| \angle\theta_2 \\ &= |A_1| \times |A_2| \angle(\theta_1+\theta_2) \end{aligned} \tag{6-4}$$

两个复数的除法运算为

$$\frac{A_1}{A_2}=\frac{|A_1|\angle\theta_1}{|A_2|\angle\theta_2}=\frac{|A_1|}{|A_2|}\angle(\theta_1-\theta_2) \tag{6-5}$$

由式(6－4)和式(6－5)可见，两个复数乘积的模等于这两个复数的模的乘积，辐角等于这两个复数辐角的和。两个复数商的模等于这两个复数模的商，辐角等于这两个复数辐角的差。可以发现，采用极坐标形式进行乘除法运算比较简单。

【例 6－3】 已知 $A_1=4+j3$，$A_2=6-j8$，求：

(1) A_1+A_2；

(2) A_1-A_2；

(3) $A_1\times A_2$；

(4) A_1/A_2。

解

(1) $A_1+A_2=(4+j3)+(6-j8)=10-j5=11.18\angle -26.6^\circ$

(2) $A_1-A_2=(4+j3)-(6-j8)=-2+j11=11.18\angle 100.3^\circ$

(3) $A_1\times A_2=5\angle 36.9^\circ\times 10\angle -53.1^\circ=50\angle -16.2^\circ$

(4) $A_1/A_2=\dfrac{5\angle 36.9^\circ}{10\angle -53.1^\circ}=0.5\angle 90^\circ$

6.2.2　正弦量的相量表示

在线性电路中，如果激励是正弦量，则电路中各支路的电压和电流的稳态响应将是同频正弦量。处于这种稳定状态的电路称为正弦稳态电路，又可称为正弦电路。在分析线性电路的正弦稳态响应时，也要用到欧姆定律、基尔霍夫定律等，经常会进行正弦量的乘除运算，利用三角函数进行正弦量的乘除运算比较麻烦，利用复数的极坐标形式表示正弦量（即相量法），可以使正弦稳态电路的分析和计算得到简化。

复数的极坐标形式为 $A=|A|\angle\theta$，A 是复数的模，θ 是复数的辐角。因为电路中所有电压和电流都是同频率正弦量，即角频率 ω 相同，三要素中有一个是相同的，只要表示出其他两个就可以了。根据欧拉公式 $e^{j\theta}=\cos\theta+j\sin\theta$ 可得出，正弦量的有效值对应于复数的模，初相角对应于复数的辐角，所以正弦量可以用复数来表示，这个复数定义为正弦量的相量（本书中的相量都指有效值相量），记为 $\dot{I}$，为区别于复数的表示，在大写字母 I 上加小圆点来表示相量。即

$$\dot{I}=I\angle\psi_{\mathrm{i}} \tag{6-6}$$

同理，设正弦电压

$$u=U_{\mathrm{m}}\sin(\omega t+\psi_u)$$

则其相量为

$$\dot{U}=U\angle\psi_u \tag{6-7}$$

在实际应用中，只要已知正弦量就可以直接写出它的相量；反之，若已知相量和正弦量的角频率 ω，就可以写出相对应的正弦量。例如，正弦量 $220\sqrt{2}\sin(\omega t+45^\circ)$，它的相量就是 $220\angle45^\circ$，若已知角频率 $\omega=100$ rad/s 的正弦量的相量为 $10\angle30^\circ$，则此正弦量为 $10\sqrt{2}\sin(100t+30^\circ)$。

相量是一个复数，它在复平面上的图形称为相量图，如图 6－5 所示。

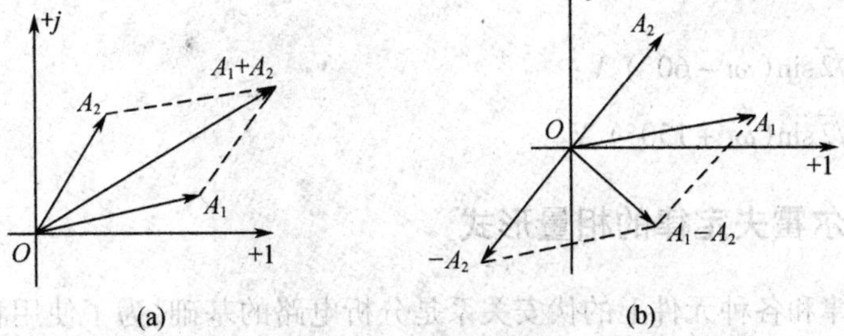

图 6－5　正弦量的相量图

这里须说明：只有正弦量才能用相量表示，相量不能表示非正弦量。只有同频率的正弦量才能画在同一相量图上，不同频率的正弦量不能画在一个相量图上，否则无法比较和计算。

【例 6-4】 试写出下列各式电流的相量，并画出相量图。

(1) $i_1 = 5\sqrt{2}\sin(314t + 60°)$ A；

(2) $i_2 = -10\sqrt{2}\cos(314t + 30°)$ A；

(3) $i_3 = -4\sqrt{2}\sin(314t + 45°)$ A。

解

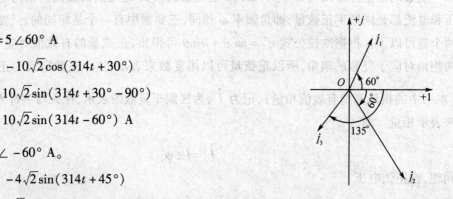

(1) $\dot{I}_1 = 5\angle 60°$ A

(2) $i_2 = -10\sqrt{2}\cos(314t + 30°)$

$= 10\sqrt{2}\sin(314t + 30° - 90°)$

$= 10\sqrt{2}\sin(314t - 60°)$ A

所以 $\dot{I}_2 = 10\angle -60°$ A。

(3) $i_3 = -4\sqrt{2}\sin(314t + 45°)$

$= 4\sqrt{2}\sin(314t + 45° - 180°)$

$= 4\sqrt{2}\sin(314t - 135°)$ A

所以 $\dot{I}_3 = = 4\angle -135°$ A。

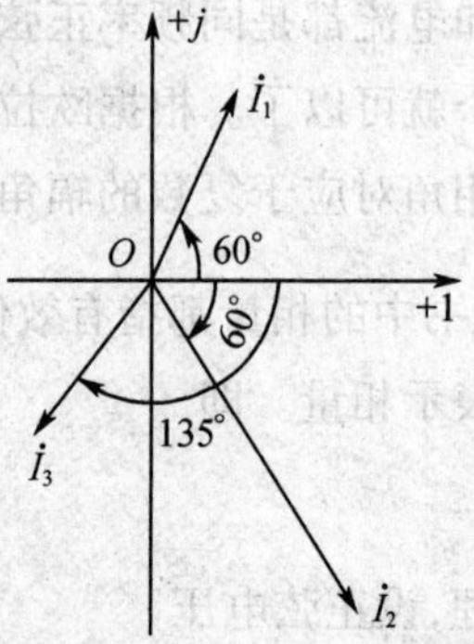

图 6-6 【例 6-4】的相量图

各量的相量图如 6-6 所示。

【例 6-5】 已知正弦量的角频率为 ω，相量表示如下：

(1) $\dot{U}_1 = 50\angle -60°$ V；

(2) $\dot{U}_2 = 10\angle 150°$ V。

求各电压相量所代表的电压瞬时值表达式。

解

(1) $u_1 = 50\sqrt{2}\sin(\omega t - 60°)$ V；

(2) $u_2 = 10\sqrt{2}\sin(\omega t + 150°)$ V。

6.2.3 基尔霍夫定律的相量形式

基尔霍夫定律和各种元件上的伏安关系是分析电路的基础，为了使用相量法分析正弦稳态电路，这里要研究基尔霍夫定律和各种元件上伏安关系的相量形式。

1. KCL 的相量形式

前面介绍的 KCL 为在任意时刻，流出电路任意节点的电流的代数和为零，即

$$\sum i = 0$$

在正弦交流电路中，如果各项电流均为同频率的正弦量，则可推出

$$\sum \dot{I} = 0\ (\text{或} \sum \dot{I}_m = 0) \tag{6-8}$$

式(6-8)表明正弦电流用相量表示后，KCL 仍然适用。

2. KVL 的相量形式

时域内的 KVL 为

$$\sum u = 0$$

在正弦交流电路中，如果各项电压均为同频率的正弦量，则可推出

$$\sum \dot{U} = 0\ (\text{或} \sum \dot{U}_m = 0) \tag{6-9}$$

式(6-9)表明正弦电压用相量表示后，KVL 仍然适用。

6.3　三种基本电路元件伏安关系的相量表示

6.3.1　正弦交流电路中电阻元件

设电阻元件中流过的电流为 $i_R = \sqrt{2} I_R \sin(\omega t + \psi_{i_R})$，如图 6-7(a)所示。

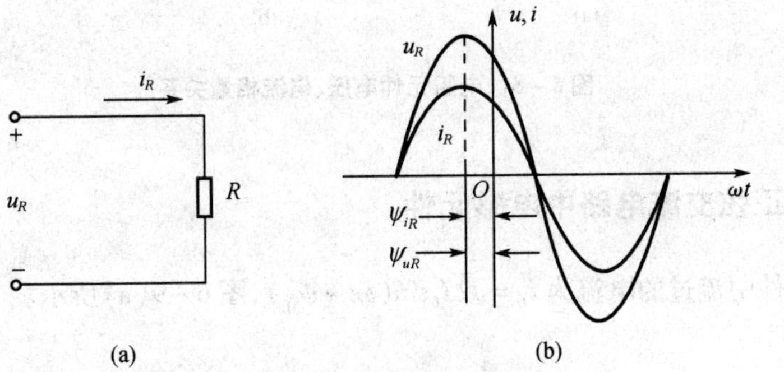

图 6-7　电阻元件电压、电流瞬时值关系

电阻元件的伏安关系为

$$u_R = Ri_R$$

将电流代入上式可得

$$u_R = Ri_R = \sqrt{2} RI_R \sin(\omega t + \psi_{i_R})$$

可得相量关系式为

$$\dot{U}_R = RI_R \angle \psi_{i_R} = R\dot{I}_R \tag{6-10}$$

由以上可看出：

(1)电阻元件电压电流大小关系为

$$\frac{U_R}{I_R}=R$$

(2)电阻元件电压电流相位关系为

$$\psi_{u_R}=\psi_{i_R}$$

即电阻元件电压与电流同相(ψ_{u_R}为电压初相角)。

(3)电阻元件电压电流相量关系为

$$\frac{\dot{U}_R}{\dot{I}_R}=R$$

电阻元件的电压、电流波形图如图6-7(b)所示,相量模型和电压、电流的相量图分别如图6-8(a)(b)所示。

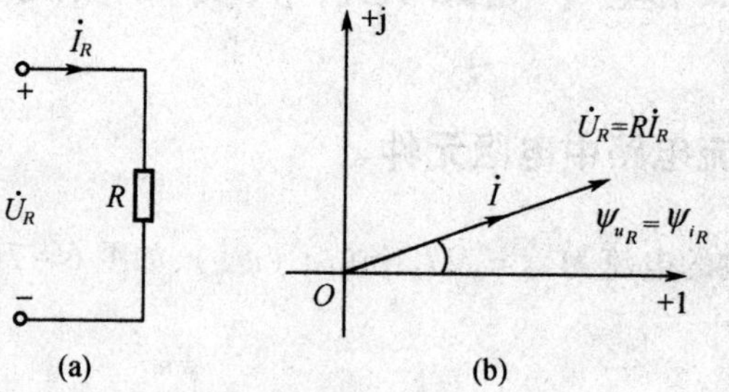

图6-8 电阻元件电压、电流相量关系

6.3.2 正弦交流电路中电感元件

设电感元件中流过的电流为$i_L=\sqrt{2}I_L\sin(\omega t+\psi_{i_L})$,图6-9(a)所示。

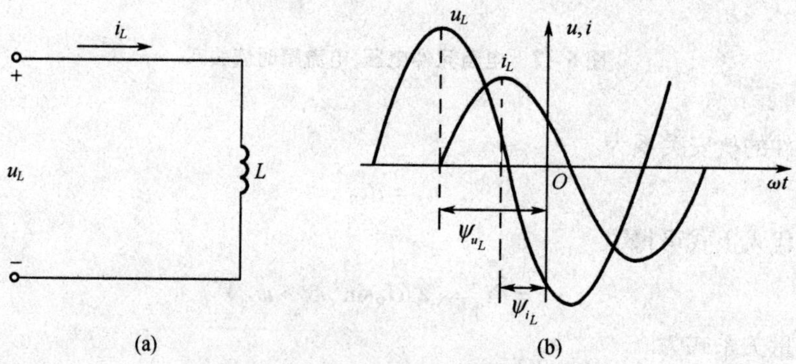

图6-9 电感元件电压、电流瞬时值关系

电感元件的伏安关系为

$$u_L = L\frac{\mathrm{d}i_L}{\mathrm{d}t}$$

将电流代入上式可得

$$u_L = L\frac{\mathrm{d}i_L}{\mathrm{d}t} = \sqrt{2}\omega LI_L\cos(\omega t + \psi_{i_L}) = \sqrt{2}\omega LI_L\sin(\omega t + \psi_{i_L} + 90°) \tag{6-11}$$

由式(6－11)可得

$$\dot{U}_L = \omega LI_L\angle\psi_{i_L} + 90° = j\omega LI_L\angle\psi_{i_L} = j\omega L\dot{I}_L$$

则可得电感元件电压、电流相量关系为

$$\dot{U}_L = j\omega L\dot{I}_L \tag{6-12}$$

由以上可看出:

(1)电感元件电压电流大小关系为

$$\frac{U_L}{I_L} = \omega L$$

(2)电感元件电压电流相位关系为

$$\psi_{uL} = \psi_{i_L} + 90°$$

即电感元件电压超前电流90°。

(3)电感元件电压电流相量关系为

$$\frac{\dot{U}_L}{\dot{I}_L} = j\omega L = jX_L$$

由上式可见,电压与电流的大小之比可以表示为

$$\frac{U_L}{I_L} = \omega L = X_L \tag{6-13}$$

式中,$X_L = \omega L = 2\pi fL$,称为感抗,与电阻作用相同,具有电阻的量纲,单位为 Ω。

由式(6－13)可见,感抗与 ω 和 L 成正比,即对于一定的电感 L,频率越高,电感呈现的感抗越大;反之越小。因此,电感对低频呈现的阻力小。直流相当于频率为零的交流,在这种情况下,电感呈现的阻力为零,可看成短路,这就是常说的电感具有“通直隔交”的特性。

电感元件的电压、电流波形图如图 6－9(b)所示,其相量模型和电压、电流的相量图分别如图 6－10(a)(b)所示。

【例 6－6】 如图 6－11 所示电路,设电压 $u_L = 10\sqrt{2}\sin(100t - 30°)$ V,$L = 4$ H,求电感电流 $i_L(t)$。

解

由题可知感抗为

$$X_L = \omega L = 100 \times 4 = 400\ \Omega$$

由电压 $u_L = 10\sqrt{2}\sin(100t - 30°)$ V 可得

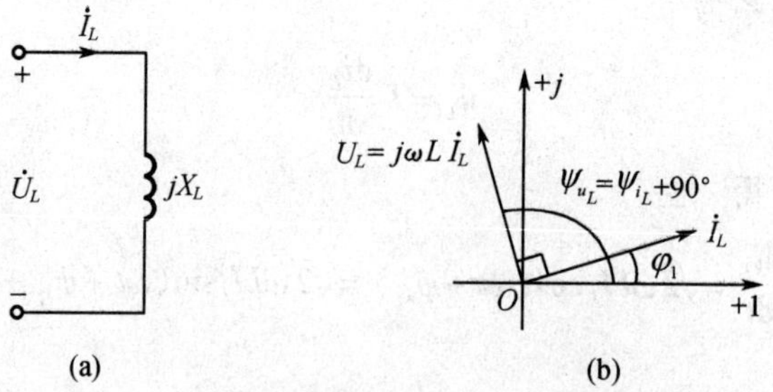

图 6-10 电感元件电压、电流相量关系

$$\dot{U}_L = 10\angle -30°\ \text{V}$$

由电感元件电压电流相量关系可得

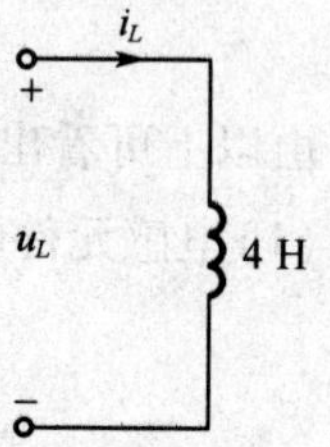

图 6-11 【例 6-6】图

$$\dot{I}_L = \frac{\dot{U}_L}{jX_L} = \frac{10\angle -30°}{400\angle 90°} = 0.025\angle -120°\ \text{A}$$

所以电流 i_L 为

$$i_L(t) = 0.025\sqrt{2}\sin(100t - 120°)\ \text{A}$$

6.3.3 正弦交流电路中电容元件

设电容元件两端的电压为 $u_C = \sqrt{2}U_C\sin(\omega t + \psi_{u_C})$，如图 6-12(a)所示。

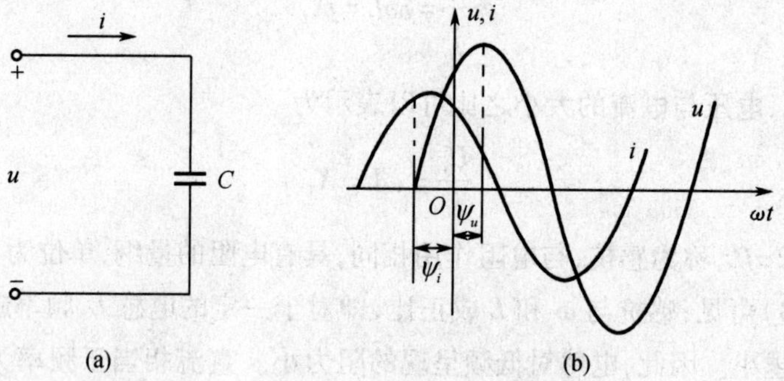

图 6-12 电容元件电压、电流瞬时值关系

电容元件的伏安关系为

$$i_C = C\frac{\mathrm{d}u_C}{\mathrm{d}t}$$

将电压代入上式可得

$$i_C(t) = C\frac{\mathrm{d}u_C}{\mathrm{d}t} = \sqrt{2}\omega CU_C\cos(\omega t + \psi_{u_C}) = \sqrt{2}\omega CU_C\sin(\omega t + \psi_{u_C} + 90°) \qquad (6-14)$$

由式(6-14)可得

$$\dot{I}_C = \omega C U_C \angle \psi_{u_C} + 90^\circ = j\omega C U_C \angle \psi_{u_C} = j\omega C \dot{U}_C$$

则可得电容元件电压、电流相量关系为

$$\dot{I}_C = j\omega C \dot{U}_C \tag{6-15}$$

由以上可看出：

(1)电容元件电压电流大小关系为

$$\frac{U_C}{I_C} = \frac{1}{\omega C}$$

(2)电容元件电压电流相位关系为

$$\psi_{i_C} = \psi_{u_C} + 90^\circ$$

即电容元件电压滞后电流90°。

(3)电容元件电压电流相量关系为

$$\frac{\dot{U}_C}{\dot{I}_C} = \frac{1}{j\omega C} = -j\frac{1}{\omega C} = -jX_C$$

由上式可见，电压与电流的大小之比可表示为

$$\frac{U_C}{I} = \frac{1}{\omega C} = X_C \tag{6-16}$$

式中，$X_C = \dfrac{1}{\omega C} = \dfrac{1}{2\pi f C}$，称为容抗，与电阻作用相同，具有电阻的量纲，单位是Ω。

由式(6-16)可见，容抗与 ω 和 C 成反比，即对于一定的电容 C，频率越高，电容呈现的容抗越小；反之越大。因此，电容对高频呈现的阻力小。直流相当于频率为零的交流，在这种情况下，电容呈现的阻力为无穷大，可看成开路，这就是常说的电容具有“通交隔直”的特性。

电容元件的电压、电流波形图如图6-13(b)所示，其相量模型和电压、电流的相量图分别如图6-13(a)(b)所示。

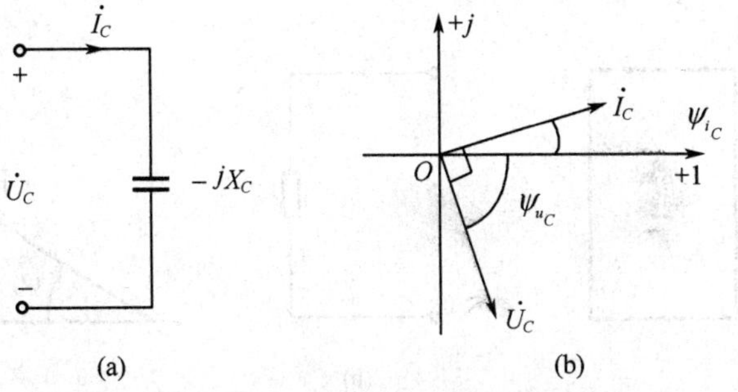

图6-13 电容元件电压、电流相量关系

【例 6-7】 如图 6-14 所示电路，设电流 $i=8\sqrt{2}\sin(100t-60°)$ A，求电容电压 u。

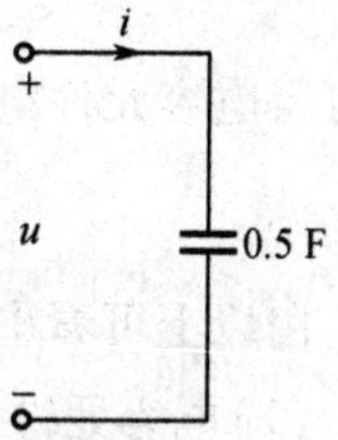

图 6-14 【例 6-7】图

解

由题可知容抗为

$$X_C=\frac{1}{\omega C}=\frac{1}{100\times 0.5}=\frac{1}{50}\ \Omega$$

由电压 $i=8\sqrt{2}\sin(100t-60°)$ A 可得

$$\dot{I}=8\angle -60°\ \text{A}$$

由电容元件电压电流相量关系可得

$$\dot{U}=-jX_C\dot{I}=\frac{1}{50}\angle -90°\times 8\angle -60°=0.16\angle -150°\ \text{V}$$

所以电压 u 为

$$u=0.16\sqrt{2}\sin(100t-150°)\ \text{V}$$

6.4 阻抗和导纳

6.4.1 阻抗与导纳

1. 阻抗

图 6-15(a)所示为一含线性电阻、电感、电容等元件，但不含独立电源的线性二端网络，在正弦稳态情况下，其端口电流和电压均为同频率的正弦量。应用相量法，定义端口的电压相量 $\dot{U}$ 与电流相量 $\dot{I}$ 之比为该无源二端网络的阻抗 Z，即

$$Z=\frac{\dot{U}}{\dot{I}}=\frac{U\angle\psi_u}{I\angle\psi_i}=\frac{U}{I}\angle(\psi_u-\psi_i)=|Z|\angle\varphi_Z \tag{6-17}$$

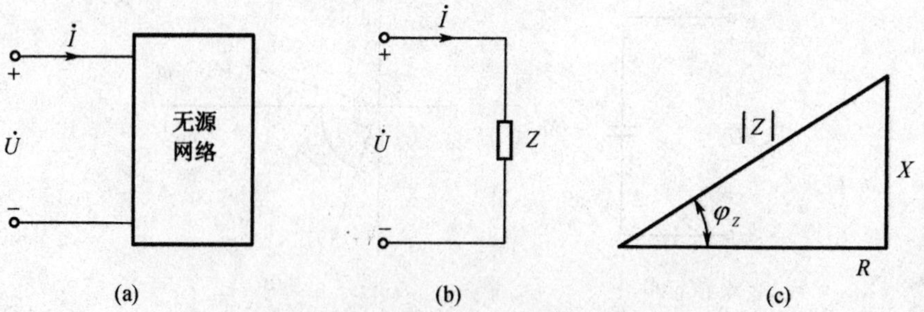

图 6-15 无源二端网络及其阻抗

等效电路如图 6－15(b)所示，$\dot{U}=Z\dot{I}$，它与电阻元件的欧姆定律有相似的形式，阻抗的单位为Ω。Z 的模值 $|Z|$ 称为阻抗模，$|Z|=\dfrac{U}{I}$，单位也为Ω。$\varphi_Z=\psi_u-\psi_i$，是阻抗 Z 的辐角，称为阻抗角。

阻抗是一个复数量，可以写成代数形式和极坐标形式。

用代数形式表示阻抗为

$$Z=R+jX \tag{6-18}$$

其实部 R 称为阻抗的电阻分量，虚部 X 称为阻抗的电抗分量，单位都是Ω。

用极坐标形式表示阻抗为

$$Z=|Z|\angle\varphi_Z \tag{6-19}$$

其中，$|Z|=\sqrt{R^2+X^2}$，$\varphi_Z=\arctan\dfrac{X}{R}$。

二者关系可用一个三角形表示，如图 6－15(c)所示，此三角形称为阻抗三角形。

由阻抗的定义可知，如果该网络是由单一元件 R、L 或 C 组成，则对应的阻抗分别为

$$Z_R=R$$

$$Z_L=j\omega L=jX_L$$

$$Z_C=-j\frac{1}{\omega C}=-jX_C$$

2. 导纳

把阻抗 Z 的倒数定义为导纳，用 Y 表示，即

$$Y=\frac{1}{Z}=\frac{I\angle\dot{\psi}_i}{U\angle\dot{\psi}_u}=\frac{I}{U}\angle(\psi_i-\psi_u)=|Y|\angle\varphi_Y \tag{6-20}$$

等效电路如图 6－16(b)所示，导纳的单位为西门子(S)。导纳的模 $|Y|$ 称为导纳模，φ_Y 是导纳的辐角，称为导纳角，其中 $|Y|=\dfrac{I}{U}$，$\varphi_Y=\psi_i-\psi_u$。

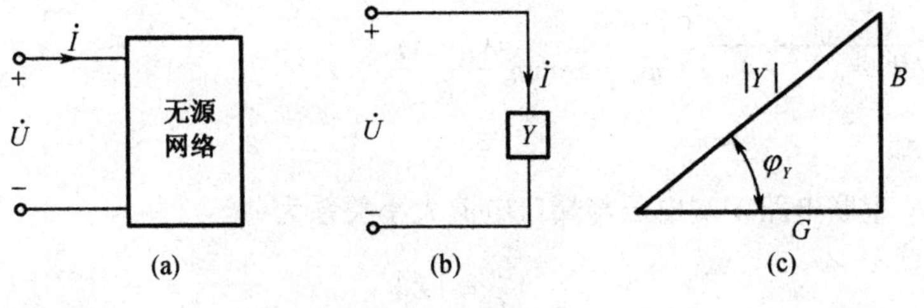

图 6－16 无源二端网络及其导纳

导纳 Y 的代数形式为

$$Y=G+jB \tag{6-21}$$

其实部 G 称为导纳的电导分量，虚部 B 称为导纳的电纳分量，单位都是西门子(S)。

导纳 Y 的极坐标形式为

$$Y = |Y| \angle \varphi_Y \tag{6-22}$$

其中，$|Y| = \sqrt{G^2 + B^2}$，$\varphi_Y = \arctan \dfrac{B}{G} = \psi_i - \psi_u$。

二者关系可用一个三角形表示，如图 6－16(c)所示。

由导纳的定义可知，如果该网络是由单一元件 R、L 或 C 组成，则对应的导纳分别为

$$Y_R = \frac{1}{R} = G$$

$$Y_L = \frac{1}{j\omega L} = -j\frac{1}{\omega L} = -jB_L$$

$$Y_C = j\omega C = jB_C$$

式中　G——电导；

B_L——感纳；

B_C——容纳。

6.4.2　用相量法分析 *R*、*L*、*C* 串联电路

如图 6－17 所示，当电路两端加正弦交流电压时，电路中各元件将流过同一频率的正弦电流，同时各元件两端分别产生同一频率的电压，设参考方向如图 6－17 所示。

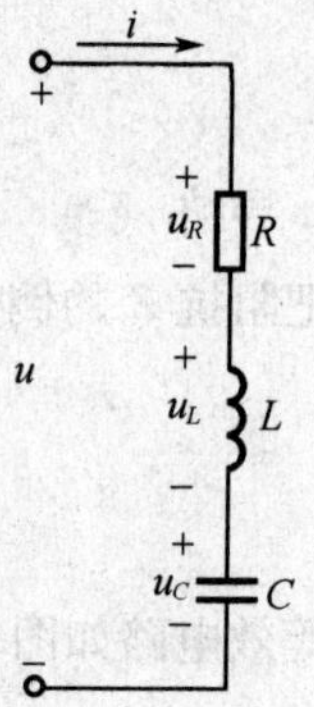

图 6－17　【例 6－12】电路图

根据基尔霍夫电压定律得

$$u = u_R + u_L + u_C$$

用相量法可表示为

$$\dot{U} = \dot{U}_R + \dot{U}_L + \dot{U}_C = R\dot{I} + jX_L\dot{I} - jX_C\dot{I} = \dot{I}[R + j(X_L - X_C)]$$

则可得 R、L、C 串联电路中电压、电流相量关系为

$$\frac{\dot{U}}{\dot{I}} = [R + j(X_L - X_C)] = Z = |Z| \angle \varphi_Z \tag{6-23}$$

其中，$|Z| = \sqrt{R^2 + (X_L - X_C)^2}$，$\varphi_Z = \arctan \dfrac{X_L - X_C}{R}$。

由以上可知

(1)R、L、C 串联电路中端电压与端口电流大小关系为

$$\frac{U}{I} = |Z|$$

(2)R、L、C 串联电路中相位关系为

$$\psi_u - \psi_i = \varphi_Z$$

(3) R、L、C 串联电路中端电压与端口电流相量关系为

$$\frac{\dot{U}}{\dot{I}}=Z$$

6.4.3　用相量法分析 R、L、C 并联电路

如图 6-18 所示，当电路两端加正弦交流电压时，电路中各元件将流过同一频率的正弦电流，设参考方向如图 6-18 所示。根据基尔霍夫电流定律得 $i=i_R+i_L+i_C$。

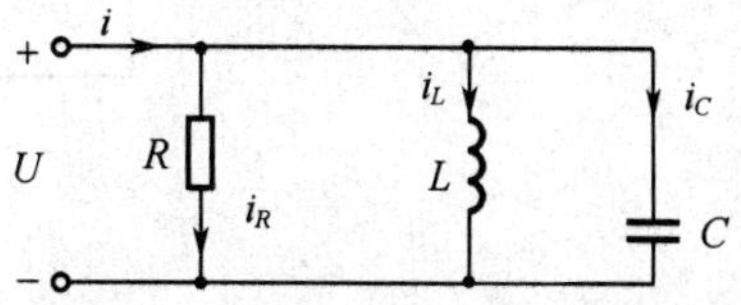

图 6-18　R、L、C 并联电路图

用相量法可表示为

$$\dot{I}=\dot{I}_R+\dot{I}_L+\dot{I}_C=\frac{\dot{U}}{R}+\frac{\dot{U}}{j\omega L}+\frac{\dot{U}}{-j\dfrac{1}{\omega C}}$$

因为

$$\frac{1}{R}=G$$

$$\frac{1}{j\omega L}=-j\frac{1}{\omega L}=-jB_L$$

$$\frac{1}{-j\dfrac{1}{\omega C}}=j\omega C=jB_C$$

则可得 R、L、C 并联电路中电压、电流相量关系为

$$\frac{\dot{I}}{\dot{U}}=[G+j(B_C-B_L)]=|Y|\angle\varphi_Y \tag{6-24}$$

其中，$|Y|=\sqrt{G^2+(B_C-B_L)^2}$，$\varphi_Y=\arctan\dfrac{B_C-B_L}{G}$。

由以上可知

(1) R、L、C 并联电路中电压电流大小关系为

$$\frac{I}{U}=|Y|$$

(2) R、L、C 并联电路中相位关系为

$$\psi_i-\psi_u=\varphi_Y$$

(3) R、L、C 串联电路中电压电流相量关系为

$$\frac{\dot{I}}{\dot{U}}=Y$$

【例 6-8】　如图 6-19 所示，正弦稳态电路中的 $R=100\ \Omega$，$L=2.5\ \text{mH}$，$C=5\ \mu\text{F}$，

$\dot{U}_S = 10\angle 0°\ \text{V}$,角频率 $\omega = 4\times 10^3\ \text{rad/s}$,求电流 $\dot{I}_R$、$\dot{I}_C$、$\dot{I}_L$和 $\dot{I}$ 。

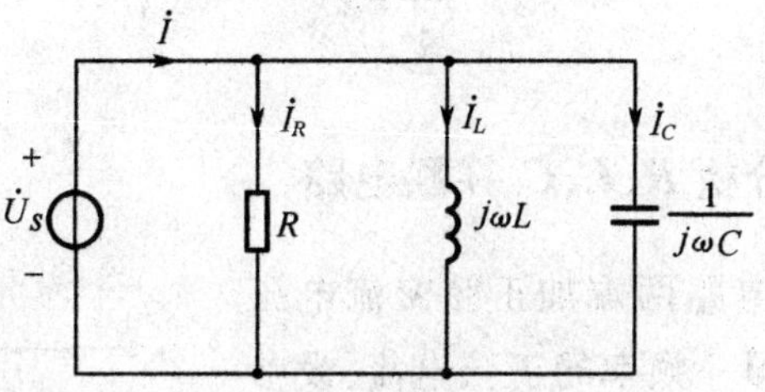

图 6-19 【例 6-8】图

解

(1)由已知

$$\dot{U}_S = 10\angle 0°\ \text{V}$$

$$B_L = \frac{1}{\omega L} = \frac{1}{4\times 10^3 \times 2.5\times 10^{-3}} = 0.01\ \text{S}$$

$$B_C = \omega C = 4\times 10^3 \times 5\times 10^{-6} = 0.02\ \text{S}$$

$$Y = G + j(B_C - B_L) = 0.01 + j(0.02 - 0.01) = 0.01\sqrt{2}\angle 45°\ \text{S}$$

可得

$$\dot{I} = YU_S = 10\angle 0° \times 0.01\sqrt{2}\angle 45° = 0.1\sqrt{2}\angle 45°\ \text{A}$$

$$\dot{I}_R = G\dot{U}_S = 0.01\times 10\angle 0° = 0.1\angle 0°\ \text{A}$$

$$\dot{I}_L = -jB_L\dot{U}_S = 0.01\angle -90° \times 10\angle 0° = 0.1\angle -90°\ \text{A}$$

$$\dot{I}_C = jB_C\dot{U}_S = 0.02\angle 90° \times 10\angle 0° = 0.2\angle 90°\ \text{A}$$

6.4.4 复阻抗与复导纳的等值转换

对于不含独立电源的线性二端网络,可以等效为一个阻抗,也可以等效为一个导纳,如图 6-20 所示。阻抗和导纳互为倒数关系,即

$$Z = \frac{1}{Y} = |Z|\angle\varphi_Z = \frac{1}{|Y|\angle\varphi_Y} \tag{6-25}$$

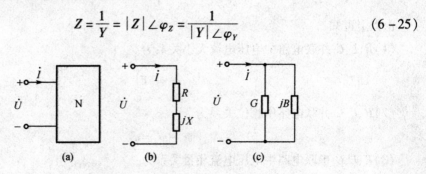

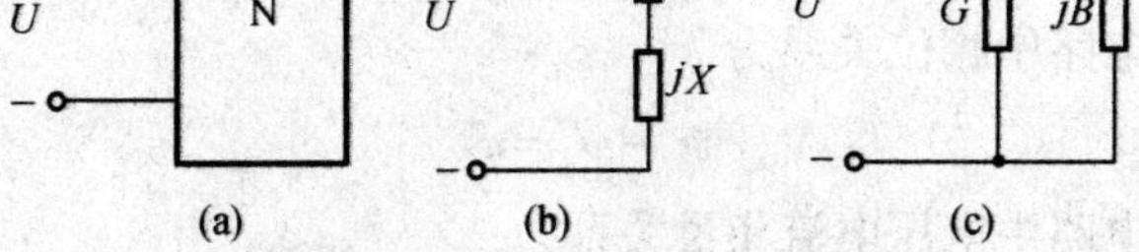

图 6-20 阻抗与导纳

由式(6－25)可知，阻抗与导纳的模和相位角的关系为

$$|Z| = \frac{1}{|Y|}$$

$$\varphi_Z = -\varphi_Y$$

若用代数形式表示，则

$$Z = R + jX = \frac{1}{Y} = \frac{1}{G + jB} = \frac{G}{G^2 + B^2} - j\frac{B}{G^2 + B^2} \tag{6-26}$$

式(6－26)中

$$R = \frac{G}{G^2 + B^2}$$

$$X = -\frac{B}{G^2 + B^2}$$

同理，将阻抗变换为导纳时

$$Y = G + jB = \frac{1}{Z} = \frac{1}{R + jX} = \frac{R}{R^2 + X^2} - j\frac{X}{R^2 + X^2} \tag{6-27}$$

式(6－27)中

$$G = \frac{R}{R^2 + X^2}$$

$$B = -\frac{X}{R^2 + X^2}$$

由以上式可知，一般情况下，阻抗中的电阻和导纳中的电导、阻抗中的电抗和导纳中的电纳都不是互为倒数关系。

6.5　正弦稳态电路的分析

6.5.1　相量法

对于电阻电路，其基尔霍夫定理和欧姆定律可表示为

$$\sum i = 0$$

$$\sum u = 0$$

$$u = iR$$

在用相量法分析和计算时，形式上与线性电阻相似，即

$$\sum \dot{I} = 0$$

$$\sum \dot{U} = 0$$

$$\dot{U} = Z\dot{I}$$

可知,在用相量法分析正弦稳态电路时,电流、电压用相量表示,R、L、C 元件用阻抗(或导纳)表示,即电路用相量模型表示。

6.5.2 应用示例

【例 6-9】 如图 6-21(a),已知 $r=60\ \Omega$,$L=20\ \text{mH}$,$C=10\ \mu\text{F}$,$R=50\ \Omega$,$\dot{U}=100\angle 0°\ \text{V}$,角频率 $\omega=10^3\ \text{rad/s}$,求 $\dot{I}$、$\dot{I}_C$、$\dot{I}_R$,并画出相量图。

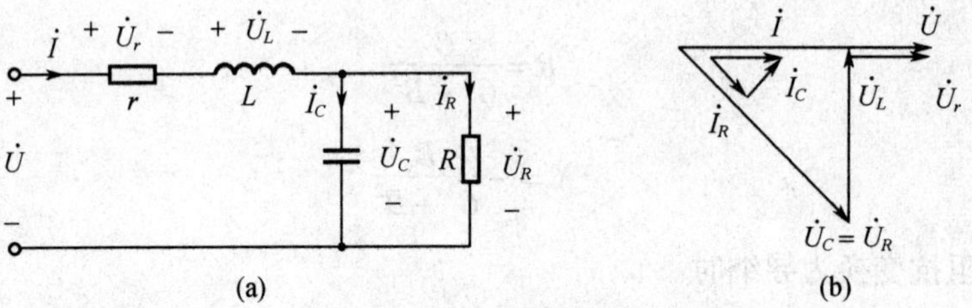

图 6-21 【例 6-9】图

解

由题可知:

$$X_L=\omega L=10^3\times 20\times 10^{-3}=20\ \Omega$$

$$X_C=\frac{1}{\omega C}=\frac{1}{10^3\times 10\times 10^{-6}}=100\ \Omega$$

R 和 C 并联阻抗为

$$Z_{RC}=\frac{R(-jX_C)}{R-jX_C}=\frac{50(-j100)}{50-j100}=(40-j20)\ \Omega$$

r、L 和 Z_{RC} 的总阻抗为

$$Z=r+jX_L+Z_{RC}=60+j20+40-j20=100\ \Omega$$

可求得电路总电流为

$$\dot{I}=\frac{\dot{U}}{Z}=\frac{100\angle 0°}{100}=1\angle 0°\ \text{A}$$

$$I\cdot C=\frac{R}{R-jX_C}\dot{I}=\frac{50}{50-j200}\times 1\angle 0°=0.447\angle 63.4°\ \text{A}$$

$$\dot{I}_R=\frac{-jX_C}{R-jX_C}\dot{I}=\frac{-j200}{50-j200}\times 1\angle 0°=0.895\angle -26.6°\ \text{A}$$

相量图如图 6-21(b)所示。

【例 6-10】 电路如图 6-22 所示,试求 $\dot{U}_1$、$\dot{U}_2$ 和 $\dot{I}_1$,只需列写方程。

解

利用节点电压法,选节点电位 $\dot{U}_1$、$\dot{U}_2$ 及参考点如图 6-22 所示,可列方程为

$$\left(\frac{1}{-j3\ \Omega}+\frac{1}{6\ \Omega}+\frac{1}{4\ \Omega}\right)\dot{U}_1-\frac{1}{4\ \Omega}\dot{U}_2=\frac{1\angle 0°\ \text{V}}{-j3\ \Omega}+\frac{2\dot{I}_1}{6}$$

$$-\frac{1}{4\ \Omega}\dot{U}_1+\left(\frac{1}{4\ \Omega}+\frac{1}{j\Omega}\right)\dot{U}_2=2\angle 0°$$

$$\dot{I}_1=\frac{1\angle 0°\ \text{V}-\dot{U}_1}{-j3\ \Omega}$$

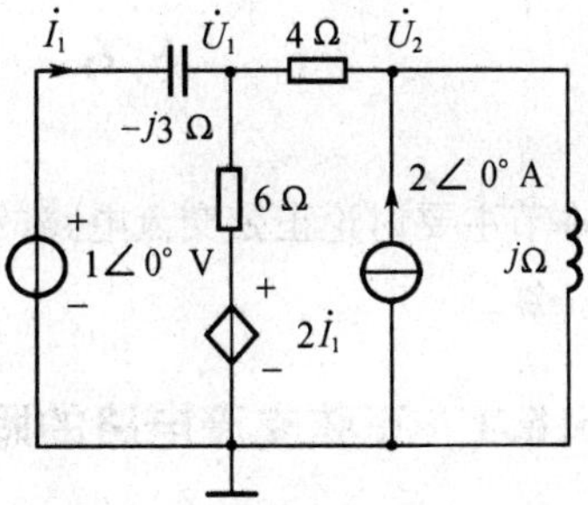

图 6-22 【例 6-10】图

【例 6-11】 如图 6-23(a)所示，求戴维南相量模型。

解

由图 6-24(a)可得

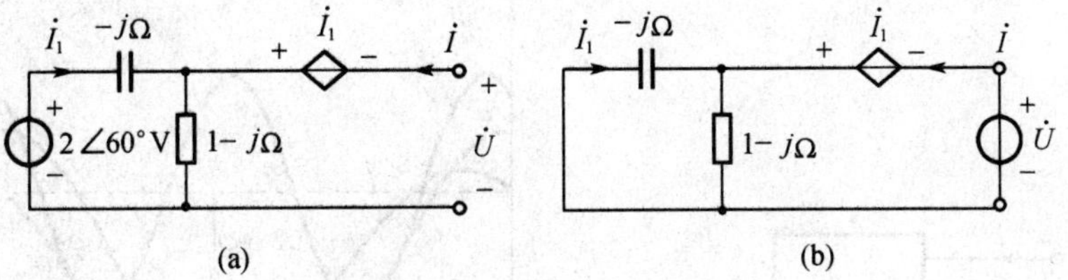

图 6-23 【例 6-11】图

$$\dot{U}_{oc}=-\dot{I}_1-(-j)\times\dot{I}_1+2\angle 60°$$

$$\dot{I}_1=\frac{2\angle 60°}{1-j-j}=\frac{2\angle 60°}{1-j2}$$

所以 $$\dot{U}_{oc}=-(1-j)\frac{2\angle 60°}{1-j2}+2\angle 60°=2.57\angle 31.15°\ \text{V}$$

采用外加电压法求等效阻抗，如图 6-23(b)所示，可得

$$\dot{U}=-\dot{I}_1+(1-j)(\dot{I}+\dot{I}_1)=(1-j)\dot{I}-j\dot{I}_1$$

$$(1-j)(\dot{I}+\dot{I}_1)=-(-j)\dot{I}_1$$

所以 $$\dot{I}_1=\frac{1-j}{-1+j2}\dot{I}\dot{U}=(1-j)\dot{I}-j\frac{1-j}{-1+j2}\dot{I}$$

$$Z_i=-j2\dot{I}Z_0=\frac{\dot{U}}{\dot{I}}=-j2\ \Omega$$

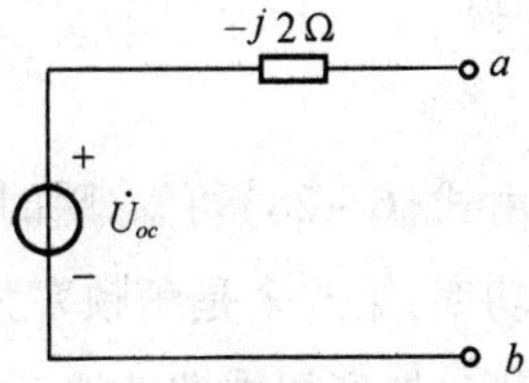

图 6-24 戴维南相量模型

根据求得的 $\dot{U}_{oc}$ 和 Z_i 可得戴维南相量模型如图 6-24 所示。

6.6 正弦交流电路的功率

本节主要讨论正弦交流电路的瞬时功率、无功功率、视在功率、功率因数和复功率的概念和计算。

6.6.1 正弦交流电路的瞬时功率

如图 6－25(a)所示的一端口电路 N,其内部仅含电阻、电感和电容等无源元件。在正弦稳态情况下,设其端口电压为

$$u=U_m\sin(\omega t+\psi_u)=\sqrt{2}U\sin(\omega t+\psi_u)$$

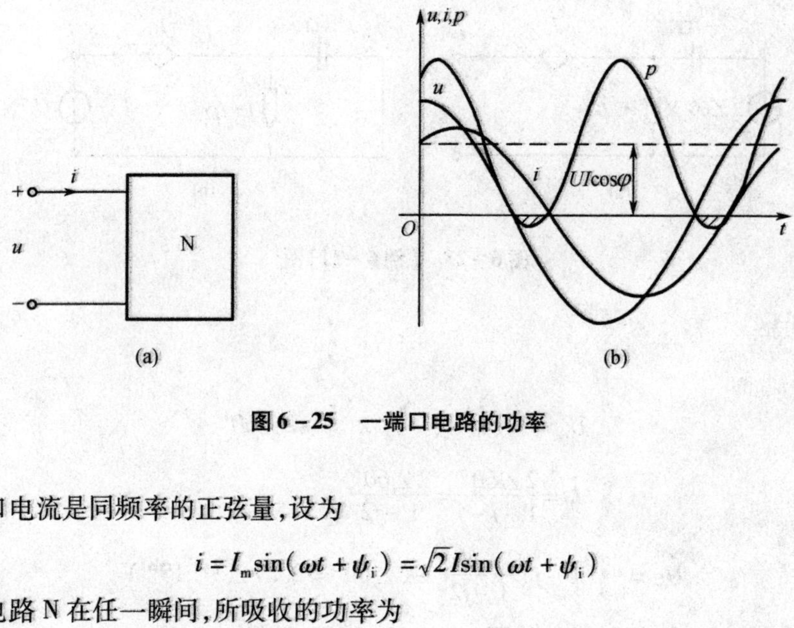

图 6－25 一端口电路的功率

其端口电流是同频率的正弦量,设为

$$i=I_m\sin(\omega t+\psi_i)=\sqrt{2}I\sin(\omega t+\psi_i)$$

则一端口电路 N 在任一瞬间,所吸收的功率为

$$\begin{aligned}p&=ui\\&=\sqrt{2}U\sin(\omega t+\psi_u)\times\sqrt{2}I\sin(\omega t+\psi_i)\\&=UI\cos(\psi_u-\psi_i)+UI\cos(2\omega t+\psi_u+\psi_i)\end{aligned}$$

我们把 p(小写)称为一端口电路 N 的瞬时功率。若令电压和电流的相位差 $\varphi=\psi_u-\psi_i$,则得

$$p=UI\cos\varphi+UI\cos(2\omega t+\psi_u+\psi_i) \tag{6-28}$$

由式(6－28)可知,瞬时功率有两个分量,第一个为恒定分量,且恒大于零,表明电路 N 吸收功率;第二个是角频率为 2ω 的正弦分量,它在一周期内正负交替变化两次,表明电路 N 内部与外部间周期性地交换能量。如图 6－25 (b)所示为电压 u、电流 i 和瞬时功率 p 的波形。

瞬时功率是时间的正弦函数,使用不便,其实际意义也不大,为了简明地反映正弦稳态

电路中的能量的消耗和交换的情况，主要讨论有功功率、无功功率、视在功率和复功率。

6.6.2 有功功率

有功功率是指瞬时功率在一个周期内的平均值，用P（大写）表示，即

$$P = \frac{1}{T}\int_0^T UI[\cos\varphi \times \cos(2\omega t + \psi_u + \psi_i)]\mathrm{d}t$$

$$= \frac{1}{T}\int_0^T UI\cos\varphi \mathrm{d}t + \frac{1}{T}\int_0^T \cos(2\omega t + \psi_u + \psi_i)\mathrm{d}t$$

因为是在一个周期内积分，所以上式第二项积分为零，则得有功功率为

$$P = UI\cos\varphi \tag{6-29}$$

由式(6－29)可知，有功功率代表一端口实际消耗的功率。在正弦稳态情况下，有功功率P不仅与电压和电流的有效值有关，还与电压和电流的相位差φ的余弦($\cos\varphi$)有关。有功功率的单位是W。式(6－29)中$\cos\varphi$称为功率因数，用λ表示，即$\lambda = \cos\varphi$。

6.6.3 无功功率

无功功率

$$Q = UI\sin\varphi \tag{6-30}$$

无功功率用来描述电路内部与外电路能量交换的最大幅度，它并不表示做功的情况，只是一个计算量，无功功率的单位是乏(Var)。因电路中不含独立源，所以φ就是阻抗角。

如电路N为纯电阻电路，则$\varphi = 0$，有功功率$P = UI = RI^2$；无功功率$Q_R = 0$，表示纯电阻电路与外电路没有能量交换，为纯耗能电路。

如电路N为纯电感电路，则$\varphi = \pi/2$，有功功率$P = 0$，无功功率$Q_L = UI$；如电路N为纯电容电路，则$\varphi = -\pi/2$，有功功率$P = 0$，无功功率$Q_C = -UI$，表示电感和电容的有功功率都为零，它们不消耗能量，但与外界有能量交换。

6.6.4 视在功率

视在功率

$$S = UI \tag{6-31}$$

即视在功率等于端口电压和电流有效值的乘积，其单位为伏安(V·A)。

有功功率P、无功功率Q和视在功率S之间存在下列关系，即

$$P = S\cos\varphi, Q = S\sin\varphi$$

$$S = \sqrt{P^2 + Q^2}, \varphi = \arctan\left(\frac{Q}{P}\right)$$

6.6.5 复功率

复功率

$$\tilde{S} = P + jQ$$

为了分析计算方便,将有功功率 P、无功功率 Q 的关系用复功率描述,即

$$\tilde{S} = P + jQ = UI\cos\varphi + jUI\sin\varphi$$

$$= UI\angle\varphi = UI\angle(\psi_u - \psi_i) = U\angle\psi_u I\angle -\psi_i = \dot{U}\dot{I}^* \quad (6-32)$$

式中,$\dot{I}^*(I\angle -\psi_i)$ 为端口电流相量 $\dot{I}(I\angle\psi_i)$ 的共轭复数。复功率的单位为 V · A。

如果电路为无源电路,则

$$\tilde{S} = P + jQ = S\angle\varphi \quad (6-33)$$

由式(6-33)可知,视在功率 S 是复功率的模,其辐角为电压和电流的相位差 φ。应注意,复功率只是为了计算方便,并不代表正弦量,也不反映任何能量关系。

可以证明,正弦稳态电路中总的有功功率是电路各部分有功功率之代数和,总的无功功率是电路各部分无功功率之代数和,即有功功率和无功功率都守恒。

【例 6-12】 如图 6-17 所示,已知 $u = 220\sqrt{2}\sin(314t + 30°)$ V,$R = 30\ \Omega$,$L = 0.254$ H,$C = 80\ \mu$F。求:

(1)电流 i 和电压 $u_L i$、u_R、u_C;

(2)画出相量图;

(3)有功功率、无功功率和视在功率。

解

(1)由题意可知 $\dot{U} = 220\angle 30°$

$$X_L = \omega L = 314 \times 0.254 \approx 80\ \Omega$$

$$X_C = \frac{1}{\omega C} = \frac{1}{314 \times 80 \times 10^{-6}} \approx 40\ \Omega$$

$$Z = R + j(X_L - X_C) = 30 + j(80 - 40) = 30 + j40 = 50\angle 53.1°\ \Omega$$

由式 $\frac{\dot{U}}{\dot{I}} = Z$,可得

$$\dot{I} = \frac{\dot{U}}{Z} = \frac{220\angle 30°}{50\angle 53.1°} = 4.4\angle -23.1°\ \text{A}$$

$$i = 4.4\sqrt{2}\sin(314t - 23.1°)\ \text{A}$$

$$\dot{U}_R = R\dot{I} = 30 \times 4.4\angle -23.1° = 132\angle -23.1°\ \text{V}$$

$$u_R = 132\sqrt{2}\sin(314t - 23.1°)\ \text{V}$$

$$\dot{U}_L = jX_L\dot{I} = 80\angle 90° \times 4.4\angle -23.1° = 352\angle 66.9°\ \text{V}$$

$$u_L = 352\sqrt{2}\sin(314t + 66.9°)\ \text{V}$$

$$\dot{U}_C = -jX_C\dot{I} = 40\angle -90° \times 4.4\angle -23.1° = 176\angle -113.1°\text{V}$$

$$u_C = 176\sqrt{2}\sin(314t - 113.1°)\text{V}$$

(2)相量图如图 6－26 所示。

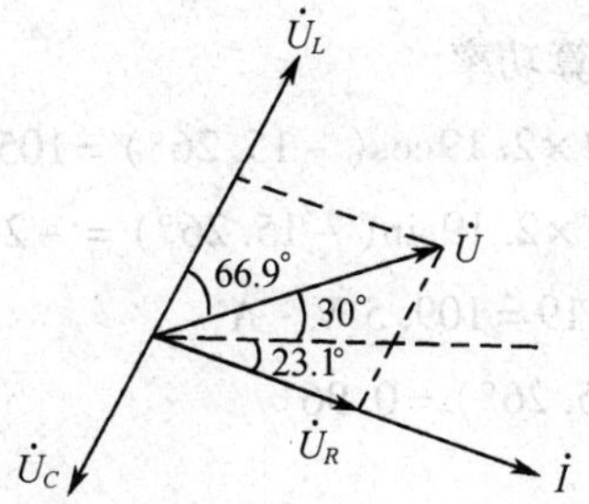

图 6－26 【例 6－12】相量图

(3)有功功率 $P=UI\cos\varphi=220\times4.4\times\cos53.1°=580.8\ \text{W}$。

无功功率为 $Q=UI\sin\varphi=220\times4.4\times\sin53.1°=774.7\ \text{Var}$。

视在功率为 $S=UI=220\times4.4=968\ \text{V}\cdot\text{A}$。

【例 6－13】 如图 6－27 所示,求电源向电路提供的有功功率、无功功率、视在功率及功率因数。

解

首先求出从电源端看的等效阻抗

$$Z=20+\frac{(10+j10)(-j5)}{10+j10-j5}=22.8\angle-15.26°\ \Omega$$

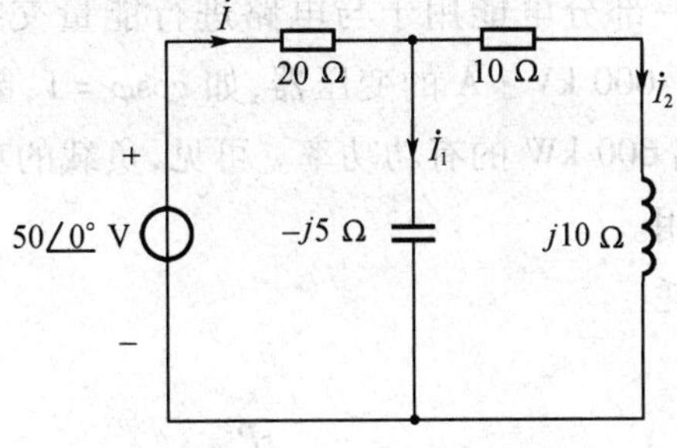

图 6－27 【例 6－13】图

电流 $\dot{I}=\dfrac{\dot{U}}{Z}=\dfrac{50\angle0°}{22.8\angle-15.26°}=2.19\angle15.26°\ \text{A}$

解法 1:利用复功率计算

$\tilde{S}=\dot{U}\dot{I}^*=50\angle0°\times2.19\angle-15.26°=109.5\angle-15.26°=(105.6-j28.2)\ \text{V}\cdot\text{A}$

所以:

有功功率 $P=105.64\ \text{W}$

无功功率 $Q=-28.82\ \text{Var}$

视在功率　$S = 109.5\ \mathrm{V \cdot A}$

功率因数　$\cos\varphi = \cos(-15.26°) = 0.96$

解法 2:利用各功率定义计算功率

有功功率　$P = UI\cos\varphi = 50 \times 2.19\cos(-15.26°) = 105.64\ \mathrm{W}$

无功功率　$Q = UI\sin\varphi = 50 \times 2.19\sin(-15.26°) = -28.82\ \mathrm{Var}$

视在功率　$S = UI = 50 \times 2.19 = 109.5\ \mathrm{V \cdot A}$

功率因数　$\cos\varphi = \cos(-15.26°) = 0.96$

6.7　功率因数的提高

6.7.1　功率因数提高的经济意义

$\cos\varphi$ 是电路的功率因数,由电路或负载的参数决定,对电阻负载(如白炽灯等)来说,电压和电流同相位,$\varphi = 0$,$\cos\varphi = 1$,对于大多数家用负载(如洗衣机、冰箱等)和工业负载(如电动机等)都呈现电感性,功率因数介于 0 和 1 之间。如功率因数低,就会引起下面两个问题。

1. 发电设备的容量不能得到充分利用

发电设备的容量指额定视在功率,即 $S_N = U_N I_N$,表示能向负载提供的最大功率。对于纯电阻负载,功率因数 $\cos\varphi$ 为 1,负载可消耗的有功功率 $P = U_N I_N \cos\varphi = S_N$,表示发电设备能将全部电能输送给负载。对于感性负载,功率因数($\cos\varphi$)小于 1,表示发电设备不能将全部电能输送给负载,其中一部分电能用于与电路进行能量交换,产生无功功率 Q($Q = UI\sin\varphi$)了。例如,容量为 1 000 kV · A 的变压器,如 $\cos\varphi = 1$,能发出 1 000 kW 的有功功率;如 $\cos\varphi = 0.6$,只能发出 600 kW 的有功功率。可见,负载的功率因数越低,发电设备的容量越不能得到充分的利用。

2. 增加线路的功率损耗

线路上的功率损耗为

$$\Delta P = rI^2 = \frac{rP^2}{U^2\cos^2\varphi}$$

设供电线路的总电阻为 r,当发电设备输出的电压 U 和有功功率 P 一定时,如功率因数 $\cos\varphi$ 越小,线路上的损耗 ΔP 就越大,能量浪费得就越多。

6.7.2　功率因数提高的方法

常把电力电容并联在感性负载的两端来提高功率因数,如图 6 - 28(a)所示,相量图见 6 - 28(b)。并联电容前,总电流 $i = i_L$,并联电容后,根据平行四边形法则做减法,可看出端电压 u 和总电流 i 之间的相位角 φ 变小了,即 $\cos\varphi$ 变大了。并联的电容值可推导出为

$$C = \frac{P}{\omega U^2}(\tan\varphi_L - \tan\varphi)$$

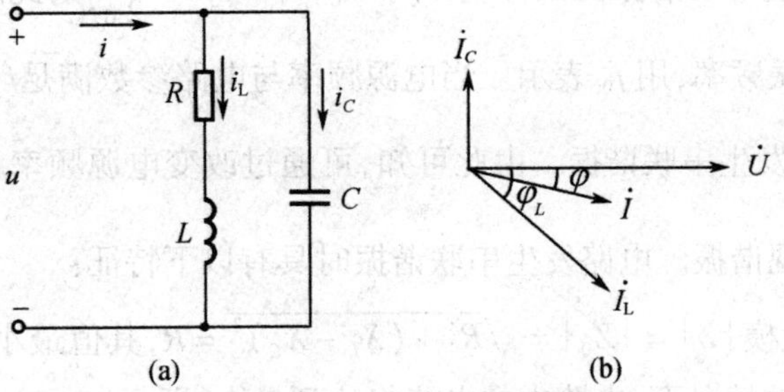

图 6-28 电感性负载并联电容器提高功率因数

(a)电路图;(b)相量图

【例 6-14】 功率为 1 kW 的感性负载,功率因数为 0.6,接在频率为 50 Hz,$U=220$ V 的电源上。求:

(1)如将功率因数提到 0.95,与负载并联的电容值多大?

(2)如将功率因数由 0.95 提高到 1,还需要并联多大的电容?

解

(1)由题可知 $\cos\varphi_L=0.6$,即 $\varphi_L=53°$;$\cos\varphi=0.95$ 即 $\varphi=18°$。负载并联的电容值为

$$C=\frac{P}{\omega U^2}(\tan\varphi_L-\tan\varphi)=\frac{1\times10^3}{2\pi\times50\times220^2}(\tan53°-\tan18°)=65.6\ \mu\text{F}$$

(2)如将功率因数由 0.95 提高到 1,需并联的电容值为

$$C=\frac{P}{\omega U^2}(\tan\varphi_L-\tan\varphi)=\frac{1\times10^3}{2\pi\times50\times220^2}(\tan18°-\tan0°)=21.36\ \mu\text{F}$$

6.8 电路的谐振状态

6.8.1 谐振

在 R、L、C 电路中,电源电压与总电流一般不同相,如调节电路参数或电源频率,使它们同相,这时电路中就发生了谐振现象。谐振电路有良好的选频特性,所以在通信与电子技术中得到广泛应用。但由于发生谐振时,电容和电感元件的端电压会远远高于电源电压,会造成设备损坏或系统故障,所以在电力系统中要尽量避免发生谐振。

6.8.2 串联谐振

电路如图 6-29 所示。

$$Z=R+j(X_L-X_C)=R+j(\omega L-\frac{1}{\omega C})$$

当 $X_L=X_C$ 时,电源电压与总电流同相,即发生谐振现象。因为发生在串联电路中,所

以叫串联谐振。发生串联谐振的条件是 $X_L = X_C$，即 $2\pi fL = \frac{1}{2\pi fC}$，此时电路的频率称为谐振频率，用 f_0 表示。当电源频率与电路参数满足 $f = f_0 = \frac{1}{2\pi\sqrt{LC}}$ 关系时发生串联谐振。由此可知，可通过改变电源频率和电路中的参数来实现谐振。电路发生串联谐振时具有以下特征：

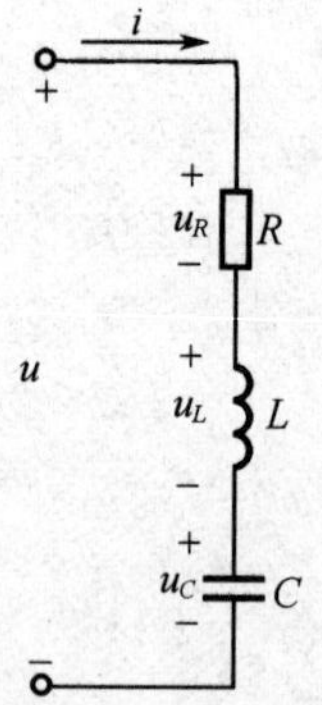

图 6－29　串联谐振电路

（1）电路的阻抗模 $|Z| = |Z_0| = \sqrt{R^2 + (X_L - X_C)^2} = R$，其值最小，在电源电压 U 不变的情况下，电路中的电流将达到最大，即

$$I = I_0 = \frac{U}{|Z|} = R$$

图 6－30(a)为阻抗和电流随频率变化的曲线。

（2）因为 $X_L = X_C$ 时发生谐振，所以谐振时电路对电源呈现纯电阻性。电源供给的电能全被电阻消耗，电源与电路间没有能量交换，能量交换只发生在电感与电容之间。

（3）因为 $X_L = X_C$，所以 $U_L = U_C$，而 $\dot{U}_L$ 和 $\dot{U}_C$ 相位相反，所以互相抵消，对整个电路不起作用，因此电源电压 $\dot{U} = \dot{U}_R$，如图 6－31 所示，但 U_L 和 U_C 的单独作用不能忽略，当 $X_L = X_C > R$ 时，U_L 和 U_C 都高于电源电压，甚至可能超过许多倍，因此串联谐振又称为高电压谐振，在电力系统中要尽量避免。

（4）品质因数 Q

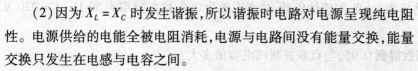

$$Q = \frac{U_L}{U} = \frac{U_C}{U} = \frac{1}{\omega_0 CR} = \frac{\omega_0 L}{R}$$

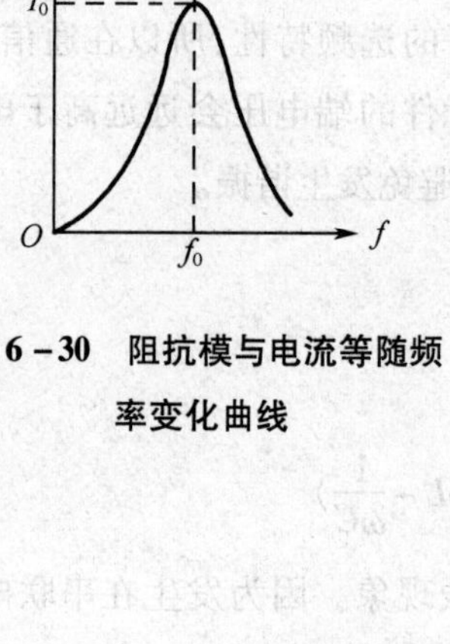

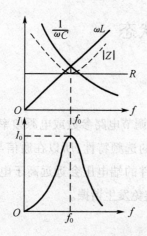

图 6－30　阻抗模与电流等随频率变化曲线

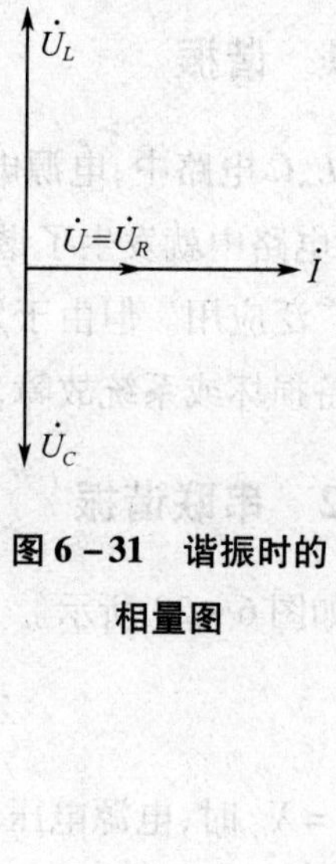

图 6－31　谐振时的相量图

品质因数 Q 是 U_L 或 U_C 与端电压的比值,表示在谐振时电感或电容元件上的电压是电源电压的 Q 倍。如 $Q=40$,$U=10$ V,则在谐振时电感或电容元件上的电压就高达400 V。

【例6-15】 如图6-32,在频率为 $f=500$ Hz 时发生谐振,谐振时 $I=0.2$ A,容抗 $X_C=314\ \Omega$,品质因数 $Q=20$。

(1)求 R、L、C 的值。

(2)若电源频率 $f=250$ Hz,求则此时的电流 I。

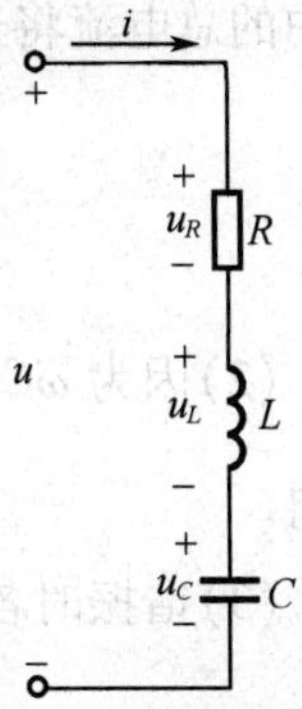

6-32 例6-15图

解

(1)当 $X_L=X_C$ 时,发生谐振,由题知 $X_C=314\ \Omega$,所以 $X_L=314\ \Omega$,所以可求得

$$L=\frac{X_L}{2\pi f}=\frac{314}{2\times 3.14\times 500}=0.1\ \text{H}$$

$$C=\frac{1}{2\pi f X_C}=\frac{1}{2\times 3.14\times 500\times 314}\approx 1\ \mu\text{F}$$

因为
$$Q=\frac{U_L}{U}=\frac{U_C}{U}=\frac{1}{\omega_0 CR}=\frac{\omega_0 L}{R}$$

所以
$$R=\frac{\omega_0 L}{Q}=\frac{314}{20}=15.7\ \Omega$$

电源电压为
$$U=\frac{U_L}{Q}=\frac{X_L I}{Q}=\frac{314\times 0.2}{20}=3.14\ \text{V}$$

(2)$X_L=\omega L=2\pi fL=2\times 3.14\times 250\times 0.1=157\ \Omega$

$$X_C=\frac{1}{\omega C}=\frac{1}{2\pi fC}=\frac{1}{2\times 3.14\times 250\times 10^{-6}}=628\ \Omega$$

$$Z=R+j(X_L-X_C)=15.7+j(157-628)=471.3\angle -88.1^\circ\ \Omega$$

$$I=\frac{U}{|Z|}=\frac{3.14}{471.3}=6.66\ \text{mA}$$

6.8.3 并联谐振

$$Z=\frac{(R+j\omega L)\frac{1}{j\omega C}}{(R+j\omega L)+\frac{1}{j\omega C}}=\frac{R+j\omega L}{1+j\omega RC-\omega^2 LC}$$

通常 R 很小,一般在谐振时 $\omega L\gg R$,则

$$Z=\frac{R+j\omega L}{1+j\omega RC-\omega^2 LC}\approx\frac{1}{\frac{RC}{L}+j(\omega C-\frac{1}{\omega L})}$$

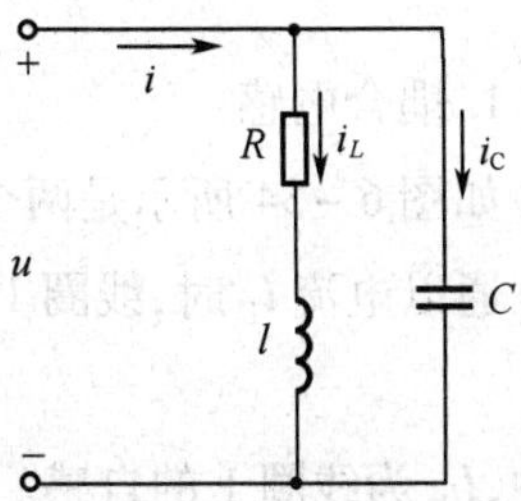

图6-33 并联电路

当 $\omega C=\frac{1}{\omega L}$ 时,即 $\omega=\omega_0=\frac{1}{\sqrt{LC}}$,$f=f_0=\frac{1}{2\pi\sqrt{LC}}$,即发生了谐振,因发生在并联电路中,所以称为并联谐振。电路发生并联谐振时具有以下特征:

(1)电路的阻抗模为 $|Z|=|Z_0|=\dfrac{1}{\dfrac{RC}{L}}=\dfrac{L}{RC}$,其值最大,在电源电压 U 不变的情况下,电路中的总电流将达到最小值,即

$$I=I_0=\frac{U}{|Z_0|}=\frac{U}{\dfrac{L}{RC}}$$

(2)因为 $\omega C=\dfrac{1}{\omega L}$时发生谐振,所以谐振时电路对电源呈现纯电阻性,$|Z_0|$相当于一个电阻。

(3)谐振时各并联支路的电流为

$$I_L=\frac{U}{\sqrt{R^2+(\omega_0 L)^2}}\approx\frac{U}{\omega_0 L}$$

$$I_C=\frac{U}{\dfrac{1}{\omega_0 C}}$$

因为谐振时 $\omega_0 C=\dfrac{1}{\omega_0 L}$,所以 $I_L=I_C\gg I_0$,并联谐振时,电感支路和电容支路的电流比总电流大许多倍。

(4)品质因数 Q

$$Q=\frac{I_L}{I}=\frac{I_C}{I}=\frac{1}{\omega_0 CR}=\frac{\omega_0 L}{R}$$

品质因数 Q 是 I_L 或 I_C 与总电流的比值,表示在谐振时电感或电容元件支路上电流是总电流的 Q 倍。

6.9 互感电路

6.9.1 互感的基本概念

1. 耦合电感

如图6-34 所示是两个距离很近的电感线圈,设线圈1有 N_1 匝,线圈2有 N_2 匝。当线圈1通以电流 i_1 时,线圈1中将产生磁通 Φ_{11},称 Φ_{11}为自感磁通,则自感磁链 ψ_{11}为

$$\psi_{11}=N_1\Phi_{11}=L_1 i_1$$

式中,L_1 为线圈1的自感。

线圈1产生的磁通 Φ_{11}的一部分 Φ_{21}($\Phi_{21}\leqslant\Phi_{11}$)将与线圈2相交链,称 Φ_{21}为互感磁通,则互感磁链 ψ_{21}为

$$\psi_{21}=N_2\Phi_{21}=M_{21}i_1$$

式中,M_{21}是线圈1与线圈2的互感。

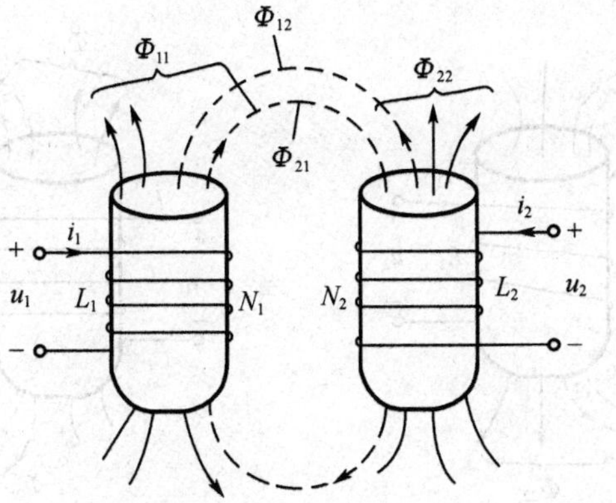

图 6－34　耦合电感元件

同理，当线圈 2 通以电流 i_2 时，线圈 2 中将产生磁通 Φ_{22}，称 Φ_{22} 为自感磁通，则自感磁链 ψ_{22} 为

$$\psi_{22}=N_2\Phi_{22}=L_2 i_2$$

式中，L_2 为线圈 2 的自感。

线圈 2 产生的磁通 Φ_{22} 的一部分 Φ_{12}（$\Phi_{12}\leqslant\Phi_{22}$）将与线圈 1 相交链，称 Φ_{12} 为互感磁通，则互感磁链 ψ_{12} 为

$$\psi_{12}=N_1\Phi_{12}=M_{12}i_2$$

式中，M_{12}是线圈 2 与线圈 1 的互感。

可以证明，对线性耦合电感，有 $M_{21}=M_{12}=M$，以后都用 M 表示，互感 M 与自感 L 单位相同，都为亨（H）。

为了定量表示两个线圈耦合的紧密程度，把两个线圈的互感磁链与自感磁链比值的几何平均值定义为耦合系数，用 k 表示，即

$$k=\sqrt{\frac{\psi_{21}\psi_{12}}{\psi_{11}\psi_{22}}}=\sqrt{\frac{\Phi_{21}\Phi_{12}}{\Phi_{11}\Phi_{22}}}=\frac{M}{\sqrt{L_1L_2}}$$

可以看出，耦合系数也等于互感系数与自感系数几何平均值的比值，它是一个无量纲的参数。由于 $\Phi_{21}\leqslant\Phi_{11}$，$\Phi_{12}\leqslant\Phi_{22}$，可知 $0\leqslant k\leqslant 1$，k 值的大小反映了两线圈耦合的强弱，若 $k=0$，说明 $M=0$，两线圈之间没有耦合；若 $k=1$，$M^2=L_1L_2$，说明两线圈全耦合。

2. 耦合电感的伏安关系

由以上可知，各线圈的总磁链包括自感磁链和互感磁链两部分。如图 6－35（a）所示，当自感磁通与互感磁通方向一致时，称磁通相助。这种情况下，线圈 1 的总磁链 ψ_1 和线圈 2 的总磁链 ψ_2 分别为

$$\begin{cases}\psi_1=\psi_{11}+\psi_{12}=L_1i_1+Mi_2\\ \psi_2=\psi_{22}+\psi_{21}=L_2i_2+Mi_1\end{cases}\tag{6-34}$$

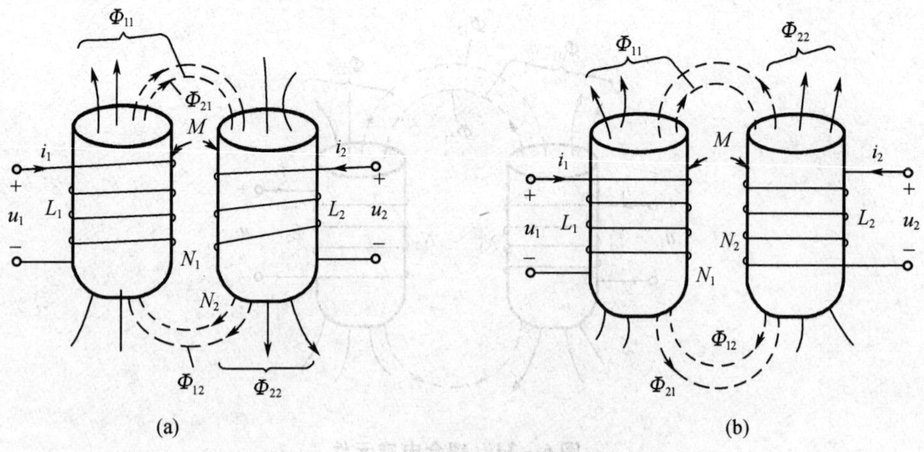

图 6-35　磁通相助与磁通相消

若各线圈的端口电压与本线圈的电流方向相关联，电流与磁通符合右手螺旋定则，则两线圈的端口电压为

$$\begin{cases} u_1 = \dfrac{d\psi_1}{dt} = L_1\dfrac{di_1}{dt} + M\dfrac{di_2}{dt} \\ u_2 = \dfrac{d\psi_2}{dt} = L_2\dfrac{di_2}{dt} + M\dfrac{di_1}{dt} \end{cases} \tag{6-35}$$

如图 6-35(b)所示，当自磁通与互磁通方向相反时，称为磁通相消。这种情况下，线圈 1 的总磁链 ψ_1 和线圈 2 的总磁链 ψ_2 分别为

$$\begin{cases} \psi_1 = \psi_{11} - \psi_{12} = L_1 i_1 - M i_2 \\ \psi_2 = \psi_{22} - \psi_{21} = L_2 i_2 - M i_1 \end{cases} \tag{6-36}$$

两线圈的端口电压分别为

$$\begin{cases} u_1 = \dfrac{d\psi_1}{dt} = L_1\dfrac{di_1}{dt} - M\dfrac{di_2}{dt} \\ u_2 = \dfrac{d\psi_2}{dt} = L_2\dfrac{di_2}{dt} - M\dfrac{di_1}{dt} \end{cases} \tag{6-37}$$

通过上述分析可知，在设端口电压方向与线圈上电流方向关联的条件下，端口电压等于自感电压与互感电压的代数和。当磁通相助时，互感电压取正号；磁通相消时，互感电压取负号。

那么，列写耦合电感元件的电压和电流的关系式，必须知道两线圈的磁通是相助还是相消。为了方便判断磁通相助还是相消，引入同名端的概念，即当电流从两线圈各自的某个端子同时流入(或同时流出)时，若两线圈产生的磁通相助，则称这两个端子为互感线圈的同名端，并用"·"或"*"表示。在图6-36(a)中，a、c 是同名端，当然 b、d 也是同名端；b、c(或 a、d)则称为异名端。如果两电流不是同时从两互感线圈同名端流入(或流出)，则它们各自产生的磁通相消。有了同名端的规定后，图 6-36(a)所示的互感线圈可用图 6-

36(b)所示模型表示。

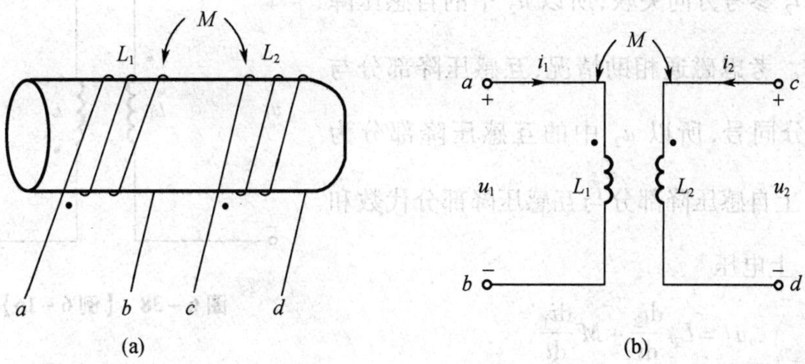

图 6-36　互感线圈的同名端

在图 6-36(b)中,设电流 i_1、i_2 分别从 a 端、c 端流入,可认为磁通相助。设端口电压、电流参考方向关联,两线圈上电压分别为

$$\begin{cases} u_1 = L_1 \dfrac{\mathrm{d}i_1}{\mathrm{d}t} + M\dfrac{\mathrm{d}i_2}{\mathrm{d}t} \\ u_2 = L_2 \dfrac{\mathrm{d}i_2}{\mathrm{d}t} + M\dfrac{\mathrm{d}i_1}{\mathrm{d}t} \end{cases} \tag{6-38}$$

在图 6-37 中,设电流 i_1、i_2 分别从 a 端、c 端流入,可以知道磁通相消。由图 6-37 可见,两互感线圈上电压与其电流参考方向关联,所以两线圈上电压分别为

$$\begin{cases} u_1 = L_1 \dfrac{\mathrm{d}i_1}{\mathrm{d}t} - M\dfrac{\mathrm{d}i_2}{\mathrm{d}t} \\ u_2 = L_2 \dfrac{\mathrm{d}i_2}{\mathrm{d}t} - M\dfrac{\mathrm{d}i_1}{\mathrm{d}t} \end{cases} \tag{6-39}$$

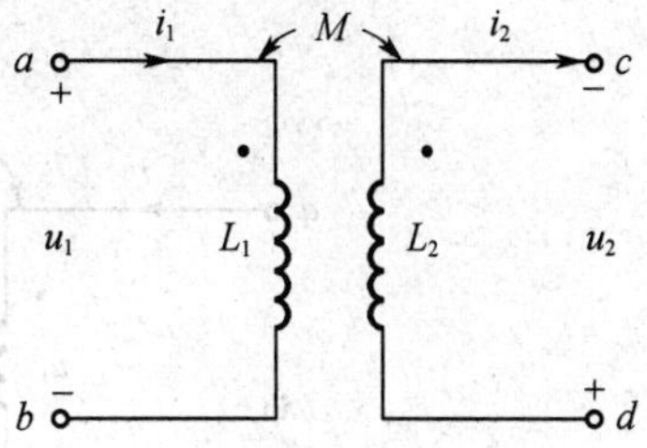

图 6-37　磁通相消情况互感线圈模型

【例 6-16】　如图 6-38 所示电路,求出互感线圈的电压、电流关系式。

解

先写第一个线圈 L_1 上的电压 u_1。因 L_1 上的电压 u_1 与 i_1 参考方向非关联,所以 u_1 中的自感压降为 $-L_1\dfrac{\mathrm{d}i_1}{\mathrm{d}t}$。观察本互感线圈的同名端位置及两电流 i_1,i_2 流向,可知 i_1 从同名端流出,i_2 也从同名端流出,属磁通相助,则 u_1 中的互感压降部分与它的自感压降部分同号,即为 $-M\dfrac{\mathrm{d}i_2}{\mathrm{d}t}$。将 L_1 上自感压降部分与互感压降部分代数和相加,即得 L_1 上电压

$$u_1 = -L_1\frac{\mathrm{d}i_1}{\mathrm{d}t} - M\frac{\mathrm{d}i_2}{\mathrm{d}t}$$

再写第二个线圈 L_2 上的电压 u_2。因 L_2 上的电压 u_2 与电流 i_2 参考方向关联，所以 u_2 中的自感压降部分为 $L_2\dfrac{\mathrm{d}i_2}{\mathrm{d}t}$。考虑磁通相助情况，互感压降部分与自感压降部分同号，所以 u_2 中的互感压降部分为 $M\dfrac{\mathrm{d}i_1}{\mathrm{d}t}$。将 L_2 上自感压降部分与互感压降部分代数和相加，即得 L_2 上电压

$$u_2 = L_2\frac{\mathrm{d}i_2}{\mathrm{d}t} + M\frac{\mathrm{d}i_1}{\mathrm{d}t}$$

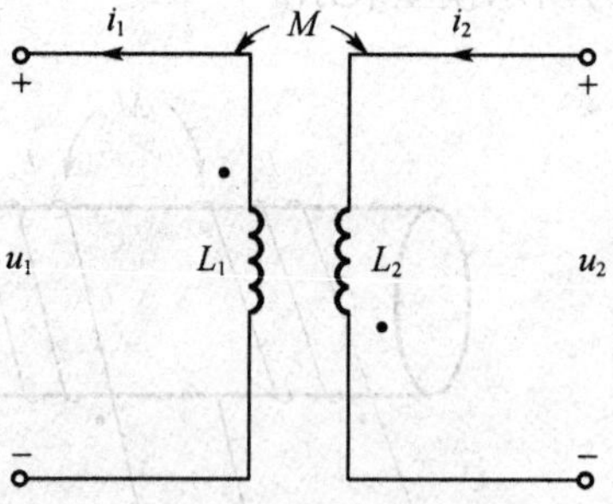

图 6－38 【例 6－16】图

6.9.2 去耦等效变换

两个具有耦合关系的互感线圈，每一线圈上的电压不仅与本线圈上的电流变化率有关，还与另一线圈上的电流变化率有关，其电压、电流关系是因同名端的位置及电压、电流参考方向的不同而不同。把电路等效处理，可使互感电路的分析简单，即把耦合电感线圈进行去耦等效，使其转化成不含互感的电路。

1. 耦合电感的串联等效

如图 6－39(a)所示为两串联互感线圈，异名端相连，称为顺串。设电压、电流参考方向和线圈的同名端如图 6－39(a)所示，经过等效处理后可得等效电路如图 6－39(b)所示。其中

$$L_{ab} = L_1 + L_2 + 2M \tag{6-40}$$

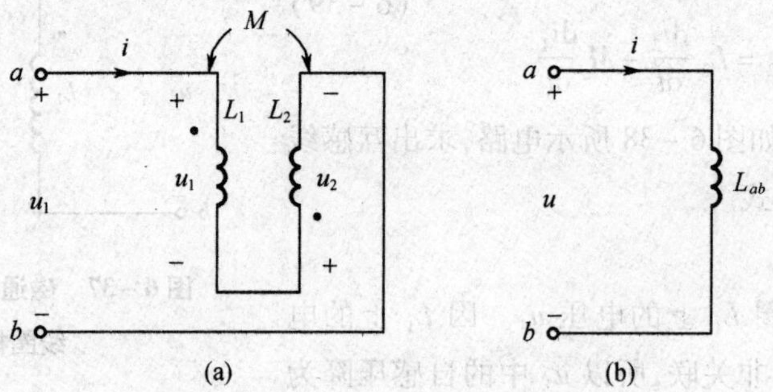

图 6－39 耦合电感异名端相连等效

如图 6－40(a)所示为两串联互感线圈，同名端相连，称为反串。经过等效处理后可得等效电路如图 6－40(b)所示。其中

$$L_{ab} = L_1 + L_2 - 2M \tag{6-41}$$

2. 耦合电感的并联等效

如图 6－41(a)所示为两并联互感线圈，同名端相连。设电压、电流的参考方向和同名端如图 6－41(a)所示，经过等效处理后可得等效电路如图 6－41(b)所示。其中，

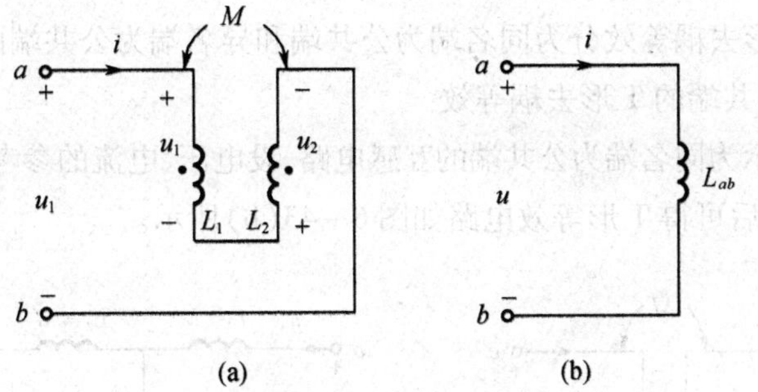

图 6 - 40　耦合电感同名端相连等效

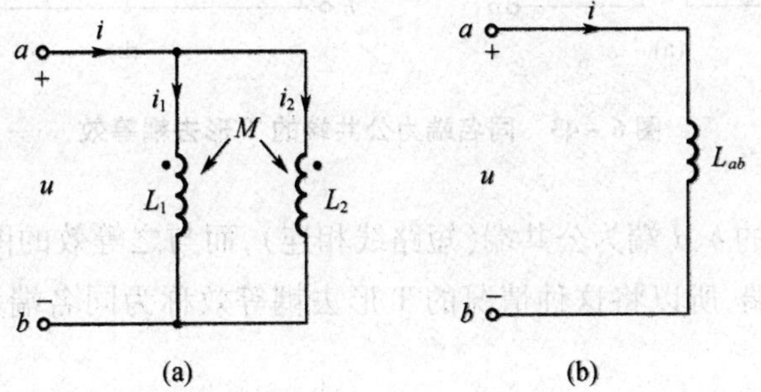

图 6 - 41　互感线圈同侧并联等效

$$L_{ab} = \frac{L_1 L_2 - M^2}{L_1 + L_2 - 2M} \tag{6-42}$$

图 6 - 42(a)所示为两并联互感线圈，异名端相连。经过等效处理后可得等效电路如图 6 - 42(b)所示。其中

$$L_{ab} = \frac{L_1 L_2 - M^2}{L_1 + L_2 + 2M} \tag{6-43}$$

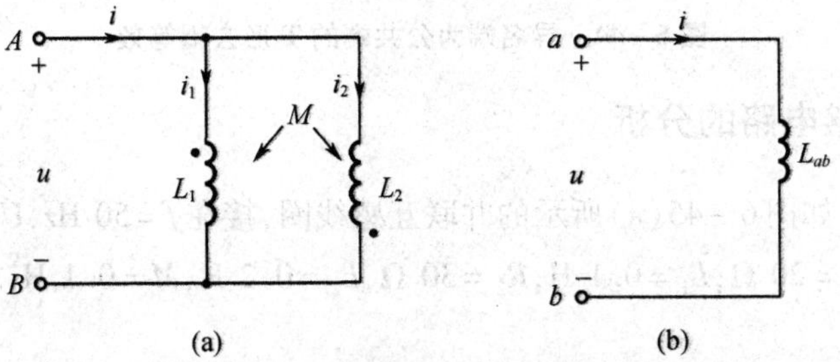

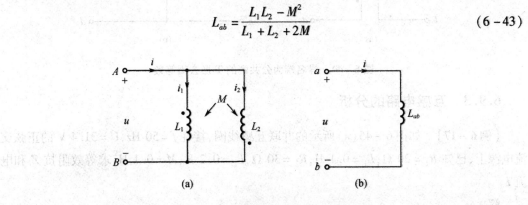

图 6 - 42　互感线圈异侧并联等效

3. 耦合电感的T形等效

互感线圈的T形去耦等效分为同名端为公共端和异名端为公共端两种情况。

(1)同名端为公共端的T形去耦等效

图6-43(a)所示为同名端为公共端的互感电路,设电压、电流的参考方向如图6-43(a)所示,经过等效处理后可得T形等效电路如图6-43(b)所示。

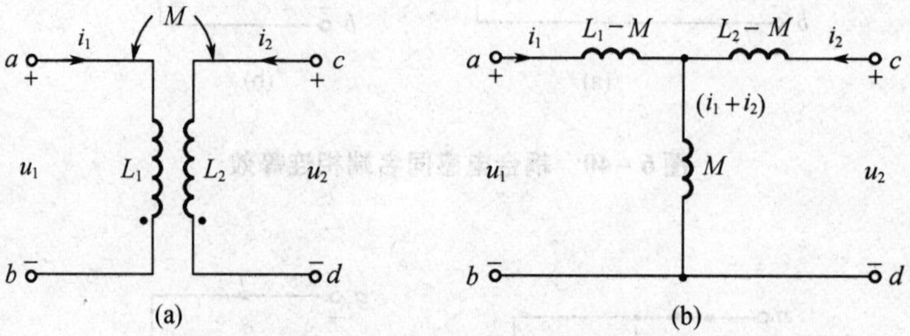

图6-43 同名端为公共端的T形去耦等效

图6-43(b)中的b、d端为公共端(短路线相连),而与之等效的图6-43(a)中互感线圈的b、d端是同名端,所以将这种情况的T形去耦等效称为同名端为公共端的T形去耦等效。

图6-44(a)所示为异名端为公共端的互感电路,设电压、电流的参考方向如图6-44所示,经过等效处理后可得T形等效电路如图6-44(b)所示。

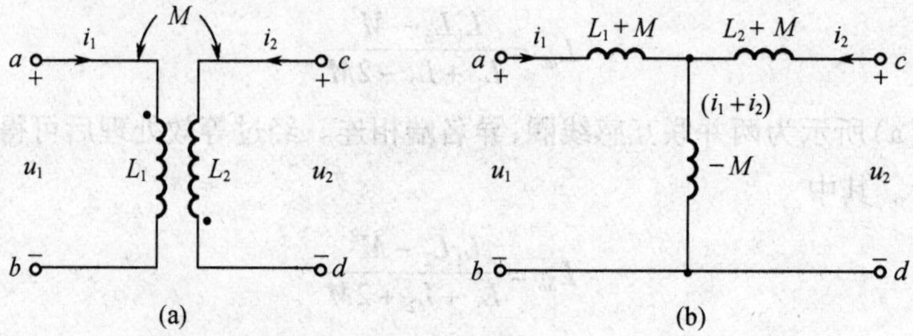

图6-44 异名端为公共端的T形去耦等效

6.9.3 互感电路的分析

【例6-17】 如图6-45(a)所示的并联互感线圈,接在$f=50$ Hz,$U=31.4$ V的正弦交流电源上,已知$R_1=20\ \Omega$,$L_1=0.1$ H,$R_2=30\ \Omega$,$L_2=0.2$ H,$M=0.1$ H,求等效阻抗Z和电流I。

解

首先用T形等效法将图6-45(a)等效为图6-45(b)所示电路,等效阻抗Z为

$$Z_1'=R_1+j\omega(L_1-M)=20+j0=20\angle 0°\ \Omega$$

$$Z_2'=R_2+j\omega(L_2-M)=30+j314(0.2-0.1)$$
$$=30+j31.4=43.4\angle 46.3°\ \Omega$$

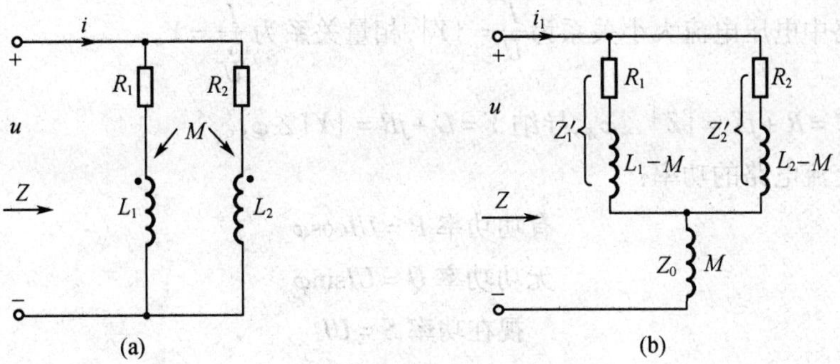

图 6-45　【例 6-17】图

$$Z_0 = j\omega M = j314 \times 0.1 = j31.4 = 31.4\angle 90°\ \Omega$$

$$Z = \frac{Z'_1 Z'_2}{Z'_1 + Z'_2} Z_0$$

$$= \frac{20\angle 0° \times 43.4\angle 46.3°}{20 + 30 + j31.4} + j31.4$$

$$= 14.5 + j35 = 37.8\angle 67.8°\ \Omega$$

电流 I 为

$$I = \frac{U}{|Z|} = \frac{31.4}{37.8} = 0.83\ \text{A}$$

重点串联

1. 正弦量 $i = I_m \cos(\omega t + \psi_i)$（以正弦电流为例），三要素分别为幅值 I_m、角频率 ω 和初相位 ψ_i，可以用相量表示为 $\dot{I} = \frac{I_m}{\sqrt{2}}\angle\psi_i$（有效值相量）。

2. 基尔霍夫定理的相量形式。KCL 的相量形式为 $\sum \dot{I} = 0$，KVL 的相量形式为 $\sum \dot{U} = 0$。

3. 正弦交流电路中电阻元件电压电流大小关系为 $\frac{U}{I} = R$，相量关系为 $\frac{\dot{U}}{\dot{I}} = R$；

正弦交流电路中电感元件电压电流大小关系为 $\frac{U}{I} = \omega L$，相量关系为 $\frac{\dot{U}}{\dot{I}} = j\omega L = jX_L$；

正弦交流电路中电容元件电压电流大小关系为 $\frac{U}{I} = \frac{1}{\omega C}$，相量关系为 $\frac{\dot{U}}{\dot{I}} = -j\frac{1}{\omega C} = -jX_C$；

正弦交流电路中 R、L、C 串联电路电压电流大小关系为 $\frac{U}{I} = |Z|$，相量关系为 $\frac{\dot{U}}{\dot{I}} = Z$，$R$、

L、C 并联电路中电压电流大小关系为$\frac{I}{U}=|Y|$，相量关系为$\frac{\dot{I}}{\dot{U}}=Y$。

4. 阻抗 $Z=R+jX=|Z|\angle\varphi_Z$，导纳 $Y=G+jB=|Y|\angle\varphi_Y$。

5. 正弦交流电路的功率：

$$\text{有功功率 } P=UI\cos\varphi$$

$$\text{无功功率 } Q=UI\sin\varphi$$

$$\text{视在功率 } S=UI$$

$$\text{复功率 } \tilde{S}=P+jQ=S\angle\varphi$$

6. $\cos\varphi$ 是电路的功率因数，常把电力电容并联在感性负载的两端来提高功率因数，并联的电容值为 $C=\frac{P}{\omega U^2}(\tan\varphi_L-\tan\varphi)$。

7. 当电源频率与电路参数满足$f=f_0=\frac{1}{2\pi\sqrt{LC}}$关系时发生串联谐振。

8. 耦合系数为 $k=\sqrt{\frac{\psi_{21}\psi_{12}}{\psi_{11}\psi_{22}}}=\sqrt{\frac{\Phi_{21}\Phi_{12}}{\Phi_{11}\Phi_{22}}}=\frac{M}{\sqrt{L_1L_2}}$，$k$ 值的大小反映了两线圈耦合的强弱，若 $k=0$，两线圈之间没有耦合；若 $k=1$，说明两线圈全耦合。

习　题　6

一、填空题

1. 正弦电流 $i_1=40\sin(2\pi t-30°)$ 的幅值为________、角频率为________、初相位为________、周期为________。

2. 写出 $u=5\sqrt{2}\sin(30t-120°)$ 的相量形式________。

3. 设角频率为 ω，写出 $\dot{I}=(3+j3)$ 代表的正弦量________。

4. 已知 $L=100$ mH，$C=5$ μF，接到 $u=4\sin(3\omega t)$ V 的信号源上，$\omega=4\times10^3$ rad/s，则电感的感抗为________，电容的容抗为________。

5. $f=50$ Hz，初相位为零，幅值为 3 mV 的正弦电压，加到某电容两端，其稳态电流的幅值为 100 μA，电容 C 为________。

6. 如题图 6－1 所示电路，$i_S=6\sin(\omega t+60°)$ mA，$\omega=3\times10^2$ rad/s，$R_1=10$ Ω，$R_2=20$ Ω，$L=0.1$ H，则电压瞬时值表达式________。

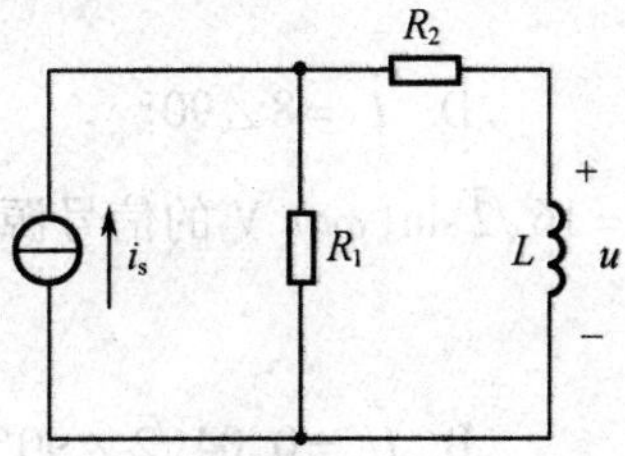

题图 6－1

7. 如题图 6－2 所示，电流表 A_0 的读数为________。

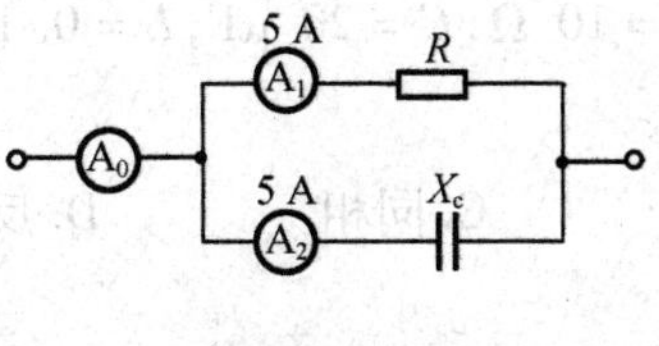

题图 6－2

8. 如题图 6－3 所示。已知电流 $\dot{I}_1=2\angle45°$ A，$\dot{I}_2=10\angle45°$ A，电压 $\dot{U}=10\sqrt{2}\angle0°$。则 R_1 为________ Ω，X_L 为________ Ω。

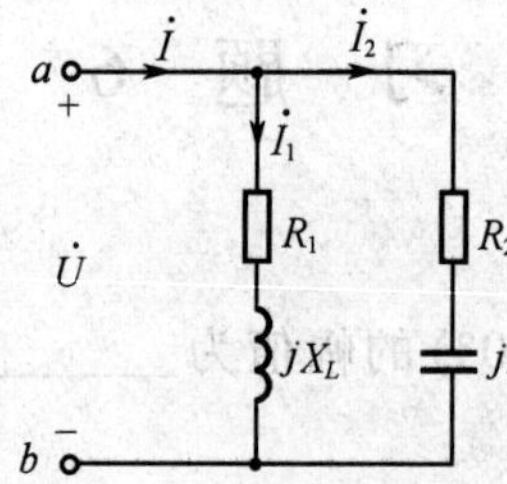

题图 6-3

二、选择题

1. 正弦电压 $u=30\sin(\frac{\pi}{6}t-18°)$ 的频率为________。

A. $\frac{\pi}{6}$　　B. $\frac{1}{3}$　　C. $\frac{1}{12}$　　D. 18°

2. 正弦电流 $i=-8\sqrt{2}\sin(5t-90°)$ 的相量形式为________。

A. $\dot{I}=8\sqrt{2}\angle-90°$　　B. $\dot{I}=8\angle-90°$

C. $\dot{I}=8\sqrt{2}\angle 90°$　　D. $\dot{I}=8\angle 90°$

3. 已知 $L=100$ mH，接到 $u=16\sqrt{2}\sin(\omega t)$ V 的信号源上，$\omega=4\times10^3$ rad/s，则电感上正弦稳态电流为________。

A. $\dot{U}=0.04\angle-90°$　　B. $\dot{U}=0.04\sqrt{2}\angle 90°$

C. $\dot{U}=0.04\sqrt{2}\angle-90°$　　D. $\dot{U}=0.04\angle 90°$

4. $\omega=10^3$ rad/s，初相位为90°，幅值 10 mV 正弦电压，加到某电感两端，其稳态电流的幅值为 100 μA，则电感 L 为________ H。

A. 0.1　　B. 1　　C. 10　　D. 100

5. 如题图 6-4 所示，$R_1=10\ \Omega$，$C=20\ \mu$F，$L=0.1$ H，$\omega=10^2$ rad/s，判别电压 u ________电流 i_s。

A. 超前　　B. 滞后　　C. 同相　　D. 反相

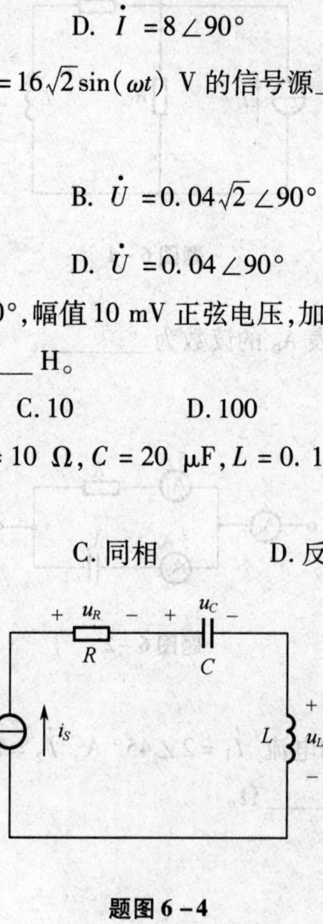

题图 6-4

6. 如题图 6－5 所示。电压表 V_0 的读数为________ V。

A. 4　　B. 8　　C. 10　　D. 16

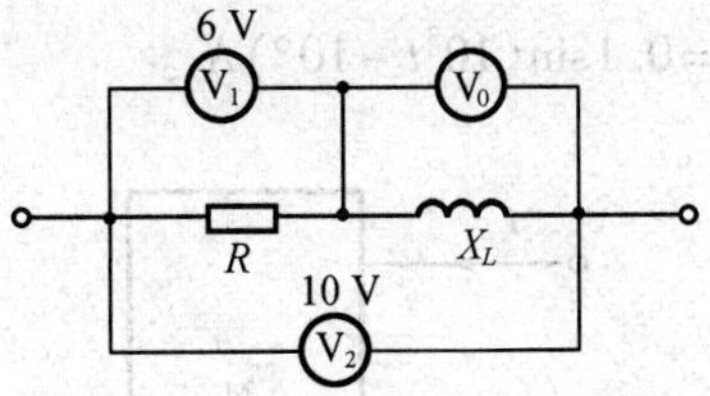

题图 6－5

7. 如题图 6－6 所示。电路的等效阻抗________。

A. $Z_{ab}=(150+j100)\,\Omega$　　B. $Z_{ab}=(100+j150)\,\Omega$

C. $Z_{ab}=(150+j100)\,\Omega$　　D. $Z_{ab}=(100+j150)\,\Omega$

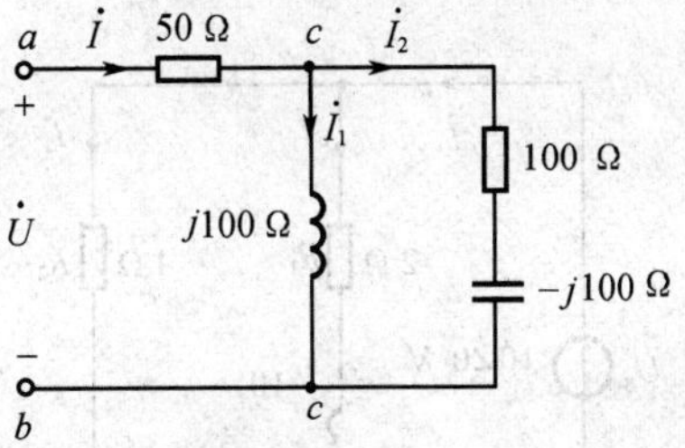

题图 6－6

8. 如题图 6－7 所示。已知电流 $\dot{I}_C=3\angle 0°$ A，则总电流为________ A。

A. $3-j4$　　B. $3+j4$　　C. $4+j3$　　D. $4-j3$

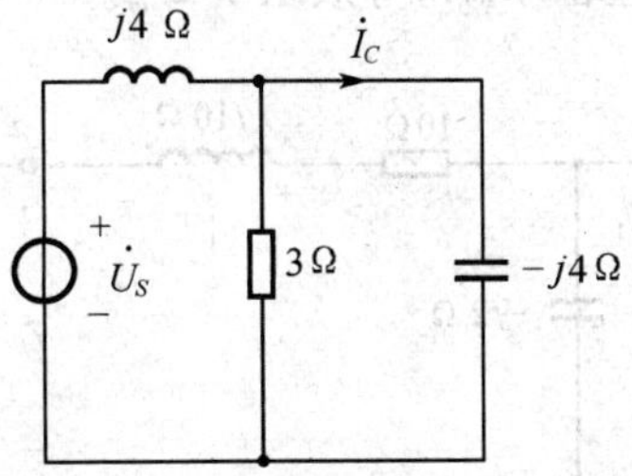

题图 6－7

9. 两互感线圈顺向串联时，其等效电感量 $L_{顺}=$________。

A. L_1+L_2-2M　　B. L_1+L_2+M　　C. L_1+L_2+2M　　D. L_1+L_2-M

三、计算题

1. 如题图 6－8 所示。若其端口电压和电流为下列函数，求电路 N 的阻抗，电路 N 吸收的有功功率、无功功率和视在功率。

$u=10\sin(10^3t+20°)$ V，$i=0.1\sin(10^3t-10°)$ A。

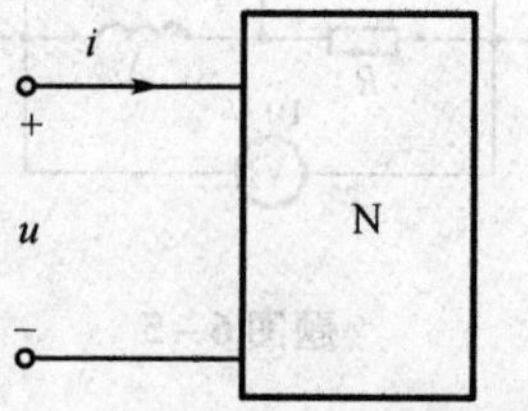

题图 6－8 图

2. 如题图 6－9 所示电路，利用复功率计算：(1) 各元件吸收的功率；(2) 电源供给的功率。

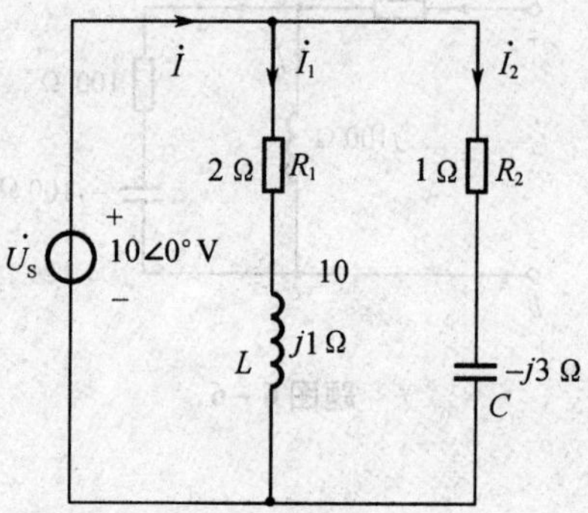

题图 6－9

3. 如题图 6－10 所示，求电路的端口等效阻抗 Z_{ab}。

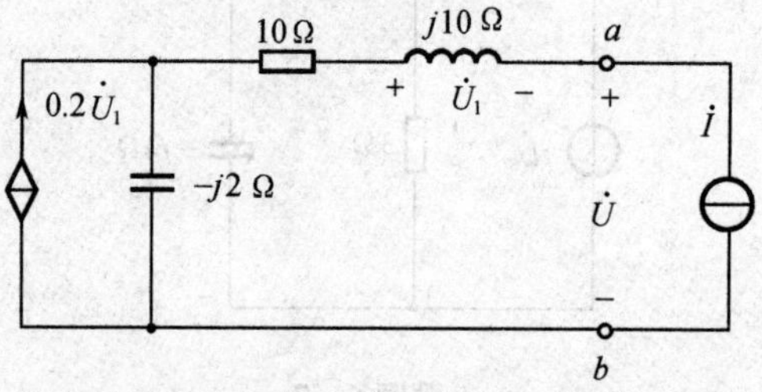

题 6－10 图

4. 如题图 6－11 所示，已知 $\dot{I}_S = 2\angle 0°$ A，$\dot{U}_S = 6\angle 90°$，列出求解电流 $\dot{I}_1$，$\dot{I}_2$的方程。

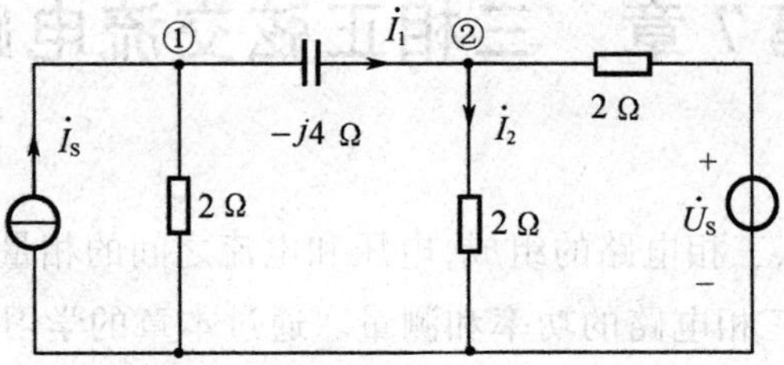

题图 6－11

5. 如题图 6－12 所示为一正弦稳态电路的相量模型，列写节点电压方程。

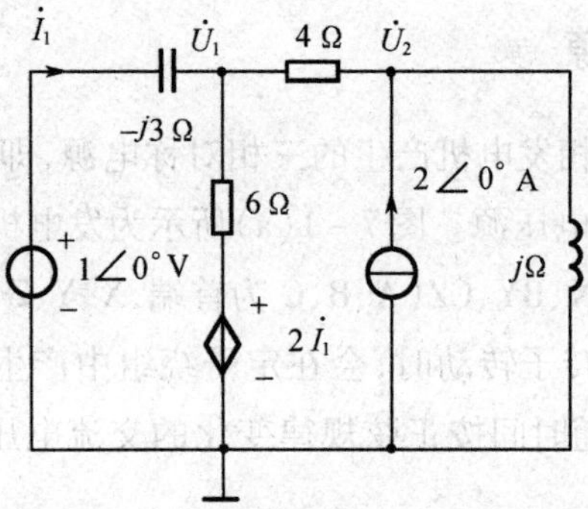

题图 6－12

6. 如题图 6－13 所示，求 $\dot{I}_1$，$\dot{I}_2$，$\dot{I}_3$，列写出求解方程即可。

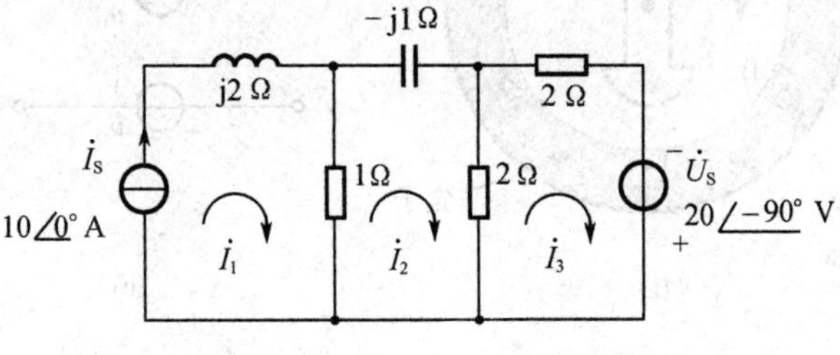

题图 6－13

7. 功率为 40 W 的电感性负载并联于 220 V、50 Hz 的正弦交流电源上。如把电路的功率因数由 0.6 提高到 1，求应并联多大的电容？

8. 有一 R、L、C 串联电路，在频率为 $f = 500$ Hz 时发生谐振，谐振时电流为 0.2 A，容抗为 314 Ω，电容电压 U_C 为电源电压 U 的 10 倍，求电路的电阻 R 和电感 L。

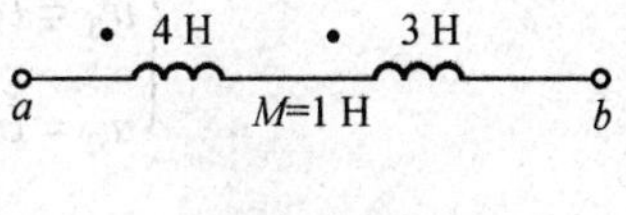

题图 6－14

9. 如题图 6－14 所示，求 ab 端的等效电感 L_{ab}。

第 7 章　三相正弦交流电路

本章介绍三相电源、三相电路的组成，电压和电流之间的相量关系，对称三相电路、不对称三相电路的计算和三相电路的功率和测量。通过本章的学习掌握对称三相电路的分析方法——单相电路法。

7.1　三 相 电 源

7.1.1　三相对称电源

三相电源通常是指由三相发电机产生的三相对称电源，即三个频率相同、振幅相等、相位彼此相差 120°的正弦交流电压源。图 7－1(a)所示为发电机示意图，由定子和转子组成。定子是由空间相差 120°的 AX、BY、CZ(A、B、C 为首端，X、Y、Z 为尾端)的三相绕组构成，分别称为 A 相、B 相、C 相。当转子转动时，会在定子绕组中产生感应电动势 u_A、u_B、u_C，如图 7－1(b)所示。它们是三个随时间按正弦规律变化的交流电压，其频率相同、振幅相同、相位彼此相差 120°。

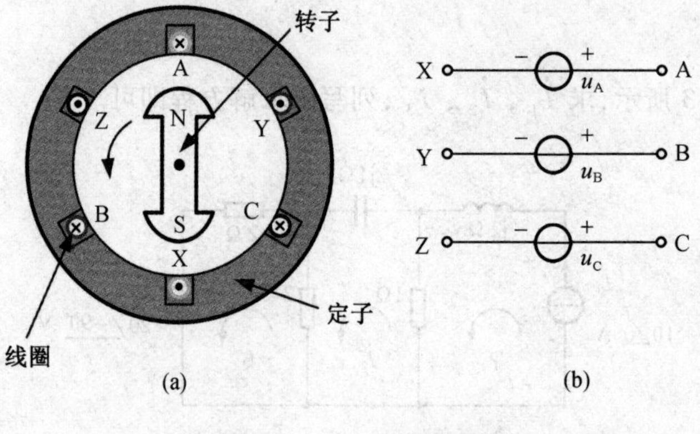

图 7－1　发电机示意图

若以 A 相为参考正弦量，则三相电压的瞬时值表达式为

$$\begin{cases} u_A = U_{Pm}\sin\omega t = \sqrt{2}\,U_P\sin\omega t \\ u_B = U_{Pm}\sin(\omega t - 120°) = \sqrt{2}\,U_P\sin(\omega t - 120°) \\ u_C = U_{Pm}\sin(\omega t + 120°) = \sqrt{2}\,U_P\sin(\omega t + 120°) \end{cases} \tag{7-1}$$

相位的先后次序称为相序，式(7－1)表明A相超前B相，B相超前C相，一般工程上称A→B→C顺时针相序为正序，反之C超前B相，B相超前A相，则称为负序。本章介绍的三相电源均为正序，其波形如图7－2(a)所示。三相电压对应的相量形式分别是

$$\begin{cases}\dot{U}_A = U_P\angle 0° \\ \dot{U}_B = U_P\angle -120° \\ \dot{U}_C = U_P\angle 120°\end{cases} \tag{7-2}$$

式中，U_P为相电压的有效值，其相量图如图7－2(b)所示。

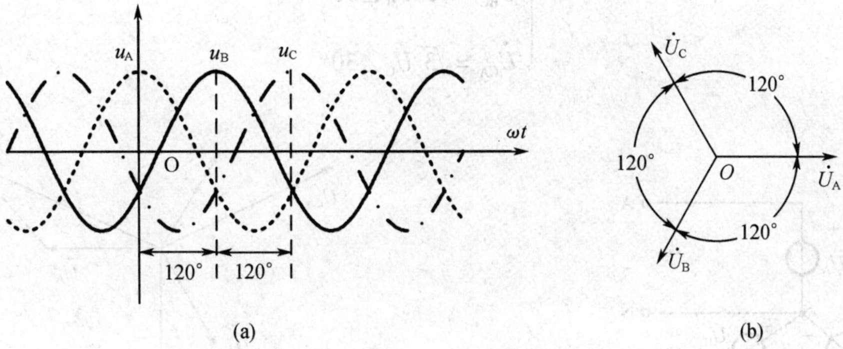

图7－2　对称三相电源波形图和相量图

(a)波形图；(b)相量图

三相电压之和满足

$$\begin{cases}u_A + u_B + u_C = 0 \\ \dot{U}_A + \dot{U}_B + \dot{U}_C = 0\end{cases} \tag{7-3}$$

7.1.2　三相电源的连接

在实际的使用中，对称三相电源有两种基本连接方式，分别是星形(Y)和三角形(△)。

1. 三相电源的星形连接

图7－3所示电路为三相电源星形连接方式，三相绕组的末端X、Y、Z接到一起的公共点N为中性点，引出线即为中线或零线。三相绕组的首端A、B、C分别作为三相电源输出，引出线称为相线或端线，俗称为火线。

三相电源的星形连接中，每一相与中线之间的电压 $\dot{U}_Z$(也可用 $\dot{U}_{AN}$、$\dot{U}_{BN}$、$\dot{U}_{CN}$表示)称为相电压。任意两个相线之间的电压 $\dot{U}_{AB}$、$\dot{U}_{BC}$、$\dot{U}_{CA}$称为线电压。相电压和线电压的相量关系为

$$\begin{cases}\dot{U}_{AB}=\dot{U}_A-\dot{U}_B\\ \dot{U}_{BC}=\dot{U}_B-\dot{U}_C\\ \dot{U}_{CA}=\dot{U}_C-\dot{U}_A\end{cases}\tag{7-4}$$

相电压和线电压的相量图如图 7-4 所示。由图可见，对称三相电源星形连接时，线电压有效值是相应相电压有效值的$\sqrt{3}$倍，线电压的相位超前相应的相电压 30°。

$$\begin{cases}\dot{U}_{AB}=\sqrt{3}\,\dot{U}_A\angle30^\circ\\ \dot{U}_{BC}=\sqrt{3}\,\dot{U}_B\angle30^\circ\\ \dot{U}_{CA}=\sqrt{3}\,\dot{U}_C\angle30^\circ\end{cases}\tag{7-5}$$

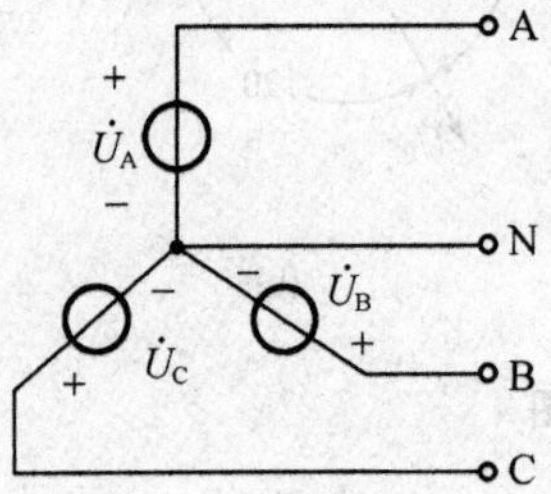

图 7-3　三相电源的星形连接

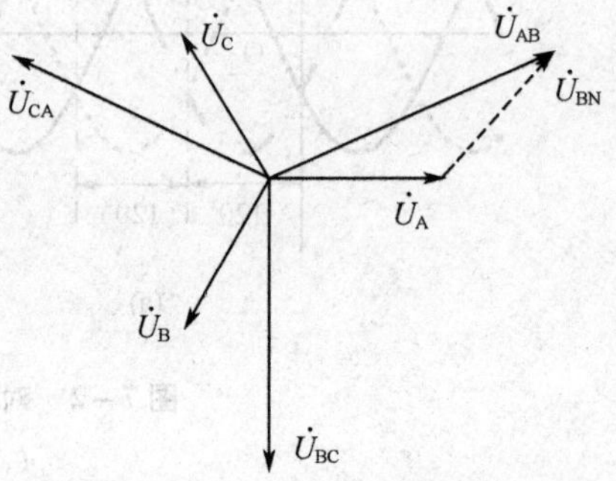

图 7-4　星形连接相电压和线电压相量图

若三相电源的相电压用 $\dot{U}_P$表示，线电压用 $\dot{U}_L$表示，则相电压和线电压可以表示为

$$\dot{U}_L=\sqrt{3}\,\dot{U}_P\angle30^\circ\tag{7-6}$$

星形连接方式中，若相电压为 220 V，则线电压为 $220\sqrt{3}=380$ V。

星形连接时三条相线引出三条线，就采用三相三线制供电方式；如果引出四条线（三条相线和一条中线），则采用的是三相四线制供电方式。

2. 三相电源的三角形连接

三相电源的三角形连接如图 7-5 所示，三相绕组的首尾相接，连成一个闭合三角形，从三个连接点引出三根相线，其相电压即为线电压。

$$\dot{U}_{AB}=\dot{U}_A,\ \dot{U}_{BC}=\dot{U}_B,\ \dot{U}_{CA}=\dot{U}_C$$

即
$$\dot{U}_P=\dot{U}_L$$

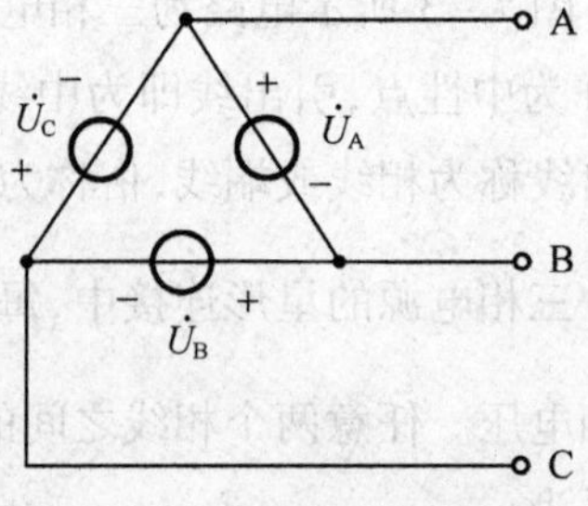

图 7-5　三相电源的三角形连接

必须强调，对称三相电源如果采用三角形连接方式，一定要依次顺序首尾相接。因为三角形正确连接时，

$\dot{U}_A + \dot{U}_B + \dot{U}_C = 0$，电源内部无环流。若有一项接反，则内部将形成极大的短路电流，导致设备的损坏。在实际的应用中，三相电源一般不采用三角形接法。

7.2　三相负载的连接及其电压电流关系

三相电路中的负载也是三相的，即由三个负载阻抗组成，称为三相负载。如果三相负载的复阻抗相同，则称该三相负载为对称三相负载，如工业中的三相发电机、三相变压器等；否则为不对称的三相负载，如居民用电。三相负载的连接方式也可以分为星形和三角形连接两种。

7.2.1　三相负载星形连接

星形连接的三相负载电路如图7-6所示，三个负载Z_A、Z_B、Z_C连接到一个公共点N′上，构成了星形连接的三相负载，N′为负载中性点。

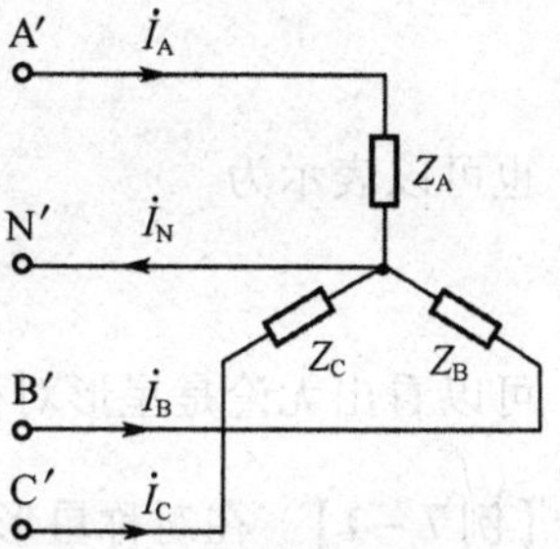

图7-6　星形连接的三相负载电路

星形连接的三相负载和三相电源构成三相电路可以接成Y-Y连接方式，也可以接成△-Y连接方式。图7-7所示电路为典型的Y-Y连接方式的三相电路，该电路采用的是三相四线制。

三相四线制接法中，如果中线接地常被称为地线。各相负载中的电流$\dot{I}'_A$、$\dot{I}'_B$、$\dot{I}'_C$称为相电流，其有效值用I_P表示。端线上的电流$\dot{I}_A$、$\dot{I}_B$、$\dot{I}_C$称为线电流，其有效值用I_L表示。

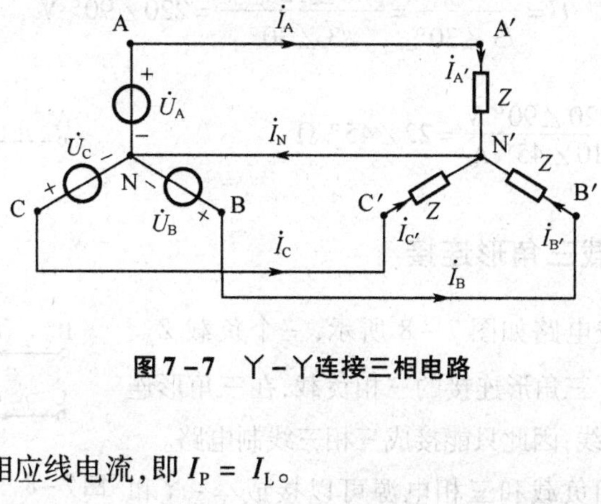

图7-7　Y-Y连接三相电路

其中相电流等于相应线电流，即$I_P = I_L$。

不难看出，星形连接三相对称负载的线电流是对称的，因此中线电流为零，即

$$\dot{I}_N = \dot{I}_A + \dot{I}_B + \dot{I}_C = 0$$

那么中线是可以去掉的,没有中线的Y-Y三相电路为三相三线制电路。但应注意,当负载不对称时,中线不能随意去掉。

三相对称负载的线电压等于相应两相电压之差,即

$$\begin{cases}\dot{U}_{C'A'}=\dot{U}_{C'}-\dot{U}_{A'}\\ \dot{U}'_{A'B'}=\dot{U}_{A'}-\dot{U}_{B'}\\ \dot{U}'_{B'C'}=\dot{U}_{B'}-\dot{U}_{C'}\end{cases}\tag{7-7}$$

由7.1节对星形对称电源的分析可知,三相对称负载的线电压和相电压的对应关系为

$$\begin{cases}U_{A'B'}=\sqrt{3}\,\dot{U}_{A'}\angle 30^\circ\\ \dot{U}_{B'C'}=\sqrt{3}\,\dot{U}_{B'}\angle 30^\circ\\ \dot{U}_{C'A'}=\sqrt{3}\,\dot{U}_{C'}\angle 30^\circ\end{cases}\tag{7-8}$$

也可以表示为

$$\dot{U}_L=\sqrt{3}\,\dot{U}_P\tag{7-9}$$

可以看出无论是星形对称电源,还是星形对称负载,其电压和电流关系都是相同的。

【例7-1】 在对称星形负载电路中,已知负载的线电流 $\dot{I}_A=10\angle 45^\circ$ A,负载的线电压 $\dot{U}_{A'B'}=380\angle 120^\circ$ V,试求此负载每相阻抗。

解

在对称星形负载电路中,每相负载的阻抗都相等,因此只要求出任一相阻抗即可。根据对称星形连接相电压与线电压的关系和已知条件,可以求出A相相电压。

$$\dot{U}=\frac{\dot{U}_{AB}}{\sqrt{3}\angle 30^\circ}=\frac{380\angle 120^\circ\ \text{V}}{\sqrt{3}\angle 30^\circ}=220\angle 90^\circ\ \text{V}$$

$$Z=\frac{\dot{U}_A}{\dot{I}_A}=\frac{220\angle 90^\circ\ \text{V}}{10\angle 45^\circ\ \text{A}}=22\angle 45^\circ\ \Omega$$

7.2.2 三相负载三角形连接

三角形连接的负载电路如图7-8所示,三个负载 Z_A、Z_B、Z_C 首尾相接,构成了三角形连接的三相负载,在三角形连接中没有中性点和中性线,因此只能接成三相三线制电路。

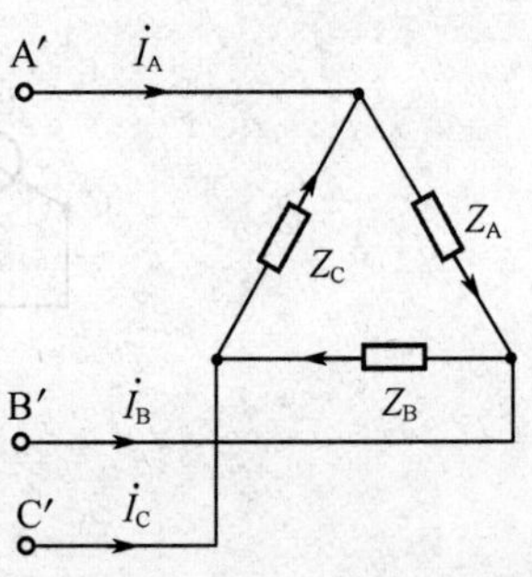

图7-8 三角形连接的负载电路

三角形连接的三相负载和三相电源可以接成△-Y和△-△连接方式。图7-9所示电路为△-△连接方式的三相电路,此方式只能是三相三线制。

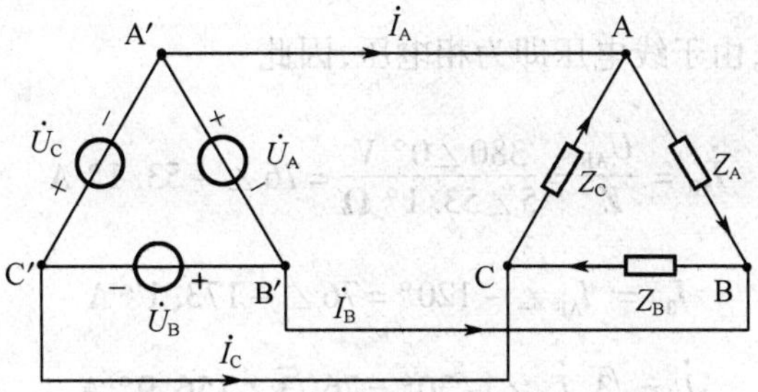

图 7-9　△-△连接方式的三相电路

在三角形连接中,负载的线电压就是其相电压,即

$$U_L = U_P \tag{7-10}$$

根据 KCL 定律,图 7-9 所示参考方向下,相电流表示为 $\dot{I}_{AB}$、$\dot{I}_{BC}$、$\dot{I}_{CA}$,线电流和相电流的相量关系表达式为

$$\begin{cases} \dot{I}_A = \dot{I}_{AB} - \dot{I}_{CA} \\ \dot{I}_B = \dot{I}_{BC} - \dot{I}_{AB} \\ \dot{I}_C = \dot{I}_{CA} - \dot{I}_{BC} \end{cases} \tag{7-11}$$

根据式(7-11),可以画出对称三角形连接方式下负载相电流和线电流的相量图,如图 7-10 所示。

由相量图可求得,在三角形对称负载电路中,线电流的有效值等于相电流有效值的$\sqrt{3}$倍,线电流在相位滞后于相应相电流 30°,即

$$\dot{I}_A = \sqrt{3}\ \dot{I}_{AB} \angle -30°$$

$$\dot{I}_B = \sqrt{3}\ \dot{I}_{BC} \angle -30°$$

$$\dot{I}_C = \sqrt{3}\ \dot{I}_{CA} \angle -30°$$

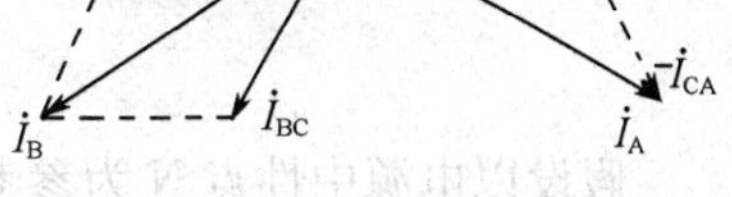

图 7-10　对称△-△连接电流相量图

其有效值的关系也可以表示为

$$I_L = \sqrt{3} I_P \tag{7-12}$$

从上面分析可以看出,三角形连接的对称三相电源和对称三相负载,相电流和线电流关系都满足式(7-12)。在三相电路中,三相电源接成星形还是三角形与负载接成哪种方式无关,实际工程中,要根据具体要求确定其连接方式。

【例 7-2】 对称△负载的线电压为 $\dot{U}_{AB} = 380\ \angle 0°$ V,每相负载阻抗为 $Z = 5\angle 53.1°\ \Omega$,求线电流 $\dot{I}_B$。

解

因对称三角形连接，由于线电压即为相电压，因此

$$\dot{I}_{AB}=\frac{\dot{U}_{AB}}{Z}=\frac{380\angle 0^\circ\ \mathrm{V}}{5\angle 53.1^\circ\ \Omega}=76\angle -53.1^\circ\ \mathrm{A}$$

$$\dot{I}_{BC}=\dot{I}_{AB}\angle -120^\circ=76\angle -173.1^\circ\ \mathrm{A}$$

$$\dot{I}_{B}=\sqrt{3}\ \dot{I}_{BC}\angle -30^\circ=76\sqrt{3}\angle 156.9^\circ\ \mathrm{A}$$

7.3 对称三相电路的计算

三相电源有星形接法，也有三角形接法，一般通常三相电源都为对称的三相电源，若三相负载也都是相同的，则称为对称的三相负载。由对称的三相电源和对称的三相负载相连接构成的三相电路，称为对称的三相电路。

对称Y－Y三相电路如图 7－11(a)所示。电路具有四条支路和两个节点，其电路可以看作如图 7－11(b)所示。

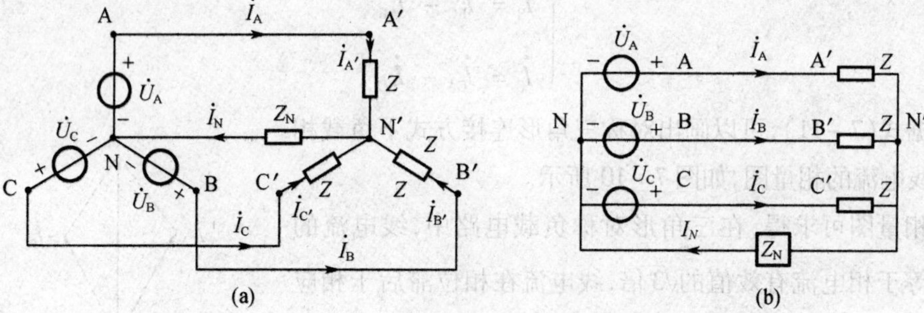

图 7－11 对称Y－Y三相电路

假设以电源中性点 N 为参考点，节点 N′与 N 之间的电压用 $\dot{U}_{N'N}$ 表示，对负载节点 N′列出节点方程为

$$\left(\frac{3}{Z}+\frac{1}{Z_N}\right)\dot{U}_{N'N}=\frac{\dot{U}_A+\dot{U}_B+\dot{U}_C}{Z} \tag{7－13}$$

因为对称的三相电源，有 $\dot{U}_A+\dot{U}_B+\dot{U}_C=0$，则

$$\dot{U}_{N'N}=0$$

因此中性线两端 NN′没有压降，中性线上没有电流，即 $\dot{I}_N=0$。因此，将中性线短路或开路处理不会影响电路正常工作。

若将中性线短路，其电路如图 7－12(a)所示，三相电路可以按照单相电源和负载的闭

合回路进行分析计算,其余两相可以根据三相电压、电流之间的相位关系得到。若将中性线开路,其电路如图 7-12(b)所示,可根据三相电源星形接法电压、电流关系求出线电压,从而通过单相负载与电源对应的闭合回路得出所需的电压或电流,此方法通常称为单相计算法,适合于三相三线制电路的计算。

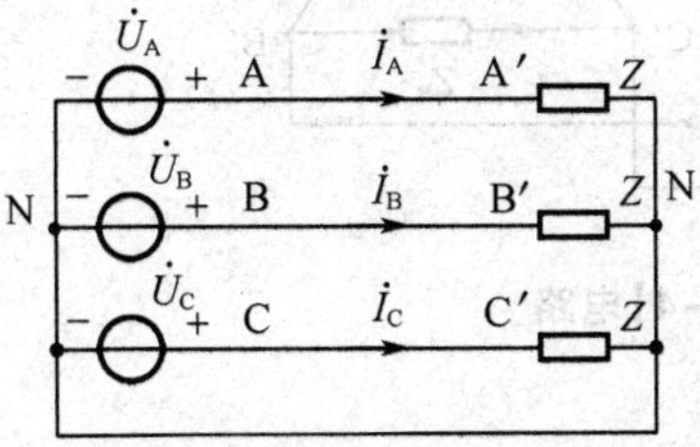

(a)

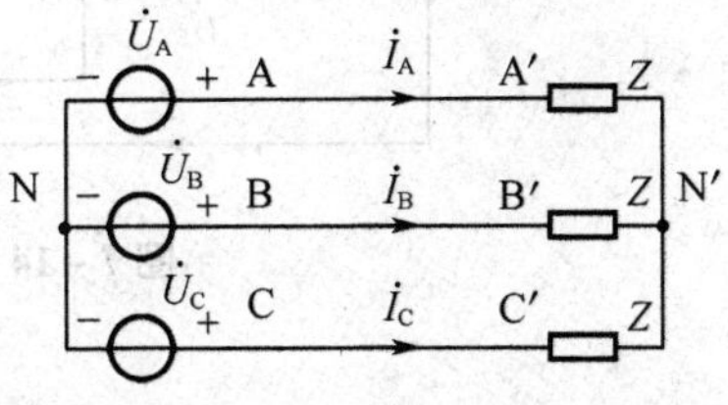

(b)

图 7-12 对称Y-Y等效三相电路

(a)中线短路;(b)中线开路

【例 7-3】 若图 7-7 所示电路对称Y-Y三相电路中,已知对称三相电源的线电压为 $\dot{U}_{AB}=380\angle 60°$ V,对称负载的阻抗 $Z=30+j40\ \Omega$,试求各相负载的电流 $\dot{I}_A,\dot{I}_B,\dot{I}_C$。

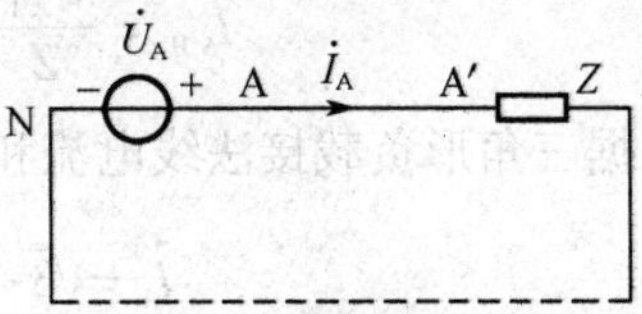

图 7-13 【例 7-3】图

解

对称的三相电源的相电压为

$$\dot{U}_A=\frac{\dot{U}_{AB}}{\sqrt{3}}\angle -30°=\frac{380\angle(60°-30°)\text{V}}{\sqrt{3}}=220\angle 30°\ \text{V}$$

由于是对称的三相电路,因此 $\dot{I}_N=0$,则可将中性线短路,此时可以画出一相(A 相)计算电路,如图 7-13(b)所示,求得三相负载的电流为

$$\dot{I}_A=\frac{\dot{U}_A}{Z}=\frac{220\angle 30°\text{V}}{30+j40\ \Omega}=4.4\angle -23.1°\ \text{A}$$

由对称性,可得

$$\dot{I}_B=4.4\angle(-23.1°-120°)\text{A}=4.4\angle -143.1°\ \text{A}$$

$$\dot{I}_C=4.4\angle(-23.1°+120°)\text{A}=4.4\angle 96.9°\ \text{A}$$

【例 7-4】 在图 7-14 所示的对称Y-△三相电路中,已知三相电源的相电压为 $U_A=220$ V,负载的阻抗 $Z=10\angle 66.9°\ \Omega$,试求负载 A 相的相电压 $\dot{U}_A$、线电流 $\dot{I}_A$。

解

设三相电源 A 相相电压为 $\dot{U}_A=220\angle 0°$ V,则对应的线电压为

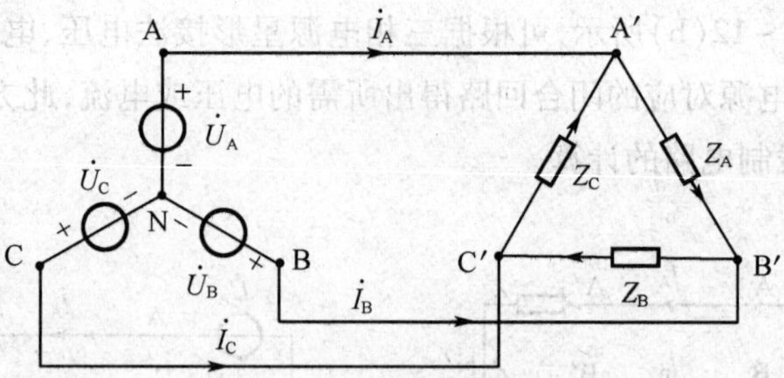

图 7－14 【例 7－4】电路

$$\dot{U}_{AB}=\sqrt{3}\ \dot{U}_A\angle 30°=380\angle 30°\ \text{V}$$

电源的线电压等于负载的线电压,即 $\dot{U}_{A'B'}=\dot{U}_{AB}$,又由于负载的线电压等于相电压,则负载的相电流为

$$\dot{I}_{A'B'}=\frac{\dot{U}_{A'B'}}{Z}=\frac{380\angle 30°\ \text{V}}{10\angle 66.9°\ \Omega}=38\angle -36.9°\ \text{A}$$

根据三角形负载接法线电流和相电流关系得

$$\dot{I}_A=\sqrt{3}\ \dot{I}_{AB'}\angle -30°=65.8\angle -66.9°\ \text{A}$$

7.4　不对称三相电路的分析

在三相电路中,只要三相电源或三相负载有一相不对称,则称此三相电路为不对称三相电路。一般情况下,三相电源都是对称的,所谓的不对称三相电路主要指三相负载不对称,本节主要对这种不对称三相电路进行分析。

【例 7－5】　不对称三相电路如图 7－15 所示。三相电源对称,其相电压为 $\dot{U}_A=220\angle 0°\ \text{V}$,三相负载分别为 $R_1=10\ \Omega$,$R_2=10\ \Omega$,$R_3=20\ \Omega$,试求线电流 $\dot{I}_A$、$\dot{I}_B$、$\dot{I}_C$ 和中线电流 $\dot{I}_N$。

解

由于电源相电压即为负载相电压,因此

$$\dot{U}_{A'}=\dot{U}_A=220\angle 0°\ \text{V}$$

由于三相电源对称,因此其他两相负载的相电压为

$$\dot{U}_{B'}=220\angle -120°\ \text{V},\ \dot{U}_{C'}=220\angle 120°\ \text{V}$$

因此负载线电流分别为

$$\dot{I}_A=\frac{\dot{U}_{A'}}{R_1}=\frac{220\angle 0°\ \text{V}}{10\ \Omega}=22\angle 0°\ \text{A}$$

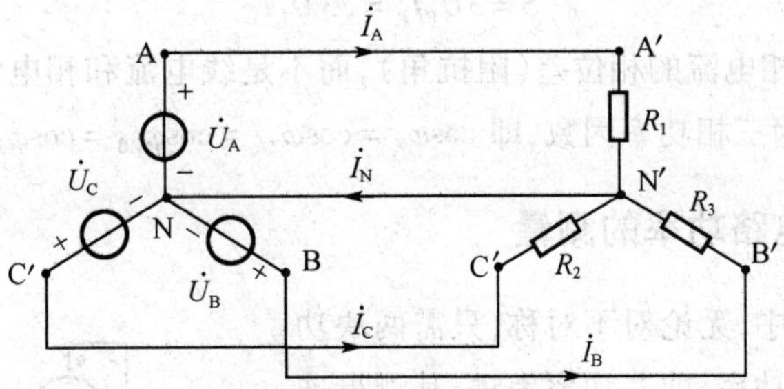

图7-15 【例7-5】电路

$$\dot{I}_B=\frac{\dot{U}_{B'}}{R_2}=\frac{220\angle-120°\ \Omega}{10\ \Omega}=22\angle-120\ °\ A$$

$$\dot{I}_C=\frac{\dot{U}_{C'}}{R_3}=\frac{220\angle120°\ V}{20\ \Omega}=11\angle120°\ A$$

则中线电流为

$$\begin{aligned}\dot{I}_N=\dot{I}_A+\dot{I}_B+\dot{I}_C&=22\angle0°\ A+22\angle-120°\ A+11\angle120°\ A\\&=5.5-9.5j\ A\\&=11\angle-60°\ A\end{aligned}$$

7.5 负载的功率

7.5.1 三相电路的功率

三相电路的功率与单相电路相同，都分为有功功率、无功功率和视在功率。三相负载总的有功功率必定是各相有功功率之和。当三相负载对称时，每相的有功功率是相等的，则总的有功功率为

$$P=3P_P=3U_PI_P\cos\varphi_Z \tag{7-14}$$

如果对称负载是Y连接，则

$$U_L=\sqrt{3}U_P,I_L=I_P$$

如果对称负载是△连接，则

$$U_L=U_P,I_L=\sqrt{3}I_P$$

那么无论负载为哪种连接，三相负载的总有功功率都是相同的，也可以表示为

$$P=\sqrt{3}U_LI_L\cos\varphi_Z \tag{7-15}$$

同理，三相无功功率和视在功率为

$$Q=3U_PI_P\sin\varphi_Z=\sqrt{3}U_LI_L\sin\varphi_Z \tag{7-16}$$

$$S = 3U_P I_P = \sqrt{3} U_L I_L \tag{7-17}$$

其中，φ_Z 为相电压与相电流的相位差（阻抗角），而不是线电流和相电流的夹角；$\cos\varphi_Z$ 为每相的功率因数，也称为三相功率因数，即 $\cos\varphi_Z = \cos\varphi_{ZA} = \cos\varphi_{ZB} = \cos\varphi_{ZC}$。

7.5.2 三相电路功率的测量

三相三线制电路中，无论对不对称，只需两块功率表就可以测量其总功率，即二功率表法，其测量连接方式如图 7-16 所示。两表读数的和等于总功率，即 $P = P_1 + P_2$。

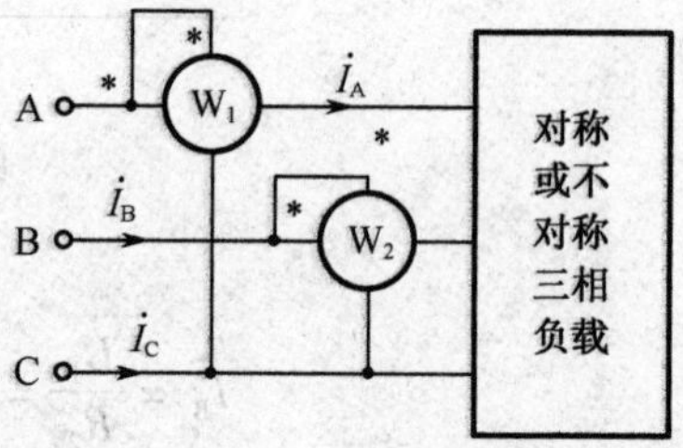

图 7-16 功率二表法测量三相三线制功率的连接

【例 7-6】 一台三相电动机，每相绕组的等效阻抗为 $Z = 30 + j40\ \Omega$，对称三相电源的线电压为 $U_L = 380$ V，求：

（1）当电动机做Y连接时的有功功率；

（2）当电动机做△连接时的有功功率。

解

（1）当电动机做Y连接时，有

$$U_P = \frac{U_L}{\sqrt{3}} = 220\ \text{V}$$

$$I_L = I_P = \frac{U_P}{|Z|} = \frac{220\ \text{V}}{\sqrt{30^2 + 40^2}\ \Omega} = 4.4\ \text{A}$$

$$P = \sqrt{3} U_L I_L \cos\varphi_Z = \sqrt{3} \times 380\ \text{V} \times 4.4\ \text{A} \times \cos\left(\arctan\frac{40}{30}\right)$$

$$= \sqrt{3} \times 380\ \text{V} \times 4.4\ \text{A} \times 0.6 = 1.738\ \text{kW}$$

（2）当电动机做△连接时，有

$$U_P = U_l = 380\ \text{V}$$

$$I_l = \sqrt{3} I_P = \sqrt{3} \times \frac{U_P}{|Z|} = \sqrt{3} \times \frac{380\ \text{V}}{\sqrt{30^2 + 40^2}\ \Omega} = 13.2\ \text{A}$$

$$P = \sqrt{3} U_l I_l \cos\varphi_Z = \sqrt{3} \times 380\ \text{V} \times 13.2\ \text{A} \times \cos\left(\arctan\frac{40}{30}\right)$$

$$= \sqrt{3} \times 380\ \text{V} \times 13.2\ \text{A} \times 0.6 = 5.2\ \text{kW}$$

可以看出负载不同连接时消耗的功率是不同的，△连接时消耗的功率等于做Y连接时消耗的功率的 3 倍。在例 7-6 中，电源电压为线电压，电动机做Y连接时消耗的功率较小，所以当电源电压为线电压时，电动机应做Y形连接；而当电源电压为相电压时，电动机应做△连接。

重点串联

1. 三相对称电源为三个频率相同，振幅相同，相位彼此相差 120°的电压源。三相电源

相电压分别为

$$\dot{U}_A = U_P\angle 0°,\ \dot{U}_B = U_P\angle -120°,\ \dot{U}_C = U_P\angle 120°$$

若三角形连接方式,其线电压等于相电压,分别为

$$\dot{U}_{AB} = \dot{U}_A,\ \dot{U}_{BC} = \dot{U}_B,\ \dot{U}_{CA} = \dot{U}_C$$

若星形连接方式,其线电压分别为

$$\dot{U}_{AB} = \sqrt{3}\,\dot{U}_A\angle 30°,\ \dot{U}_{BC} = \sqrt{3}\,\dot{U}_B\angle -90°,\ \dot{U}_{CA} = \sqrt{3}\,\dot{U}_C\angle 150°$$

即

$$\dot{U}_L = \sqrt{3}\,\dot{U}_P\angle 30°$$

2. 三相对称负载可以接成星形和三角形两种。

星形连接方式线电流等于相电流,即

$$I_P = I_L$$

三角形连接方式时

$$\dot{I}_A = \sqrt{3}\,\dot{I}_{AB}\angle -30°,\ \dot{I}_B = \sqrt{3}\,\dot{I}_{BC}\angle -30°,\ \dot{I}_C = \sqrt{3}\,\dot{I}_{CA}\angle -30°$$

其有效值的关系也可以表示为

$$I_L = \sqrt{3}\,I_P$$

3. 星形接法和三角形接法中,无论是对称三相电源还是对称三相负载,其电压电流的对应关系相同。

4. 对称三相四线制电路中,中线电流为 $\dot{I}_N = \dot{I}_A + \dot{I}_B + \dot{I}_C = 0$。所以可将中线短路或开路处理。若中线短路,则三相电路可看作单相电源和负载的闭合回路进行分析计算。若中线开路,可根据三相电源星形接法电压、电流关系求出线电压,从而通过单相负载与电源对应的闭合回路得出所需的电压或电流,此方法适合于三相三线制电路的计算。

5. 在三相电路中,只要三相电源或三相负载有一相不对称,则称此三相电路为不对称三相电路。本章的不对称三相电路主要研究三相负载不对称情况。与对称三相电路类似,按照单相电路进行分别求解。

6. 三相电路的功率分为有功功率、无功功率和视在功率。

总的有功功率　$P = 3P_P = 3U_PI_P\cos\varphi_Z = \sqrt{3}\,U_LI_L\cos\varphi_Z$

总的无功功率　$Q = 3U_PI_P\sin\varphi_Z = \sqrt{3}\,U_LI_L\sin\varphi_Z$

总的视在功率　$S = 3U_PI_P = \sqrt{3}\,U_LI_L$

它们之间仍然满足　$S = \sqrt{P^2 + Q^2}$

习　题　7

一、填空题

1. 三个电动势的________相等，________相同，________互差120°，就称为对称三相电动势。

2. 对称三相正弦量（包括对称三相电动势、对称三相电压、对称三相电流）的瞬时值之和等于________。

3. 三相电压到达振幅值（或零值）的先后次序称为________，三相电压的相序为A－B－C的称为________序。

4. 三相电路中，对称三相电源一般连接成星形或________两种特定的方式。

5. 三相四线制供电系统中可以获得两种电压，即________和________。

6. 三相电源端线间的电压叫________，电源每相绕组两端的电压称为电源的________。

7. 对于三相负载来说，流过端线的电流称为________，流过每相负载的电流称为________。

8. 如果三相负载的每相负载的复阻抗都相同，则称为________，三相电路中若电源对称，负载也对称，则称为________电路。

9. 在三相交流电路中，负载的连接方法有________和________两种。

10. 有一对称三相负载成星形连接，每相阻抗均为22 Ω，功率因数为0.8，又测出负载中电流为10 A，那么三相电路的有功功率为________ W；无功功率为________ Var；视在功率为________ VA。

二、选择题

1. 已知对称正序三相电源的相电压 $u_A = 10\sin(\omega t + 30°)$，当电源星形连接时线电压 u_{AB} 为________。

A. $17.32\sin(\omega t + 60°)$　　B. $10\sin(\omega t + 60°)$

C. $17.32\sin(\omega t + 0°)$　　D. $10\sin(\omega t + 0°)$

2. 若要求三相负载中各相电压均为电源相电压，则负载应接成________。

A. 星形有中线　　B. 星形无中线　　C. 三角形连接　　D. 无法确定

3. 对称三相交流电路，三相负载为△连接，当电源线电压不变时，三相负载换为Y连接，三相负载的相电流应________。

A. 减小　　B. 增大　　C. 不变　　D. 无法确定

4. 已知三相电源线电压 $U_L = 380$ V，三相对称负载 $Z = (6 + j8)$ Ω 做三角形连接。则线电流 $I_L =$ ________ A。

A. 38　　B. 22　　C. $38\sqrt{3}$　　D. $22\sqrt{3}$

5. 已知三相电源线电压 $U_L = 380$ V，三相对称负载 $Z = (6 + j8)$ Ω 做三角形连接。则相电流 $I_P =$ ________。

A. 38　　B. 22　　C. $38\sqrt{3}$　　D. $22\sqrt{3}$

6. 对称三相交流电路中，三相负载为Y连接，当电源电压不变，而负载变为△连接时，对称三相负载所吸收的功率________。

A. 增大　　B. 减小　　C. 不变　　D. 无法确定

7. 正序三相交流电源接有三相对称负载，设 A 相电流为 $i_A = I_m\sin\omega t$ A，则 i_B 为________。

A. $i_B = I_m\sin(\omega t - 120°)$　　B. $i_B = I_m\sin\omega t$

C. $i_B = I_m\sin(\omega t - 240°)$　　D. $i_B = I_m\sin(\omega t + 120°)$

8. 对称三相电源，线电压 $\dot{U}_{AB}$ 和 $\dot{U}_{BC}$ 相位关系为________。

A. $\dot{U}_{AB}$ 超前 $\dot{U}_{BC}$ 60°　　B. $\dot{U}_{AB}$ 滞后 $\dot{U}_{BC}$ 60°

C. $\dot{U}_{AB}$ 超前 $\dot{U}_{BC}$ 120°　　D. $\dot{U}_{AB}$ 滞后 $\dot{U}_{BC}$ 120°

9. 在负载为星形连接的对称三相电路中，各线电流与相应的相电流的关系是________。

A. 大小、相位都相等

B. 大小相等，线电流超前相应的相电流

C. 线电流大小为相电流大小的 3 倍，线电流超前相应的相电流

D. 线电流大小为相电流大小的 3 倍，线电流滞后相应的相电流

10. 在三相交流电路中，下列结论中错误的是________。

A. 当负载做Y连接时，必须有中线

B. 当三相负载越接近对称时，中线电流就越小

C. 当负载做Y连接时，线电流必等于相电流

D. 当负载做△连接时，线电流为相电流的$\sqrt{3}$倍

三、计算题

1. 确定下列电源相序 $\dot{U}_A = 110\angle 30°$ V，$\dot{U}_B = 110\angle 150°$ V，$\dot{U}_C = 110\angle 270°$ V。

2. 已知 $u_B = 173\cos(\omega t - 130°)$ V，对称三相电源相序为正序。试确定 u_A 和 u_C 值（设角频率为 ω）。

3. Y连接三相对称负载 $Z = 100\angle 45°\ \Omega$，线电压 $U_L = 380$ V，求负载相电压 U_P、线电流 I_L。

4. 对称三相三线制的线电压 380 V，Y负载每相阻抗为 $Z = 10\angle 53.1°\ \Omega$。求负载的相电流。

5. 对称三相三线制的线电压为 380 V，△负载的每相阻抗 $Z = 10\angle 53.1°\ \Omega$。求负载的线电流。

6. 一个对称星形连接的三相电源，其 $\dot{U}_A = 100\angle 10°$ V，接到一个△连接的对称负载上，每相负载的阻抗 $Z = (8 + j4)\ \Omega$。试计算相电流和线电流。

7. 已知星形连接负载的各相阻抗为$(10+j15)\ \Omega$,所加对称相电压为220 V。试求此负载吸收的平均功率。

8. 有一三相电动机,每相的等效电阻$R=29\ \Omega$,等效感抗$X_L=21.8\ \Omega$。试求下列两种情况下电动机的相电流、线电流以及从电源输入的功率,并比较所得的结果:

(1)绕组连成星形接于$U_L=380$ V的三相电源上;

(2)绕组连成三角形接于$U_L=220$ V的三相电源上。

9. 对称的星形负载接在线电压为380 V的对称三相电源上,每相负载阻抗$Z=3+j4\ \Omega$。试求三相负载吸收的有功功率。

10. 三角形对称负载接在线电源为380 V的对称三相电源上,电路如题图7-1所示,负载每相电阻为60 Ω,其线路阻抗为2 Ω。试求负载的线电压和负载吸收的平均功率。

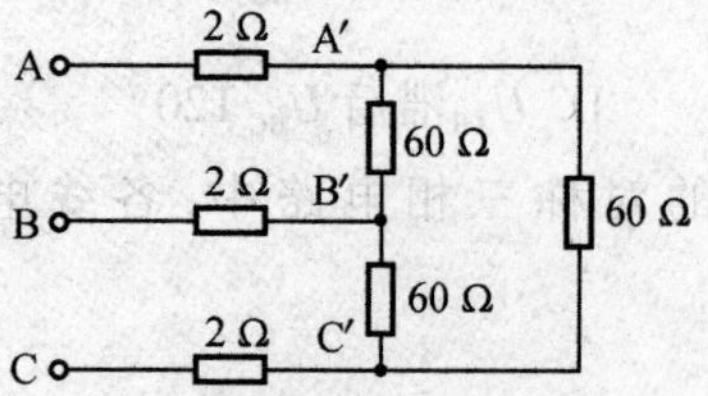

题图7-1

第 8 章　非正弦周期电流电路

本章介绍非正弦周期量的产生、谐波的合成,周期函数分解为傅里叶级数和信号的频谱,周期量的有效值、平均值、平均功率的计算,以及非正弦周期电流电路的分析。通过本章的学习掌握非正弦周期电流电路的分析方法——谐波分析法。

8.1　非正弦周期量

8.1.1　非正弦周期量的概述

非正弦信号分为两种:一种是周期信号,另外一种是非周期的。当一个正弦电源或多个同频率的正弦电源同时作用在某一线性电路时,在电路的各部分产生的稳态电压、电流都是同频率的正弦量。而在许多实际的电子设备中,存在着按照非正弦规律变化的信号,如智能楼宇控制系统中的门铃电路就是由不同频率的振荡信号驱动扬声器发出声音,其输出的电压波形与单一频率的正弦波存在着差别,严格来说是非正弦周期波。

在电子设备、自动控制、计算机等技术领域应用较频繁的脉冲信号也是非正弦波,实际工程中常见的非正弦周期波形如图 8-1 所示。

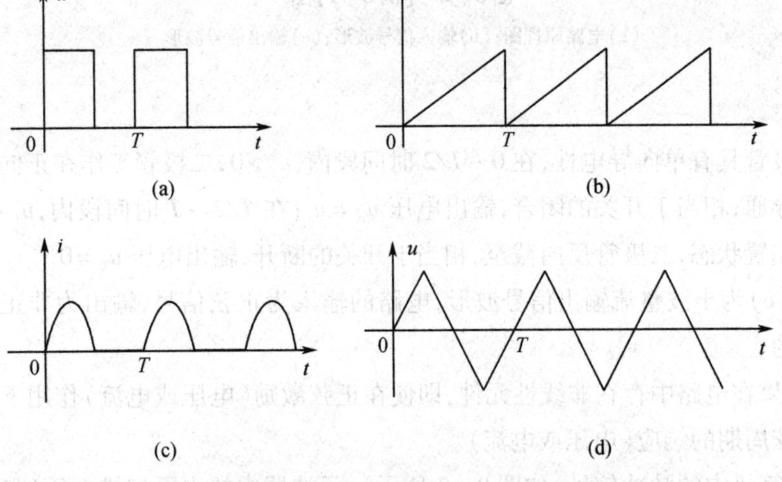

图 8-1　非正弦周期电压、电流信号波形

(a)方波电压;(b)锯齿波电压;(c)半波整流波形;(d)三角波电压

非正弦电流分为两种:一种是周期电流,另外一种是非周期电流。图 8-1 中,虽然非正弦波形各不相同,但都是按照特定的规律进行周而复始变化,常把这种信号称为非正弦周期信号。

8.1.2　非正弦周期量的产生

非正弦周期信号的特点是随时间按非正弦规律变化。

电路中产生非正弦周期的响应的情况有:

(1)电路中由非线性元件(如二极管、三极管)产生的非正弦周期电压、电流,如由半波整流、全波整流产生的电压、电流也是非正弦周期量;

(2)电源本身是非正弦信号(如三角波或方波);

(3)不同频率的电源共同作用在电路中。

下面以例 8-1 说明非正弦周期信号的产生过程。

【例 8-1】　如图 8-2(a)所示为半波整流电路,其输入信号为正弦波(如图 8-2(b)),假设二极管为理想电路模型,试分析输出信号波形。

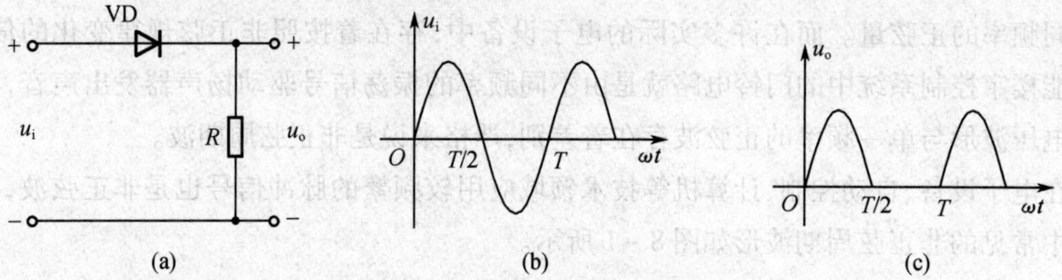

图 8-2　【例 8-1】图

(a)电路原理图;(b)输入信号波形;(c)输出信号波形

解

由于二极管具有单向导电性,在 $0 \sim T/2$ 时间段内,$u_i > 0$,二极管工作在正向偏置状态,二极管正向导通,相当于开关的闭合,输出电压 $u_o = u_i$;在 $T/2 \sim T$ 时间段内,$u_i < 0$,二极管工作在反向偏置状态,二极管反向截至,相当于开关的断开,输出电压 $u_o = 0$。

图 8-2(c)为半波整流输出信号波形,电路的输入为正弦信号,输出为非正弦信号,但是是周期性的。

因此,如果在电路中存在非线性元件,即使在正弦激励(电压或电流)作用下,电路中也会产生非正弦周期的响应(电压或电流)。

另外,计算机内的脉冲信号(如图 8-3 所示)、示波器内的水平扫描电压(如图 8-4 所示)等,都是非正弦周期信号。

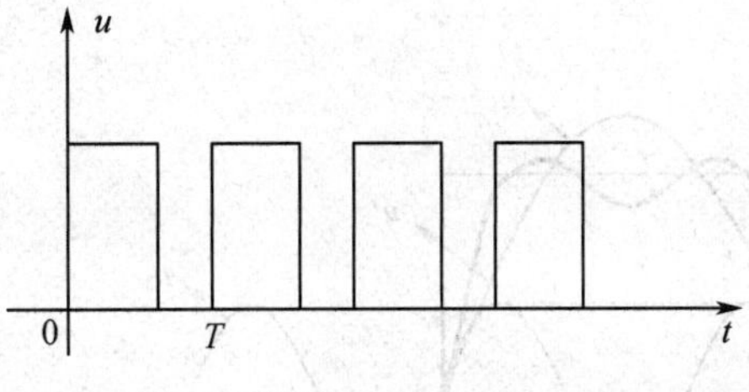

图 8 – 3　计算机内的脉冲信号图

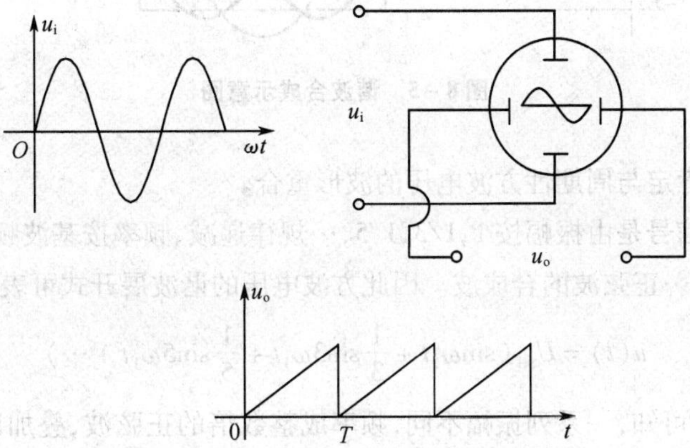

图 8 – 4　示波器内的水平扫描电压图

8.2　非正弦周期量的谐波分析

8.2.1　非正弦周期量的合成

图 8 – 1(a)所示的周期性方波电压，就是一个典型的非正弦周期信号波。实际上它可以看成是幅值不等、频率成整数倍的一系列正弦波的合成波形。

下面简述非正弦周期信号的合成过程。

周期性矩形信号 $f(t)$ 的傅里叶级数展开式为

$$f(t)=\frac{4E_m}{\pi}\left[\sin\omega_1 t+\frac{1}{3}\sin3\omega_1 t+\frac{1}{5}\sin5\omega_1 t+\cdots\right]$$

图 8 – 5 所示为 $f(t)$ 傅里叶级数展开式前两项波形及二者合成后的波形。其中，u_1 与方波同频率，称为方波的基波；u_3 的频率是方波的 3 倍、幅值是基波的 1/3，称为 3 次谐波；而 u' 是 u_1 和 u_3 的合成波。

显然图 8 – 5 中，u' 较接近方波波形。我们只取式(8 – 2)中的两项，如果取的项数越多，合成波愈接近于原来的方波。若上述波形再叠加上一个 7 次谐波、9 次谐波……叠加无穷

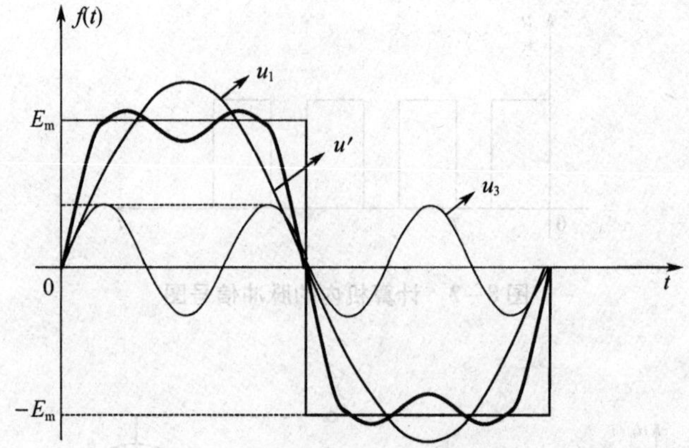

图 8－5　谐波合成示意图

多个，其最终结果肯定与周期性方波电压的波形重合。

实际上，方波信号是由振幅按 1，1/3，1/5，…规律递减、频率按基波频率的 1，3，5…奇数倍递增的 u_1, u_3, u_5…正弦波的合成波。因此方波电压的谐波展开式可表示为

$$u(t)=U_{m1}\left(\sin\omega_1 t+\frac{1}{3}\sin 3\omega_1 t+\frac{1}{5}\sin 5\omega_1 t+\cdots\right)$$

通过上述分析可知，一系列振幅不同，频率成整数倍的正弦波，叠加以后可构成一个非正弦周期波。

既然不同频率的正弦量和直流分量可以叠加成一个周期性的非正弦量，那么反过来一个非正弦的周期量是否也可分解为正弦分量和直流分量呢？数学上已有了肯定的答案，一切满足狄里赫利条件的周期函数都可以分解为傅里叶级数。这样就可将非正弦周期量分解为若干个正弦交流电路来求解。

下面介绍非正弦周期量的分解。

8.2.2　非正弦周期量的分解

傅里叶级数是线性电路分析中非常重要的数学工具。任一周期电流或电压信号都可以写成周期函数形式。即

$$f(t)=f(t+kT),k=0,1,2,3,\cdots$$

式中，T 是周期函数的周期。

如果周期性函数 $f(t)$ 满足狄里赫利条件，它就可以展开成一个收敛的傅里叶级数形式，即

$$\begin{aligned}f(t)&=a_0+[a_1\cos(\omega_1 t)+b_1\sin(\omega_1 t)]+[a_2\cos(2\omega_1 t)+b_2\sin(2\omega_1 t)]+\cdots+\\&\quad[a_n\cos(n\omega_1 t)+b_n\sin(n\omega_1 t)]+\cdots\\&=a_0+\sum_{n=1}^{\infty}[a_n\cos(n\omega_1 t)+b_n\sin(\omega_1 t)]\end{aligned}\qquad(8-1)$$

为了使傅里叶级数形式方便用相量法分析多个不同频率正弦信号作用下电路的稳态响应，傅里叶级数可展开为另外一种形式，即

$$
\begin{aligned}
f(t) &= A_0 + A_{1m}\cos(\omega_1 t + \psi_1) + A_{2m}\cos(2\omega_1 t + \psi_2) + \\
&\quad \cdots + A_{nm}\cos(n\omega_1 t + \psi_n) + \cdots \\
&= A_0 + \sum_{n=1}^{\infty} A_{nm}\cos(n\omega_1 t + \psi_n)
\end{aligned}
\tag{8-2}
$$

式(8－2)中，第一项 A_0 称为周期函数 $f(t)$ 的恒定分量，也通常称为直流分量；第二项 $A_{1m}\cos(\omega_1 t + \psi_1)$ 称为一次谐波，也通常称为周期函数 $f(t)$ 的基波分量，其频率与原周期函数 $f(t)$ 相同；其他各项的频率为基波频率的整数倍，即 2 次、3 次、4 次、……、n(n 为正整数)次谐波。一般地，把 n 为奇数的谐波称为非正弦周期函数的奇次谐波；n 为偶数时则称为非正弦周期波的偶次谐波，把 2 次以上的谐波均称为高次谐波；ψ_n 为第 n 次谐波的初相角。我们将这种一个周期函数利用傅里叶级数分解成一系列谐波之和的方法称为谐波分析。

通过计算不难得出式(8－1)和式(8－2)两种傅里叶展开式的系数之间的关系为

$$A_0 = a_0$$

$$A_{nm} = \sqrt{a_n^2 + b_n^2}$$

$$a_n = A_{nm}\cos\psi_n$$

$$b_n = -A_{nm}\sin\psi_n$$

$$\theta_n = \tan^{-1}\frac{a_n}{b_n}$$

$$\psi_n = \tan^{-1}\left(\frac{-b_n}{a^n}\right)$$

经过上述分析可以看出，一个非正弦周期函数可以表示成式(8－1)或式(8－2)的傅里叶级数形式，该函数形式虽然准确地反映了周期函数的分解结果，但是不够直观。为了更加直观地看出一个周期函数 $f(t)$ 展开成傅里叶级数形式后，其存在哪些频率分量、各频率分量所对应谐波幅值、初相角的大小之间的关系，引入频谱图的概念。

8.2.3　周期信号的频谱

按照频率的高低顺序把各谐波对应的幅值分别用线段表示在直角坐标系中的图形称为幅度频谱(amplitude spectrum)。

按照频率的高低顺序把各谐波对应的初相角表示在直角坐标系中的图形称为相位频谱(phase spectrum)。幅度频谱和相位频谱统称为非线性周期函数 $f(t)$ 频谱图，简称频谱。

一般地，若无特别说明，所说的频谱专门指幅度频谱。$f(t)$ 的频谱图如图 8－6 所示。

显然，频谱图可以非常直观地反映出非正弦周期信号所包含的谐波分量以及各次谐波分量所占的“比重”。如果把幅度频谱的顶端用虚线连接起来，则该虚线就称为幅度频谱的包络线。

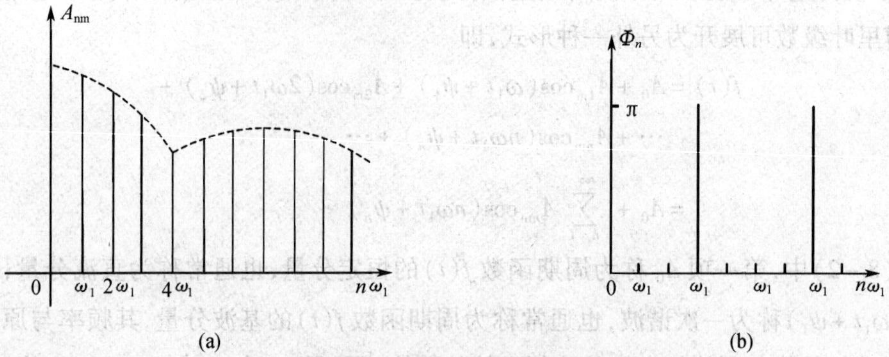

图 8-6　周期信号 $f(t)$ 频谱图

(a)幅度频谱;(b)相位频谱

8.2.4　非正弦周期量的对称性

电工技术中,常遇到的非正弦周期信号 $f(t)$ 的波形满足某种对称性,将其展开成傅里叶级数表达式时,有些项将不出现,保留的傅立叶系数变得比较简单。波形的对称性有两类:一类是对整周期对称,例如偶函数和奇函数;另一类是对半周期对称。

1. 偶函数

偶函数关于纵轴对称,即满足 $f(t)=f(-t)$。

傅里叶系数 $a_n=\frac{2}{T}\int_0^T f(t)\cos(n\omega_1 t)\,\mathrm{d}t$ 中的 $f(t)\cos(n\omega_1 t)$ 是偶函数,而 $b_n=\frac{2}{T}\int_0^T f(t)\sin(n\omega_1 t)\,\mathrm{d}t$ 中的 $f(t)\sin(n\omega_1 t)$ 是奇函数,则 $a_n=\frac{4}{T}\int_0^{T/2} f(t)\cos(n\omega_1 t)\,\mathrm{d}t\neq 0$,$b_n=0$。所以,偶函数的傅里叶级数 $f(t)=a_0+\sum_{n=1}^{\infty}[a_n\cos(n\omega_1 t)+b_n\sin(\omega_1 t)]$ 中,不含正弦项,只可能含有恒定分量和余弦项。

2. 奇函数

奇函数信号波形相对于原点对称,即满足 $f(t)=-f(-t)$。

经分析知,傅里叶系数 $a_n=\frac{2}{T}\int_0^T f(t)\cos(n\omega_1 t)\,\mathrm{d}t=0$,$b_n=\frac{2}{T}\int_0^T f(t)\sin(n\omega_1 t)\,\mathrm{d}t\neq 0$,所以在奇函数的傅里叶级数中不会含有恒定分量($a_0=0$)和余弦项,只可能含有正弦项。

3. 奇谐波函数

奇谐函数波形镜像对称的,即移动半个周期后与原来的波形关于横轴对称(见图 8-7),满足 $f(t)=-f\left(t+\frac{T}{2}\right)$。

经分析知,傅里叶系数

$$a_n=\begin{cases}0,n\text{ 为偶数}\\ \frac{4}{T}\int_0^{T/2} f(t)\cos k\omega t\mathrm{d}t,n\text{ 为奇数}\end{cases};b_n=\begin{cases}0,n\text{ 为偶数}\\ \frac{4}{T}\int_0^{T/2} f(t)\sin k\omega t\mathrm{d}t,n\text{ 为奇数}\end{cases}$$

即，$a_{2k}=b_{2k}=0, k=0,1,2,3,\cdots$所以在奇谐函数的傅里叶级数中展开式中只有奇次谐波。计算奇次谐波系数，只需计算半个周期内积分。

由上述几种对称波形可以看出，非正弦周期函数的傅里叶展开式中各谐波振幅 A_{nm} 以及各次谐波与该函数波形的相对位置是一定的，不会因为计时起点的移动而改变；而各谐波的初相 ψ_n 将随计时起点的变动相应地改变。傅里叶系数 a_n、b_n 与初相 ψ_n 有关，将随计时起点的变动而发生改变。

可以得出以下结论：

(1)奇、偶函数可能与计时起点有关，奇次谐波函数与计时起点无关；

(2)级数收敛快慢与波形光滑程度及接近正弦波程度有关。

当存在上述任何一个条件时，谐波分析可简化：不必计算等于零的系数；计算非零系数时，积分区间可减半，同时积分式乘以2。

【例8－2】　求图8－7所示三角波的傅里叶展开式。

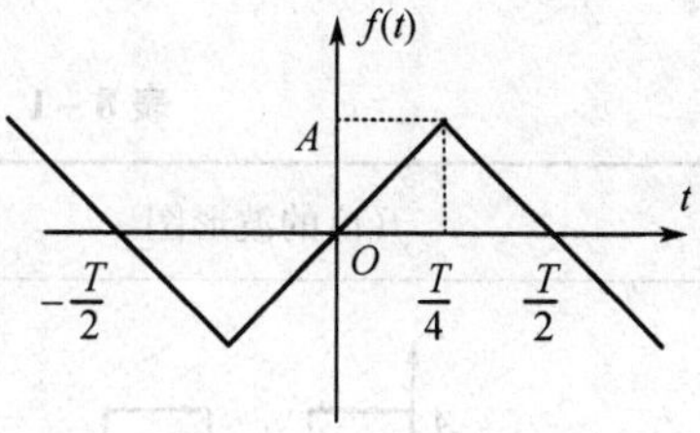

图8－7　【例8－2】图

解

$f(t)=-f(-t)$，$A_0=0$，$a_n=0$，只需求 b_n。

$f(t)=-f(t\pm T/2)$，展开式中只有奇次谐波，存在两个对称条件，可在 $T/4$ 内积分，并乘以4。

当 $0<t\leqslant T/4$ 时，$f(t)=\left(\dfrac{4A}{T}\right)t$，则

$$
\begin{aligned}
b_n &= \frac{4\times 2}{T}\int_0^{T/4} f(t)\sin(n\omega_1 t)\,\mathrm{d}t \\
&= \frac{8}{T}\int_0^{T/4}\frac{4A}{T}t\sin(n\omega_1 t)\,\mathrm{d}t \\
&= \frac{8A}{k^2\pi^2}\sin\frac{k\pi}{2} \\
&= \begin{cases} \dfrac{8A}{k^2\pi^2}, & \text{当 } k=1,5,9,\cdots \\ -\dfrac{8A}{k^2\pi^2}, & \text{当 } k=3,7,11\cdots \end{cases}
\end{aligned}
$$

代入 $f(t)=A_0+\sum\limits_{n=1}^{\infty}A_{nm}\cos(n\omega_1 t+\psi_n)$，得三角波的傅里叶展开式为

$$
f(t)=\frac{8A}{k^2\pi^2}\left(\sin\omega_1 t-\frac{1}{9}\sin 3\omega_1 t+\frac{1}{25}\sin 5\omega_1 t-\cdots\right)
$$

三角波的谐波振幅与 k^2 成反比，三角波幅度频谱如图8－8所示。

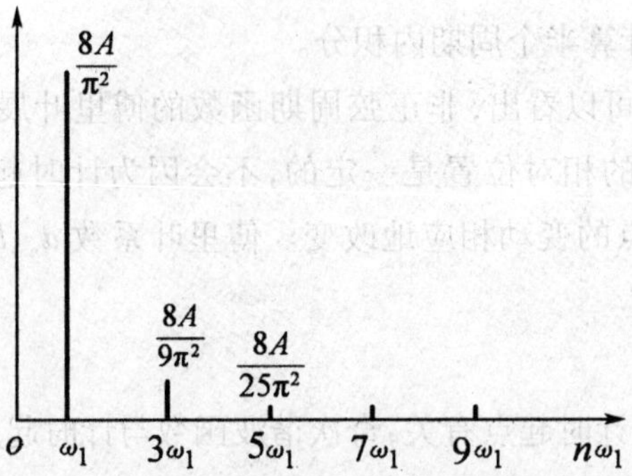

图 8－8　三角波的幅度频谱图

几种常见周期函数的傅里叶级数见表 8－1。

表 8－1　几种常见周期函数的傅里叶级数

$f(t)$ 的波形图	$f(t)$ 的傅里叶级数
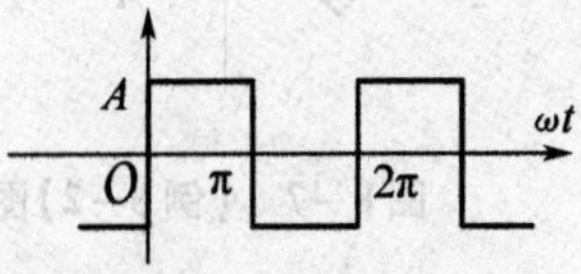	$f(\omega t)=\frac{4A}{\pi}(\sin\omega t+\frac{1}{3}\sin 3\omega t+\frac{1}{5}\sin 5\omega t+\cdots+\frac{1}{k}\sin k\omega t+\cdots)$（$k$ 为奇数）
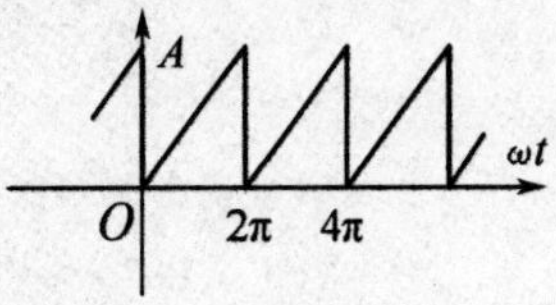	$f(\omega t)=\frac{A}{2}-\frac{A}{\pi}(\sin\omega t+\frac{1}{2}\sin 2\omega t+\frac{1}{3}\sin 3\omega t+\cdots+\frac{1}{k}\sin k\omega t+\cdots)$
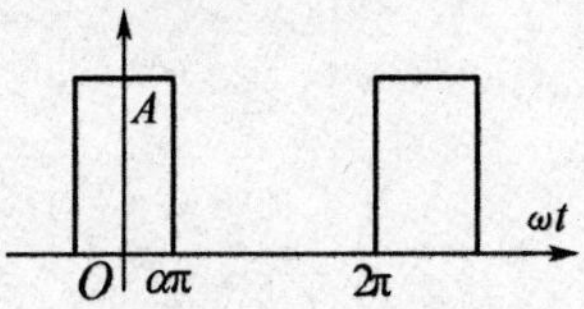	$f(\omega t)=\alpha A+\frac{2A}{\pi}(\sin\alpha\pi\cos\omega t+\frac{1}{2}2\alpha\pi\cos 2\omega t+\frac{1}{2}\sin 3\alpha\pi\cos\omega t+\cdots)$
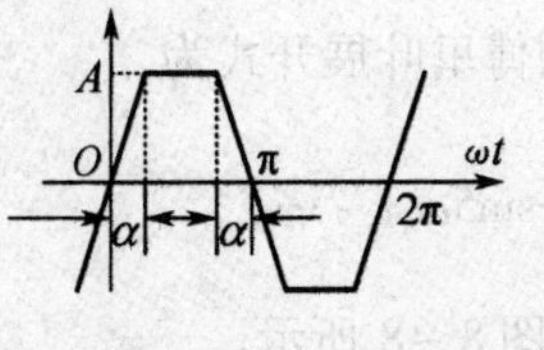	$f(\omega t)=\frac{4A}{\alpha\pi}(\sin\alpha\sin\omega t+\frac{1}{9}\sin 3\alpha\sin\omega 3\omega t+\frac{1}{25}\sin 5\alpha\sin 5\omega+\cdots+\frac{1}{k}\sin k\alpha\sin k\omega t+\cdots)$（$k$ 为奇数）
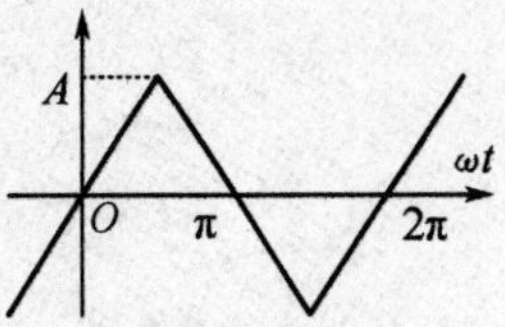	$f(\omega t)=\frac{8A}{\pi^2}(\sin\omega t-\frac{1}{9}\sin 3\omega t+\frac{1}{25}\sin 5\omega t-\cdots+\frac{(-1)^{\frac{k-1}{2}}}{k^2}\sin k\omega t+\cdots)$（$k$ 为奇数）

表 8-1(续)

$f(t)$的波形图	$f(t)$的傅里叶级数
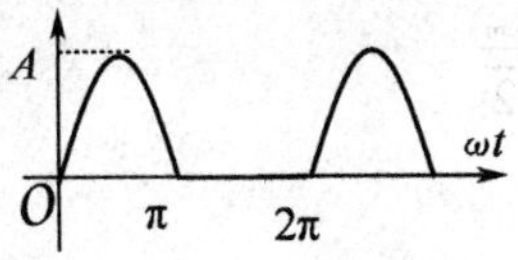	$f(\omega t)=\frac{A}{\pi}(1+\frac{\pi}{2}\cos\omega t-\frac{2}{3}\cos2\omega t$ $-\frac{2}{15}\cos4\omega t-\cdots$ $-\frac{2}{(k-1)(k+1)}\cos k\omega t-\cdots)$ (k 为偶数)

8.3　非正弦周期量的有效值、平均值和平均功率

8.3.1　有效值

工程中,常将周期电流或电压在一个周期内产生的平均效应换算为在效应上与之相等的直流量,以衡量和比较周期电流或电压的效应,这一直流量就称为周期量的有效值。电压和电流的有效值分别用相应的大写字母 U、I 表示。

有效值是根据电流的热效应来确定的。可通过比较电阻(两个等值电阻)获得周期电流 $i(t)$ 和有效值电流 I 之间的关系,有效值定义为

$$I=\sqrt{\frac{1}{T}\int_0^T i^2\mathrm{d}t} \tag{8-3}$$

式(8-3)表示周期量的有效值等于其瞬时值的平方在一个周期内积分的平均值再取平方根,因此有效值又称均方根值。上式有效值的定义是适用于一切周期量,无论是对正弦周期量,还是对非正弦周期量都适用。

当电流 $i(t)$ 是正弦量时,可以得出正弦量的有效值与正弦量的振幅之间的特殊关系,即

$$I=\sqrt{\frac{1}{T}\int_0^T[I_{\mathrm{m}}\sin(\omega t+\psi_{in})]^2\mathrm{d}t}=\frac{I_{\mathrm{m}}}{\sqrt{2}} \tag{8-4}$$

因此正弦量的有效值与其振幅之间存在$\sqrt{2}$的关系,与频率和初相无关。

当 $i(t)$ 是非正弦周期信号时,分析有效值与各次谐波有效值之间的关系:

将 $i(t)$ 按照傅里叶级数形式展开,则有

$$i(t)=I_0+\sum_{n=1}^{\infty}I_{n\mathrm{m}}\sin(n\omega_1 t+\psi_{in}) \tag{8-5}$$

将式(8-5)代入式(8-3),得 $i(t)$ 的有效值为

$$I=\sqrt{\frac{1}{T}\int_0^T[I_0+\sum_{n=1}^{\infty}I_{n\mathrm{m}}\sin(n\omega_1 t+\psi_{in})]^2\mathrm{d}t} \tag{8-6}$$

将式(8-6)中积分内平方项展开,得非正弦周期电流 $i(t)$ 的有效值计算公式为

$$I=\sqrt{I_0^2+I_1^2+I_2^2+\cdots}=\sqrt{I_0^2+\sum_{n=0}^{\infty}I_n^2}=\sqrt{I_0^2+\sum_{n=0}^{\infty}\left(\frac{I_{nm}}{\sqrt{2}}\right)^2} \tag{8-7}$$

式(8-7)中，I_{nm}为 n 次谐波的振幅，I_n 为其有效值，它们之间的关系为

$$I_1=\frac{I_{1m}}{\sqrt{2}},I_2=\frac{I_{2m}}{\sqrt{2}},\cdots,I_n=\frac{I_{nm}}{\sqrt{2}} \tag{8-8}$$

同理可得，非正弦周期电压 $u(t)$ 的有效值公式为

$$U=\sqrt{U_0^2+U_1^2+U_2^2+\cdots}=\sqrt{U_0^2+\sum_{n=0}^{\infty}U_n^2} \tag{8-9}$$

式中，$U_1,U_2,\cdots,U_n$ 为各次谐波分量电压的有效值。

任意周期量的有效值等于它的恒定分量、基波分量与各谐波分量有效值的平方和的平方根，与各次谐波初相无关。

注意，非正弦周期量的有效值和最大值之间不存在$\frac{1}{\sqrt{2}}$的关系，即 $U_n\neq\sqrt{2}U,I_n\neq\sqrt{2}I$。而两个有效值相同的非正弦周期量的最大值未必相同。

由此可见，非正弦周期电流的有效值等于其直流分量及各谐波分量有效值的平方之和的平方根。此结论适合一切非正弦周期量。

【例 8-3】 已知周期电流 $i=1+\sqrt{2}\sin(\omega t+30°)+10\sin(2\omega t-150°)$ A，试求其有效值。

解

将周期电流 $i=1+\sqrt{2}\sin(\omega t+30°)+10\sin(2\omega t-150°)$ A 的直流分量及各谐波分量的有效值代入有效值公式 $I=\sqrt{I_0^2+\sum_{n=0}^{\infty}I_n{}^2}$，得

$$I=\sqrt{1^2+\left(\frac{\sqrt{2}}{\sqrt{2}}\right)^2+\left(\frac{10}{\sqrt{2}}\right)^2}\ \text{A}=\sqrt{52}\ \text{A}=7.212\ \text{A}$$

8.3.2 平均值、整流平均值

在工程实践中经常用到平均值的概念。如果 $f(t)$ 是正弦电流量，即 $f(t)=i(t)=I_m\cos(\omega t)$，那么正弦电流量的平均值为

$$I_{av}=\frac{1}{T}\int_0^T|I_m\cos(\omega t)|\mathrm{d}t=\frac{4I_m}{T}\int_0^{\frac{T}{4}}\cos(\omega t)\mathrm{d}t=\frac{4I_m}{\omega T}[\sin(\omega t)]_0^{\frac{T}{4}}=0.637I_m=0.898I \tag{8-10}$$

对于二极管整流电路来说正弦电流平均值等同于“全波整流”后的平均值，上述平均值一般称为整流平均值。这是因为取电流量的绝对值是将负半周的值取反号变为正值。

对于非正弦周期电流的平均值，等于其电流绝对值的平均值。

在工程上，在测量同一非正弦周期电压、电流时，不同类型的仪表测量同一个非正弦周期电压、电流时会有结果不同。比如，采用电磁型仪表非正弦周期电压、电流时，所测的结

果是其对应的有效值;而采用整流型仪表所测的结果是电流的平均值。因此要根据被测要求选择适当的仪表。一般实验室用的仪器仪表的读数为其对应的有效值,而不是最大值。

8.3.3　平均功率

在电路分析中,功率问题是衡量非正弦周期电流电路的重要指标,接下来讨论这一问题。

设加在二端网络的电压 $u(t)$、电流 $i(t)$ 为非正弦周期量,其傅里叶展开式分别为

$$i(t)=I_0+\sum_{n=1}^{\infty}I_{nm}\sin(n\omega_1 t+\psi_{in})$$

$$u(t)=U_0+\sum_{n=1}^{\infty}U_{nm}\sin(n\omega_1 t+\psi_{un})$$

当电压 $u(t)$、电流 $i(t)$ 取关联参考方向时,则此二端口吸收的瞬时功率为

$$p(t)=u(t)i(t)$$

二端网络吸收的平均功率的计算公式为

$$P=U_0I_0+\sum_{n=1}^{\infty}U_nI_n\cos\varphi_n=P_0+\sum_{n=1}^{\infty}P_n \tag{8-11}$$

式(8-11)表明,非正弦周期电流(或电压)电路的平均功率等于直流分量和各次谐波分别产生的平均功率的代数和。显然,只有相同频率的电压谐波与电流谐波产生平均功率,不同频率的电压谐波、电流谐波只能形成瞬时功率不产生平均功率。

【例8-4】　某二端网络端口电压 u 和端口电流 i 关联参考方向时,已知

$$u(t)=[10+100\sin(\omega t)+50\sqrt{2}\sin(3\omega t+60°)]\ \text{V}$$

$$i(t)=[\sin(\omega t-60°)+14.14\sin(3\omega t+60°)]\ \text{A}$$

求二端网络吸收的平均功率。

解

由式(8-11)可计算平均功率,即

$$P=P_0+P_1+P_3$$

$$=10\ \text{V}\times 0\ \text{A}+\frac{100}{\sqrt{2}}\ \text{V}\times\frac{1}{\sqrt{2}}\cos[0°-(-60°)]\ \text{A}+\frac{50\sqrt{2}}{\sqrt{2}}\ \text{V}\times\frac{14.14}{\sqrt{2}}\cos(60°-60°)\ \text{A}$$

$$=0\ \text{W}+25\ \text{W}+500\ \text{W}$$

$$=525\ \text{W}$$

注意:在比较正弦量的电压和电流相位差时,频率必须相同,函数表达形式必须相同,函数前面的符号必须同为正或同为负,初相位的单位必须一致,否则不能直接比较。

【例8-5】　某二端网络端口电压 u 和端口电流 i 关联参考方向时,当

$$u(t)=[10+100\sin(\omega t)+50\sqrt{2}\sin(3\omega t+60°)]\ \text{V}$$

$$i(t)=[\sin(\omega t-60°)+14.14\cos(3\omega t+60°)]\ \text{A}$$

求该二端网络的平均功率。

解

注意：在比较正弦量的电压和电流相位差时，频率必须相同，函数表达形式必须相同，函数前面的符号必须同为正或同为负，初相位的单位必须一致，否则不能直接比较。

首先将正弦量三次谐波分量转换为统一形式，把电流的三次谐波分量用标准正弦量的正弦形式进行表示，即

$$i(t) = \{\sin(\omega t - 60°) + 14.14\sin[(3\omega t + 60° + 90°)]\}\ \text{A}$$

由式(8-11)可计算平均功率

$$\begin{aligned}P &= P_0 + P_1 + P_3\\ &= 10\ \text{V} \times 0\ \text{A} + \frac{100}{\sqrt{2}}\text{V} \times \frac{1}{\sqrt{2}}\cos[0° - (-60°)]\ \text{A} +\\ &\quad \frac{50\sqrt{2}}{\sqrt{2}}\ \text{V} \times \frac{14.14}{\sqrt{2}}\cos[60° - (60° + 90°)]\ \text{A}\\ &= 0\ \text{W} + 25\ \text{W} + 0\ \text{W}\\ &= 25\ \text{W}\end{aligned}$$

【例8-4】与【例8-5】的不同之处在于，端口电流中的三次谐波分量与端口电压的三次谐波分量的标准正弦量函数形式不一样，需要转换统一形式。即在求解同频率的电压谐波和电流谐波产生的平均功率时，各谐波分量的电压和电流表达式必须转换为标准正弦量形式，并且用统一形式表示，即同为正弦或同为余弦的形式。

分析非正弦周期电路时，平均功率是一非常重要的物理量，计算平均功率时注意：

(1)平均功率=直流分量的功率+各次谐波的平均功率。

(2)相同频率的电压谐波与电流谐波产生平均功率。其中包括：直流电流与直流电压、相同频率谐波的电压与电流产生平均功率。

(3)不同频率的电压谐波、电流谐波只能形成瞬时功率不产生平均功率。其中包括：直流电压与各次谐波电流、直流电流与各次谐波电压、不同频率的电压谐波与电流谐波均不产生平均功率。

(4)在求解同频率的电压谐波和电流谐波产生平均功率时，注意相位差的求解规则。频率必须相同，函数表达形式必须相同，函数前面的符号必须同为正或同为负，初相位的单位必须一致，否则不能直接做比较。

8.4　非正弦周期电流电路的计算

在工程上,周期性的激励(电压或电流)信号的函数表达式一般都满足狄里赫利条件,因此可以展开成收敛的傅里叶级数(傅氏级数)。对于电路中含有多个不同频率的正弦量激励作用时,不能像分析含有多个同频率正弦激励的电路那样用同一电路模型运用相量法进行求解,而是要用线性的叠加定理求分别求解各个正弦量分别单独作用在电路中产生的分响应(电压或电流),再将其转换为对应的时域表达式,然后叠加就可以得到电路在非正弦周期激励下的总响应。这种方法称为谐波分析法。

非正弦周期电路的谐波分析法具体步骤如下:

(1)将给定的非正弦周期的激励(电压或电流)或外施信号信号按照傅里叶级数形式展开,对于信号的谐波次数取到那一项为止,需要根据精度要求而定。

(2)计算激励源的直流分量及各次谐波单独作用时产生的响应。

①用电阻电路的分析方法求解直流分量($\omega=0$)单独作用时电路的响应。当直流分量单独作用时电容元件相当于开路、电感元件相当于短路,画出等效电路模型,此时电路为电阻电路,可以用所学过的线性直流电路的任一分析方法进行求解。

②用正弦交流电路的相量法分析各次谐波分量单独作用时电路的响应。当各次谐波分量单独作用时电路成为正弦交流电路,应用计算正弦电流电路的相量法进行求解。

注意,电感元件和电容元件对于不同频率的谐波呈现不同的电抗,并把各次谐波分量响应的相量形式转换为时域形式。

(3)应用叠加原理,把步骤(2)所计算出的响应结果的时域表达式进行叠加得到电路中待求的总响应。

注意,对表示不同频率的正弦电压相量或电流相量直接求和是毫无意义的,最终的响应是关于时间的函数表达式。

下面通过具体例子来说明谐波分析法的解题步骤。

【例8-6】　图8-9(a)示电路,$u=[10+12\sqrt{2}\sin(\omega t)+6\sqrt{2}\sin(2\omega t)]$ V,$\omega L=2\ \Omega$,$\dfrac{1}{\omega C}=8\ \Omega$,求电容电压的有效值。

解

(1)当 U_S 的直流分量 $U_{(0)}=10$ V 单独作用时,电感相当于短路,电容相当于开路,其等效电路如图8-9(b)所示,则

$$U_{C(0)}=U_{(0)}=10\ \text{V}$$

(2)当 $u_{(1)}=12\sqrt{2}\sin(\omega t)$ V 单独作用时,其等效电路如图8-9(c)所示。令

$$\dot{U}_{(1)}=12\angle 0^\circ\ \text{V}$$

电路中的感抗　　$X_L=\omega L=2\ \Omega$

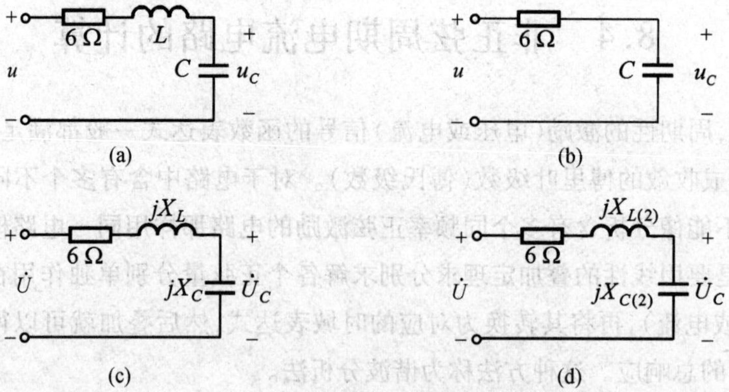

图 8－9 【例 8－6】图

电路中的容抗 $X_C = -\dfrac{1}{\omega C} = -8\ \Omega$

RLC 串联电路的等效阻抗 $Z = 6\ \Omega + j(X_L + X_C) = 6\ \Omega + j(2\ \Omega - 8\ \Omega) = (6 - j6)\ \Omega$

电容电压 $\dot{U}_{C(1)} = \dfrac{jX_C}{Z} \times \dot{U}_{(1)} = \dfrac{-j8\ \Omega}{(6-j6)\ \Omega} \times 12\angle 0°\ \text{V} = 8(1-j)\ \text{V} = 8\sqrt{2}\angle -45°\ \text{V}$

(3) 当 $u_{(2)} = 6\sqrt{2}\sin(2\omega t)$ V 单独作用时，其等效电路如图 8－9(d) 所示。令

$$\dot{U}_{(2)} = 6\angle 0°\ \text{V}$$

电路中的感抗 $X_{L(2)} = 2\omega L = 4\ \Omega$

电路中的容抗 $X_{c(2)} = -\dfrac{1}{2\omega C} = -4\ \Omega$

RLC 串联电路的等效阻抗 $Z = 6\ \Omega + j(X_L + X_C) = 6\ \Omega + j(4\ \Omega - 4\ \Omega) = 6\ \Omega$

电容电压 $\dot{U}_{C(2)} = \dfrac{jX_C}{Z} \times \dot{U}_{(2)} = \dfrac{-j4\ \Omega}{6\ \Omega} \times 6\angle 0°\ \text{V} = -j4\ \text{V} = 4\angle -90°\ \text{V}$

(4) 电容电压有效值

$$U_C = \sqrt{U_{C(0)}^2 + U_{C(1)}^2 + U_{C(2)}^2} = \sqrt{10^2 + (8\sqrt{2})^2 + 4^2}\ \text{V} = \sqrt{244}\ \text{V} = 15.62\ \text{V}$$

重点串联

1. 同频率的正弦电源同时作用在某一线性电路时，在电路的各部分产生的稳态电压、电流都是同频率的正弦量。

2. 恒定的直流电压、电流没有谐波。通常电压电流的有效值用大写字母 U、I 表示，其对应的最大值用 U_m、I_m 表示。实验室用的仪器仪表的读数值大多是指有效值，而不是最大值。

3. 对于非正弦电量 $i(t)$ 和 $u(t)$：

I_0, U_0——直流分量，可用磁电式指针仪表测量；

I, U——有效值，可用电磁或电动式指针仪表测量；

I_{av}, U_{av}——平均值，可用全波整流磁电式指针仪表测量。

4. 正弦量的有效值与其最大值之间存在$\frac{1}{\sqrt{2}}$的关系，$U_n=\sqrt{2}U$，$I_n=\sqrt{2}I$，与频率和初相无关；非正弦周期量的有效值与其最大值之间不存在$\frac{1}{\sqrt{2}}$的关系，即 $U_n\neq\sqrt{2}U$，$I_n\neq\sqrt{2}I$；而对于两个有效值相同的非正弦周期量的最大值未必相同。

- 工具：傅里叶级数
  - $f(t)=a_0+\sum\limits_{n=1}^{\infty}[a_n\cos(n\omega_1 t)+b_n\sin(\omega_1 t)]$
  - $f(t)=A_0+\sum\limits_{n=1}^{\infty}A_{nm}\cos(n\omega_1 t+\psi_n)$
- 包含项
  - 直流分量
  - 基波分量
- 谐波分量

5. 非正弦周期信号谐波分析

- 频谱
  - 幅度频谱
  - 相位频谱
- 对称性
  - 正周期对称
    - 偶函数：关于纵轴对 $b_n=0$
    - 奇函数：关于原点对称 $a_n=0$
  - 半周期对称：奇谐波函数：镜像对称 $a_{2k}=b_{2k}=0$

6. 计算公式

- 有效值
  - 电流有效值公式：$I=\sqrt{I_0^2+I_1^2+I_2^2+\cdots}=\sqrt{I_0^2+\sum\limits_{n=0}^{\infty}I_n^2}=\sqrt{I_0^2+\sum\limits_{n=0}^{\infty}\left(\frac{I_{nm}}{\sqrt{2}}\right)^2}$
  - 电压有效值公式：$U=\sqrt{U_0^2+U_1^2+U_2^2+\cdots}=\sqrt{U_0^2+\sum\limits_{n=0}^{\infty}U_n^2}$
- 平均值：$F_{av}=\frac{1}{T}\int_0^T|f(t)|\mathrm{d}t$
- 平均功率：$P=U_0I_0+\sum\limits_{n=1}^{\infty}U_nI_n\cos\varphi_n=P_0+\sum\limits_{n=1}^{\infty}P_n$

$I=\sqrt{I_0^2+\sum\limits_{n=0}^{\infty}{I_n}^2}$ 中，$I_n=\frac{I_{nm}}{\sqrt{2}}$，$I_n$ 是 n 次谐波的有效值，I_{nm}是 n 次谐波的最大值；I_0 为直流分量，计算时切忌不要除以$\sqrt{2}$。

分析非正弦周期电路时，平均功率是一非常重要的物理量，计算平均功率时注意：

（1）平均功率 = 直流分量的功率 + 各次谐波的平均功率。

（2）相同频率的电压谐波与电流谐波产生平均功率。其中包括：直流电流与直流电压、相同频率谐波的电压与电流产生平均功率。

（3）不同频率的电压谐波、电流谐波只能形成瞬时功率不产生平均功率。其中包括：直流电压与各次谐波电流、直流电流与各次谐波电压、不同频率的电压谐波与电流谐波均不产生平均功率。

（4）在求解同频率的电压谐波和电流谐波产生平均功率时，注意相位差的求解规则。频率必须相同，函数表达形式必须相同，函数前面的符号必须同为正或同为负，初相位的单位必须一致，否则不能直接做比较。

7. 非正弦周期电路的分析方法——谐波分析法：

（1）信号分解傅里叶级数形式；

（2）计算激励源的直流分量及各次谐波单独作用时产生的响应，并写出时域表达式；

（3）应用叠加原理，响应结果的时域表达式进行叠加得到电路中待求的总响应。

8. 谐波分析法是对非正弦周期电路分析分析非常重要的工具，下面初学者往往在解题时容易出现错误的地方做几点说明：

（1）电感元件和电容元件对于不同频率的谐波呈现不同的电抗，即

$$X_{L(n)}=\omega_n L=n\omega_1 L, X_{C(n)}=\frac{1}{\omega_n C}=\frac{1}{n\omega_1 C}, n=1,2,3,\cdots;$$

式中 X_{L1}——基波感抗；

X_{C1}——基波容抗；

ω_n——n 次谐波的角频率；

ω_1——基波频率。

（2）注意当各次谐波分量单独作用在电路中用的相量法进行求解的响应的相量需转换为时域形式。

（3）不同频率的各次谐波响应不能画在同一个相量图上，也不能出现在同一个相量表达式中。

（4）对表示不同频率的正弦电压相量或电流相量直接求和是毫无意义的，最终的响应是关于时间的函数表达式。

习　题　8

一. 填空题

1. 非正弦信号分为________和________两种。

2. 非正弦周期信号定义:随时间按________规律变化的周期性电压和电流。

3. 同频率的正弦电源同时作用在某一线性电路时,在电路的各部分产生的稳态电压、电流都是________的正弦量;电路中存在非线性元件或是在非正弦激励(电压或电流)作用下,电路中都会产生________的响应(电压或电流)。

4. 非线性周期函数频谱图包括:________和________,统称为频谱。

5. 非线性周期函数$f(t)$的对称性与傅里叶系数a_n、b_n关系。

(1)偶函数关于纵轴对称,$f(t)=f(-t)$,________。

(2)奇函数关于原点对称,$f(t)=-f(-t)$,________。

(3)奇谐波函数镜对称,$f(t)=-f\left(t+\frac{T}{2}\right)$,________。

6. 非正弦周期电流$i(t)$的有效值计算公式为

$$I=\sqrt{I_0^2+I_1^2+I_2^2+\cdots}=\sqrt{I_0^2+\sum_{n=0}^{\infty}I_n^2}=\sqrt{I_0^2+\sum_{n=0}^{\infty}\left(\frac{I_{nm}}{\sqrt{2}}\right)^2}$$

式中　I_{nm}——n次谐波的振幅;

I_n——其有效值,它们之间的关系为

____。

7. 只有相同频率的电压谐波与电流谐波产生平均功率,不同频率的电压谐波、电流谐波只能形成________,不产生平均功率。

8. 非正弦周期电路的谐波分析法,当各次谐波分量单独作用时电路成为正弦交流电路,应用计算正弦电流电路的相量法进行求解。注意电感元件和电容元件对于不同频率的谐波呈现不同的电抗,即

____。

式中　$n=1,2,3,\cdots$;

X_{L1}——基波感抗;

X_{C1}——基波容抗;

ω_n——n次谐波的角频率;

ω_1——基波频率。

9. 函数的波形越光滑和越接近正弦形,其傅里叶展开函数收敛得________。

10. 已知有源二端网络的端口电压和电流分别为：

$u=[50+85\sin(\omega t+30°)+56.6\sin(2\omega t+10°)$ V

$i=[1+0.707\sin(\omega t-20°)+0.424\sin(2\omega t+50°)$ A，电路所消耗的平均功率________。

二、选择题

1. 在题图 8－1 所示电路中，已知 $u_{S1}=[12+5\sqrt{2}\cos(\omega t)]$ V，$u_{S2}=5\sqrt{2}\cos(\omega t+240°)$ V。设电压表指示有效值，则电压表的读书为________ V。

A. 12　　B. 3　　C. 13.93

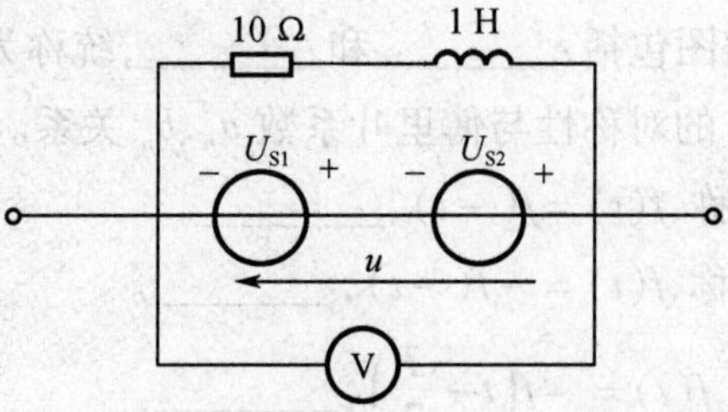

题图 8－1

2. 在题图 8－2 所示的电路中，已知 $U_S=\sqrt{2}\cos(100\,t)$ V，$i_S=[3+4\sqrt{2}\cos(100\,t-60°)]$ A，则 U_S 发出的平均功率为________ W。

A. 2　　B. 4　　C. 5

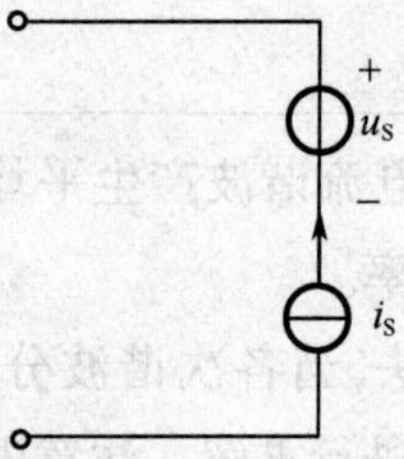

题图 8－2

3. 预测一周期性非正弦量的有效值，应用________仪表。

A. 电磁系　　B. 整流系　　C. 磁电系

4. 在题图 8－3 所示的电路中，$R=20\ \Omega$，$\omega L=5\ \Omega$，$\frac{1}{\omega C}=45\ \Omega$，$U_S=[100+276\cos(\omega t)+100\cos(3\omega t)]$ V，现欲使电流 i 中含有尽可能大的基波分量，Z 应是________元件。

A. 电阻　　B. 电感　　C. 电容

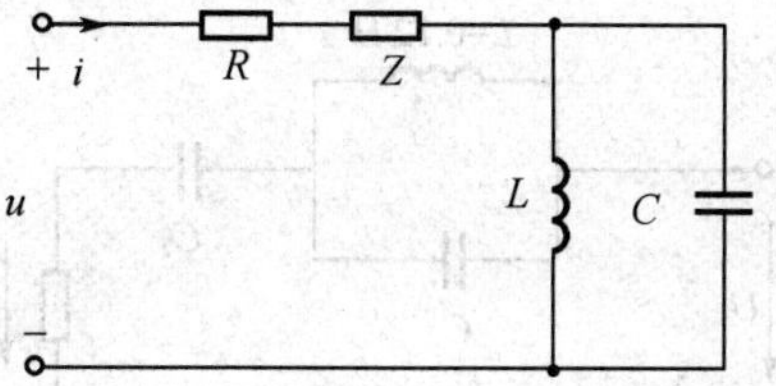

题图 8－3

5. 题图 8－4 所示电路处于稳态。已知 $R=50\ \Omega, \omega L=5\ \Omega, \dfrac{1}{\omega C}=45\ \Omega, U_S=[200+100\cos(3\omega t)]$ V,则电压表的读数及电流表的读数为________。

A. 70.7 V　4 A　　B. 7.07 V　4 A　　C. 70.7 V　0.4 A　　D. 70.7 V　40 A

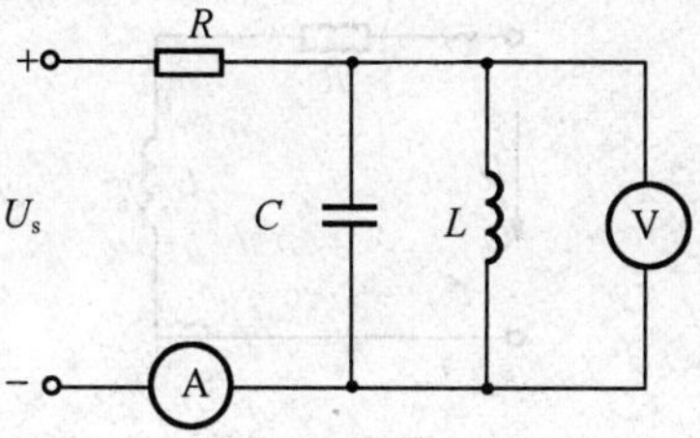

题图 8－4

6. 题图 8－5 所示电路中,当 $U_S=200\sqrt{2}\cos(\omega t+\varphi)$ V 时,测得 $I=10$ A;当 $u=[\sqrt{2}U_1\cos(\omega t+\varphi_1)+\sqrt{2}U_2\cos(3\omega t+\varphi_2)]$ V 时,测得 $U=200$ V,$I=6$ A,则 $U_1=$________。

A. 105.83 V　　B. 200.6 V　　C. 194.6 V　　D . 206 V

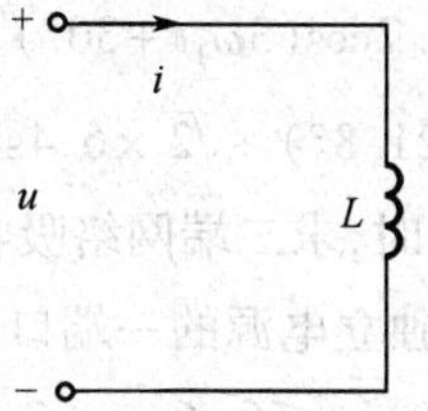

题图 8－5

7. 题图 8－6 所示电路为一滤波器,其输入电压为 $U_S=[U_{1m}\cos(\omega t)+U_{3m}\cos(3\omega t)]$,$\omega=314$ rad/s,现要使输出电压 $u_2=U_{1m}\cos(\omega t)$,则 C_1 和 C_2 电容分别为________。

A. 93.9 μF,7.51 μF　　B. 9.39 μF,75.1 μF

C. 9.39 μF,7.51 μF　　D. 93.9 μF,75.1 μF

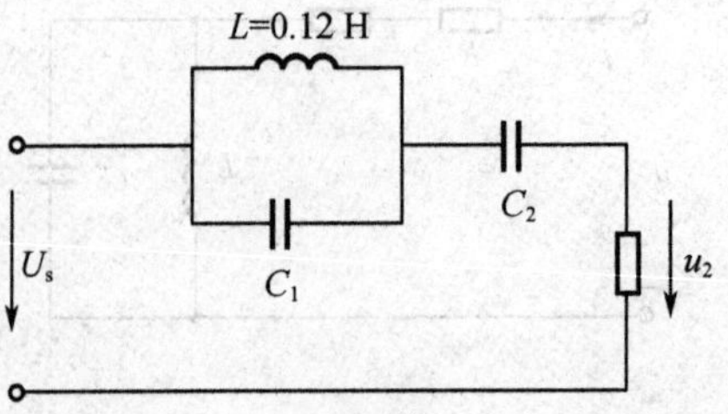

题图 8－6

8. 题图 8－7 所示电路中，$U_S = [10 + 20\cos(\omega t)]$ V，$R = \omega L = 10\ \Omega$，该电路吸收的平均功率为________。

A. 200 W　　B. 20 W　　C. 100 W　　D. 300 W

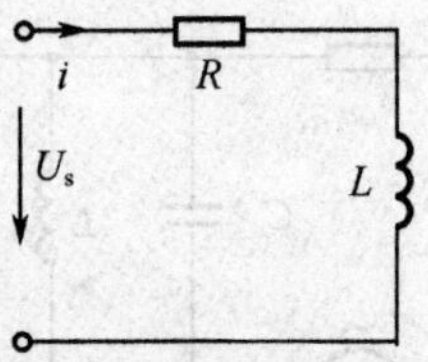

题图 8－7

三、计算题（问答题）

1. 试述基波、高次谐波、奇次谐波和偶次谐波的概念？

2. 电路中产生非正弦波的原因是什么？举例说明。

3. 已知周期电流 $i = 1 + 0.707\sin(\omega t - 20°) + 0.42\sin(2\omega t + 50°)$ A，试求其有效值。

4. 已知某二端网络的电压电流分别为

$u(t) = 10 + 141.4\cos(\omega_1 t) + 70.7\cos(3\omega_1 t + 30°)$ V

$i(t) = 2 + \sqrt{2} \times 18.55\cos(\omega_1 t - 21.8°) + \sqrt{2} \times 6.4\sin(3\omega_1 t + 69.81°)$ A

当 $u(t)$ 与 $i(t)$ 取关联参考方向时，求二端网络吸收的平均功率。

5. 如题图 8－8 所示，已知某无独立电源的一端口网络 N 的端口电压、电流为

$u = [50 + 84.6\cos(\omega t + 30°) + 56.6\cos(2\omega t + 10°)]$ V；

$i = [1 + 0.707\cos(\omega t - 20°) + 0.424\cos(2\omega t + 50°)]$ A。

求一端口网络输入的平均功率。

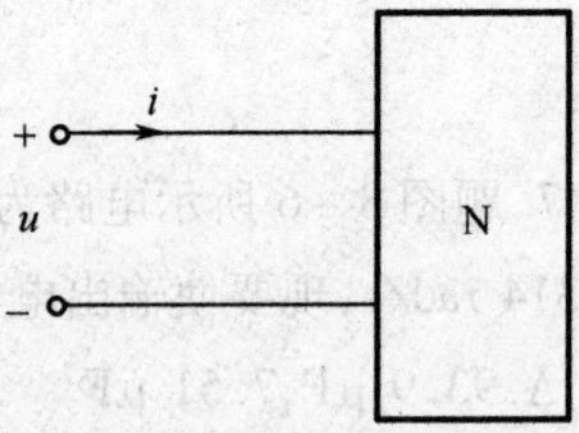

题图 8－8

6. 题图 8－9 示电路中，$U_S = [10 + 10\sqrt{2}\cos 100t]$ V，求电流 i_1 的瞬时值和有效值。

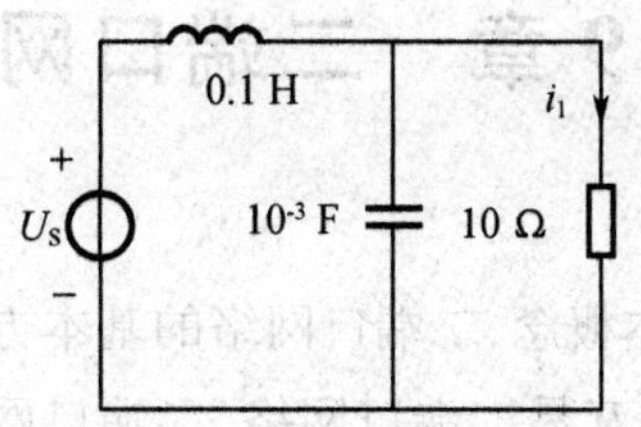

题图 8－9

7. 题图 8－10 所示电路中，输入电源为 $U_S = [10 + 141.4\cos(\omega_1 t) + 47.13\cos(3\omega_1 t) + 28.28\cos(5\omega_1 t) + 20.20\cos(7\omega_1 t) + 15.7\cos(9\omega_1 t) + \cdots]$ V，$R = 3\ \Omega$，$\frac{1}{\omega_1 C} = 9.45\ \Omega$，求电流 i 和电阻吸收的平均功率。

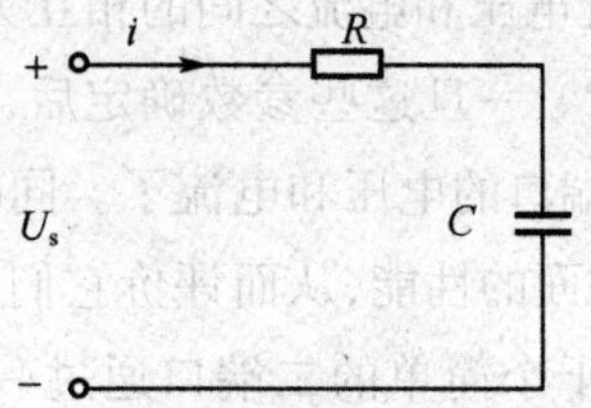

题图 8－10

8. 题图 8－11 所示电路中 $L = 5$ H，$C = 10\ \mu$F，负载电阻 $R = 2$ kΩ，U_S 为正弦全波整流波形，设 $\omega_1 = 314$ rad/s，$U_m = 157$ V，求负载两端电压的各谐波分量。

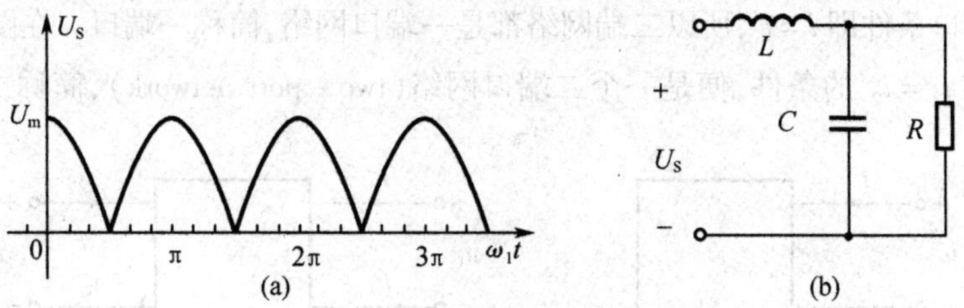

题图 8－11

第 9 章　二端口网络

本章介绍二端口网络的基本概念,二端口网络的基本方程、参数的计算,含线性二端口网络的电路分析,理想变压器与互易二端口网络,二端口网络应用——滤波器。通过本章的学习掌握含线性二端口网络的电路分析方法。

9.1 二端口网络的基本概念

二端口网络是电路技术中广泛使用的一种电路形式,如变压器、滤波器、放大器、反馈网络等。在应用二端口时,我们关心的不是网络的内部结构、元件参数,而是它的两个端口(通常也称为输入端和输出端)处电压和电流之间的相互关系,这种相互关系可以由网络本身结构所决定的一些参数来表示。一旦这些参数确定后,当一个端口的电压、电流发生变化,就可以很容易地求出另一个端口的电压和电流了。同时我们还可以利用这些参数比较不同二端口在传递电能和信号方面的性能,从而评价它们的质量。另外还可以将任意一个复杂的二端口网络,拆分成由若干个简单的二端口通过一定的连接方式组合而成,若已知这些简单的二端口参数,则可根据它们的连接关系方便地求出复杂二端口的参数了,从而不再涉及原来复杂电路内部的任何计算,就可以找出复杂电路两个端口处的电压与电流的关系了。可见,研究二端口网络参数在分析电路时占有重要地位。

网络的一个端口是由满足端口条件的一对端子构成的。端口条件是指这样的一对端子,从其中的一个端子流入的电流等于从另一端子流出的电流。图 9-1(a)所示二端网络的一对端子定满足端口条件即 $i=i'$,所以二端网络都是一端口网络,简称一端口。在图 9-1(b)中若满足 $i_1=i_1'$和 $i_2=i_2'$的条件,便是一个二端口网络(two-port network),简称二端口。

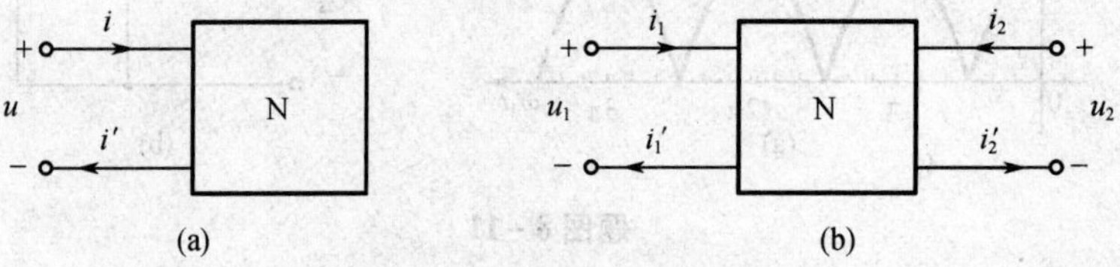

图 9-1　一端口和二端口

(a)一端口网络;(b)二端口网络

最简单的二端口就是一个元件。例如图 9-2 所示互感元件(图 9-2(a))、受控源(图 9-2(b))都是二端口元件;而晶体管(图 9-2(c))原本是三端元件,也可以用二端口来等效代替。

下面通过图 9-3(a)所示一般的三端网络来论述如何用二端口来等效。

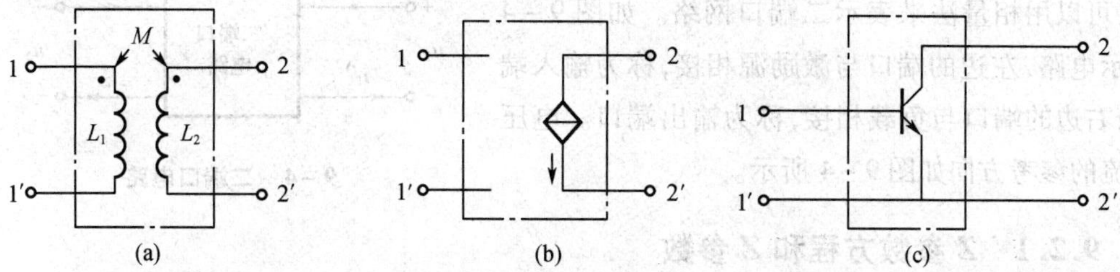

图 9-2　二端口网络举例

如图 9-3 所示,三端网络有三个端子电流 i_1、i_2、i_3 和三个端子间的电压 u_{12}、u_{23}、u_{13},它们分别满足 KCL 和 KVL,即 $i_3=i_1+i_2$ 和 $u_{12}=u_{13}-u_{23}$。可见三端网络只需用两个独立的端子电流(如 i_1 和 i_2)和两个独立的端子间电压(例如 u_{13} 和 u_{23})来描述。图 9-1(b)所示二端口也存在两个端口电流(i_1 和 i_2)和两个端口电压(u_1 和 u_2)。根据等效的概念,若令二端口的电压、电流关系与三端网络的电压、电流关系相同,便可用二端口等效代替三端网络,得到图 9-3(b)所示的等效二端口。因此可将前面提到的晶体管视为二端口。

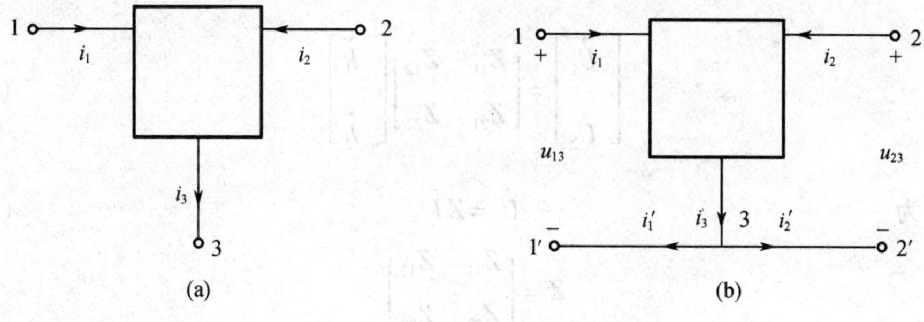

图 9-3　用二端口等效代替三端网络

综上所述,二端网络都是一端口,三端网络可用二端口等效代替。若将关于三端网络的论述推广到一般情况,可知一个 n 端网络可用 $n-1$ 端口等效代替。而实际的 $n-1$ 端口一般不能用 n 端网络等效代替。例如图 9-2 所示互感元件和受控源都是二端口,一般不能用三端元件等效代替。因此,研究多端口具有普遍意义,而无需再讨论多端网络问题。

本章只讨论线性无独立电源的二端口,即其中含有线性电阻、电容、互感、自感和线性受控电源,而不含独立电源;同时还假设其中所有电感和电容都处于零状态,即在复频域模型中不含附加电源。

9.2 二端口网络的基本方程和参数

为建立正弦稳态时二端口电路变量之间的关系,可以用相量法来表示二端口网络。如图 9-4 所示电路,左边的端口与激励源相接,称为输入端口;右边的端口与负载相接,称为输出端口。电压电流的参考方向如图 9-4 所示。

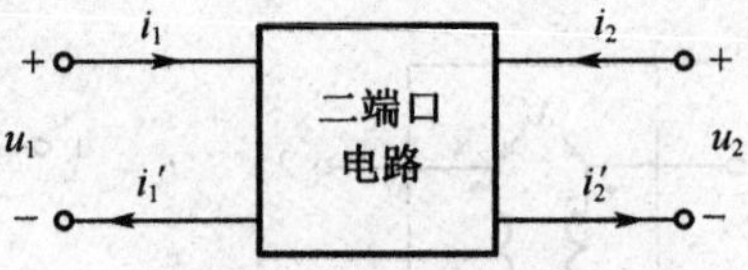

9-4 二端口电路

9.2.1 Z 参数方程和 Z 参数

1. *Z* 参数方程

图 9-4 所示,如果选端口电流 $\dot{I}_1$、$\dot{I}_2$为自变量,端口电压 $\dot{U}_1$、$\dot{U}_2$为应变量。所以根据叠加定理,$\dot{U}_1$、$\dot{U}_2$应为 $\dot{I}_1$、$\dot{I}_2$的线性组合,即

$$\begin{cases}\dot{U}_1 = Z_{11}\dot{I}_1 + Z_{12}\dot{I}_2 \\ \dot{U}_2 = Z_{21}\dot{I}_1 + Z_{22}\dot{I}_2\end{cases} \tag{9-1}$$

写成矩阵形式,则是

$$\begin{bmatrix}\dot{U}_1 \\ \dot{U}_2\end{bmatrix} = \begin{bmatrix}Z_{11} & Z_{12} \\ Z_{21} & Z_{22}\end{bmatrix}\begin{bmatrix}\dot{I}_1 \\ \dot{I}_2\end{bmatrix} \tag{9-2a}$$

亦可简写为

$$\dot{U} = \mathbf{Z}\dot{I} \tag{9-2b}$$

式中

$$\mathbf{Z} = \begin{bmatrix}Z_{11} & Z_{12} \\ Z_{21} & Z_{22}\end{bmatrix} \tag{9-3}$$

Z_{11}、Z_{12}、Z_{21}、Z_{22}具有阻抗的量纲,称为二端口的阻抗参数,简称 *Z* 参数。它们只与二端口内部结构、连接方式和元件参数有关,而与外加激励无关。式(9-1)和式(9-2)均可称为二端口的阻抗参数方程或 *Z* 参数方程。矩阵 **Z** 称为二端口的阻抗参数矩阵或 *Z* 参数矩阵。

2. *Z* 参数计算

在开路的条件下,可在两个端口分别测得四个 *Z* 参数。在端口 2 开路即 $\dot{I}_2 = 0$ 时,测量 $\dot{U}_1$、$\dot{U}_2$和 $\dot{I}_1$,代入 *Z* 参数方程(9-3),得

$$Z_{11} = \left.\frac{\dot{U}_1}{\dot{I}_1}\right|_{\dot{I}_2=0},\quad Z_{21} = \left.\frac{\dot{U}_2}{\dot{I}_1}\right|_{\dot{I}_2=0} \tag{9-4a}$$

同理在 $\dot{I}_1=0$ 时，测量 $\dot{U}_1$、$\dot{U}_2$和 $\dot{I}_2$，代入 Z 参数方程式(9－3)，得

$$Z_{12}=\left.\frac{\dot{U}_1}{\dot{I}_2}\right|_{\dot{I}_1=0},\ Z_{22}=\left.\frac{\dot{U}_2}{\dot{I}_2}\right|_{\dot{I}_1=0} \tag{9-4b}$$

由于 Z 参数是在两个端口分别开路的条件下测得的，故 Z 参数又称为开路阻抗参数。Z_{11}为输出面开路时，端口 1 的输入阻抗；Z_{12}为输入面开路时，端口 2 至端口 1 的转移阻抗；Z_{21}为输出面开路时，端口 1 至端口 2 的转移阻抗；Z_{22}输入面开路时，端口 2 的输入阻抗。

当二端口内部的电路结构和元件参数确定时，一方面可通过式(9－4a)和式(9－4b)计算 Z 参数；另一方面也可通过列电路方程来求此二端口 Z 参数。由于 Z 参数方程(9－1)和式(9－2a)与回路电流方程的形式相近，对复杂些的二端口网络通过回路电流方程求 Z 参数是比较方便的。

【例 9－1】 求图 9－5 中的 Z 参数。

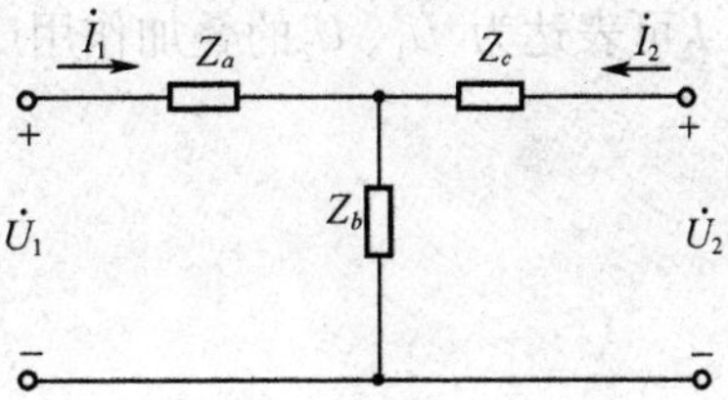

图 9－5 【例 9－1】图

解法 1：

$$Z_{11}=\left.\frac{\dot{U}_1}{\dot{I}_1}\right|_{\dot{I}_2=0}=Z_a+Z_b$$

$$Z_{12}=\left.\frac{\dot{U}_1}{\dot{I}_2}\right|_{\dot{I}_1=0}=Z_b$$

$$Z_{21}=\left.\frac{\dot{U}_2}{\dot{I}_1}\right|_{\dot{I}_2=0}=Z_b,\ Z_{22}=\left.\frac{\dot{U}_2}{\dot{I}_2}\right|_{\dot{I}_1=0}=Z_b+Z_C$$

解法 2：

$$\dot{U}_1=Z_a\dot{I}_1+Z_b(\dot{I}_1+\dot{I}_2)=(Za+Z_b)\dot{I}_1+Z_b\dot{I}_2$$

$$\dot{U}_2=Z_c\dot{I}_2+Z_b(\dot{I}_1+\dot{I}_2)=Z_b\dot{I}_1+(Za+Z_b)\dot{I}_1$$

$$\mathbf{Z}=\begin{bmatrix} Z_a+Z_b & Z_b \\ Z_b & Z_b+Z_C \end{bmatrix}$$

【例 9－2】 求图 9－6 所示二端口的阻抗参数矩阵。

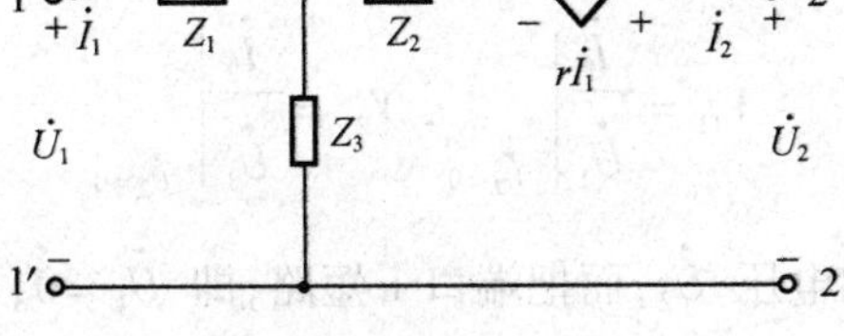

图 9－6 【例 9－2】图

解

$$\dot{U}_1 = Z_1\dot{I}_1 + Z_3(\dot{I}_1 + \dot{I}_2) = (Z_1 + Z_3)\dot{I}_1 + Z_3\dot{I}_2$$

$$\dot{U}_2 = r\dot{I}_1 + Z_2\dot{I}_2 + Z_3(\dot{I}_1 + \dot{I}_2) = Z_3\dot{I}_1 + (Z_3 + Z_2)\dot{I}_2$$

$$Z_{11} = Z_1 + Z_3, Z_{12} = Z_3, Z_{21} = r + Z_3, Z_{22} = Z_2 + Z_3$$

求得
$$\boldsymbol{Z} = \begin{bmatrix} Z_1 + Z_3 & Z_3 \\ r + Z_3 & Z_2 + Z_3 \end{bmatrix}$$

9.2.2 导纳参数方程与 Y 参数

1. Y 参数方程

图 9-4 所示二端口采用相量形式将两个端口上加电压源 $\dot{U}_1$ 和 $\dot{U}_2$。根据叠加定理，$\dot{I}_1$、$\dot{I}_2$ 可表达为 $\dot{U}_1$、$\dot{U}_2$ 的叠加作用产生，即

$$\begin{cases} \dot{I}_1 = Y_{11}\dot{U}_1 + Y_{12}\dot{U}_2 \\ \dot{I}_2 = Y_{21}\dot{U}_1 + Y_{22}\dot{U}_2 \end{cases} \tag{9-5}$$

式中，系数 Y_{11}、Y_{12}、Y_{21} 和 Y_{22} 具有导纳的量纲，称为二端口的导纳参数，简称 Y 参数。式(9-5)称为二端口的导纳参数方程或 Y 参数方程。其矩阵形式为

$$\begin{bmatrix} \dot{I}_1 \\ \dot{I}_2 \end{bmatrix} = \begin{bmatrix} Y_{11} & Y_{12} \\ Y_{21} & Y_{22} \end{bmatrix} \begin{bmatrix} \dot{U}_1 \\ \dot{U}_2 \end{bmatrix} \tag{9-6a}$$

可简写成
$$\dot{\boldsymbol{I}} = \boldsymbol{Y}\dot{\boldsymbol{U}} \tag{9-6b}$$

式中
$$\boldsymbol{Y} = \begin{bmatrix} Y_{11} & Y_{12} \\ Y_{21} & Y_{22} \end{bmatrix} \tag{9-7}$$

式(9-7)称为二端口的导纳参数矩阵或 Y 参数矩阵。

2. Y 参数计算

对于未给出其内部电路结构和元件参数的二端口网络，也可以通过实验的方法测定其等效的 Y 参数。假设在端口 1 外施加电压 $\dot{U}_1$，而把端口 2 短路，即 $\dot{U}_2 = 0$，由式(9-5)可得

$$Y_{11} = \left.\frac{\dot{I}_1}{\dot{U}_1}\right|_{\dot{U}_2 = 0}, \quad Y_{21} = \left.\frac{\dot{I}_2}{\dot{U}_1}\right|_{\dot{U}_2 = 0} \tag{9-8a}$$

同理，在端口 2 外施加电压 $\dot{U}_2$，而把端口 1 短路，即 $\dot{U}_1 = 0$，可得

$$Y_{12} = \left.\frac{\dot{I}_1}{\dot{U}_2}\right|_{\dot{U}_1 = 0}, Y_{22} = \left.\frac{\dot{I}_2}{\dot{U}_2}\right|_{\dot{U}_1 = 0} \tag{9-8b}$$

这四个 Y 参数是在两个端口分别短路的条件下测得的，故 Y 参数也称为短路导纳参数。Y_{11}、Y_{22} 称为自导纳参数，Y_{12} 和 Y_{21} 分别称为从端口 2 到端口 1 和从端口 1 到端口 2 的短路转移导纳参数。

当已知二端口内部的电路结构和元件参数时，一方面可通过式(9－8a)和式(9－8b)计算 Y 参数；另一方面也可通过列电路方程来求此二端口 Y 参数。由于 Y 参数方程式(9－5)与节点电压方程的形式相近，故通过节点电压法求 Y 参数是比较方便的。

【例 9－3】 通过测试法确定图 9－7 中 Π 形二端口网络的 Y 参数。

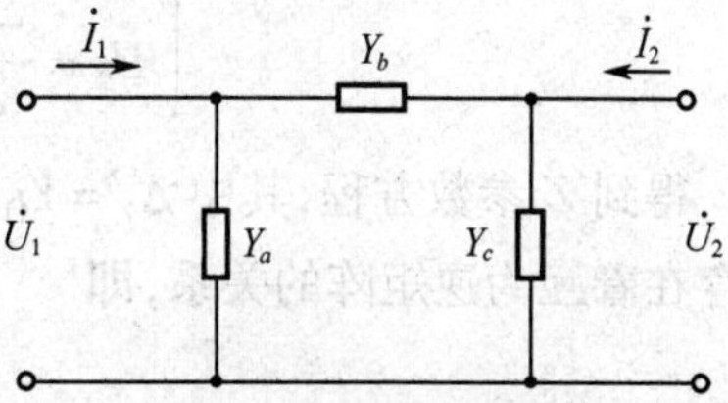

图 9－7 【例 9－3】图

解

根据式(9－8a)和式(9－8b)计算 Y 参数。

$$Y_{11}=\frac{\dot{I}_1}{\dot{U}_1}\bigg|_{\dot{U}_2=0}=Y_a+Y_b,\ Y_{12}=\frac{\dot{I}_1}{\dot{U}_2}\bigg|_{\dot{U}_1=0}=-Y_b$$

$$Y_{21}=\frac{\dot{I}_2}{\dot{U}_1}\bigg|_{\dot{U}_2=0}=-Y_b,\ Y_{22}=\frac{\dot{I}_2}{\dot{U}_2}\bigg|_{\dot{U}_1=0}=Y_b+Y_C$$

【例 9－4】 求图 9－8 中的 Y 参数。

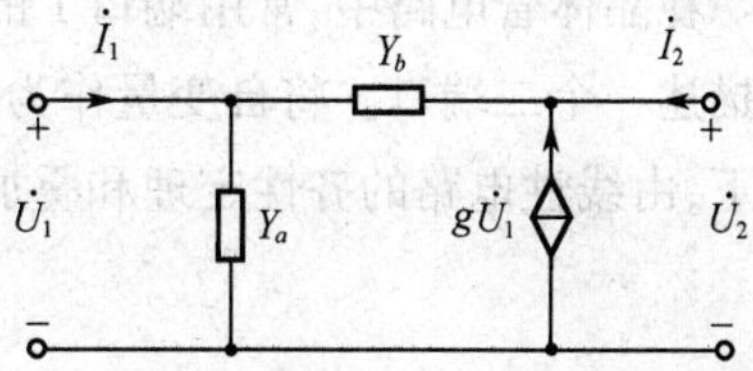

图 9－8 【例 9－4】图

解法 1：

$$Y_{11}=\frac{\dot{I}_1}{\dot{U}_1}\bigg|_{\dot{U}_2=0}=Y_a+Y_b$$

$$Y_{21}=\frac{\dot{I}_2}{\dot{U}_1}\bigg|_{\dot{U}_2=0}=-g-Y_b$$

$$Y_{12}=\frac{\dot{I}_1}{\dot{U}_2}\bigg|_{\dot{U}_1=0}=-Y_b$$

$$Y_{22}=\frac{\dot{I}_2}{\dot{U}_2}\bigg|_{\dot{U}_1=0}=Y_b$$

解法 2：

$$\dot{I}_1=Y_a\dot{U}_1+Y_b(\dot{U}_1-\dot{U}_2)$$

$$\dot{I}_2=Y_b(\dot{U}_2-\dot{U}_1)-g\dot{U}_1$$

得出

$$\dot{I}_1=(Y_a+Y_b)\dot{U}_1-Y_b\dot{U}_2$$

$$\dot{I}_2=(-g-Y_b)\dot{U}_1+Y_b\dot{U}_2$$

所求 Y 矩阵为

$$\boldsymbol{Y}=\begin{bmatrix} Y_a+Y_b & -Y_b \\ -g-Y_b & Y_b \end{bmatrix}$$

3. Y 参数与 Z 参数的关系

由 Y 参数方程(9－5)解出 $\dot{U}_1$, $\dot{U}_2$,即

$$\begin{cases} \dot{U}_1=\dfrac{Y_{22}}{\Delta_Y}\dot{I}_1+\dfrac{-Y_{12}}{\Delta_Y}\dot{I}_2=Z_{11}\dot{I}_1+Z_{12}\dot{I}_2 \\ \dot{U}_2=\dfrac{-Y_{21}}{\Delta_Y}\dot{I}_1+\dfrac{Y_{11}}{\Delta_Y}\dot{I}_2=Z_{21}\dot{I}_1+Z_{22}\dot{I}_2 \end{cases} \tag{9-9}$$

得到 Z 参数方程,其中 $\Delta_Y=Y_{11}Y_{22}-Y_{12}Y_{21}$,可见开路阻抗矩阵 $\boldsymbol{Z}$ 和短路导纳矩阵 $\boldsymbol{Y}$ 之间存在着互为逆矩阵的关系,即

$$\boldsymbol{Z}=\boldsymbol{Y}^{-1}=\frac{1}{\Delta_Y}\begin{bmatrix} Y_{22} & -Y_{12} \\ -Y_{21} & Y_{11} \end{bmatrix}=\begin{bmatrix} Z_{11} & Z_{12} \\ Z_{21} & Z_{11} \end{bmatrix} \tag{9-10}$$

但有些特殊的二端口,并不同时存在阻抗参数矩阵和导纳参数矩阵。

9.2.3 混合方程与 H 参数

在晶体管电路中,常用端口 1 的电流和端口 2 的电压作为自变量,这时就要用混合参数来描述一个二端口。将自变量作为激励,因变量作为响应,得图 9－9 所示电路。在正弦稳态下,由线性电路的齐性定理和叠加定理可以写出响应和激励的一般关系,即

$$\begin{cases} \dot{U}_1=H_{11}\dot{I}_1+H_{12}\dot{U}_2 \\ \dot{I}_2=H_{21}\dot{I}_1+H_{22}\dot{U}_2 \end{cases} \tag{9-11a}$$

式(9－11a)称为二端口网络的混合参数方程。写成矩阵形式为

$$\begin{bmatrix} \dot{U}_1 \\ \dot{I}_2 \end{bmatrix}=\begin{bmatrix} H_{11} & H_{12} \\ H_{2} & {}_1H_{22} \end{bmatrix}\begin{bmatrix} \dot{I}_1 \\ \dot{U}_2 \end{bmatrix} \tag{9-11b}$$

$$\boldsymbol{H}=\begin{bmatrix} H_{11} & H_{12} \\ H_{21} & H_{22} \end{bmatrix} \tag{9-12}$$

式(9－12)称为混合参数矩阵或 H 参数矩阵。根据式(9－11a)不难得到确定混合参数的一般方法,测定 H_{11},H_{21} 的电路如图 9－9(a)所示,由此得

$$H_{11}=\left.\frac{\dot{U}_1}{\dot{I}_1}\right|_{\dot{U}_2=0},\quad H_{21}=\left.\frac{\dot{I}_2}{\dot{U}_1}\right|_{\dot{U}_2=0} \tag{9-13a}$$

测定 H_{12},H_{22} 的电路如图 9－9(b)所示,由此得

$$H_{12}=\left.\frac{\dot{U}_1}{\dot{U}_2}\right|_{\dot{I}_1=0},\quad H_{22}=\left.\frac{\dot{I}_2}{\dot{U}_2}\right|_{\dot{I}_1=0} \tag{9-13b}$$

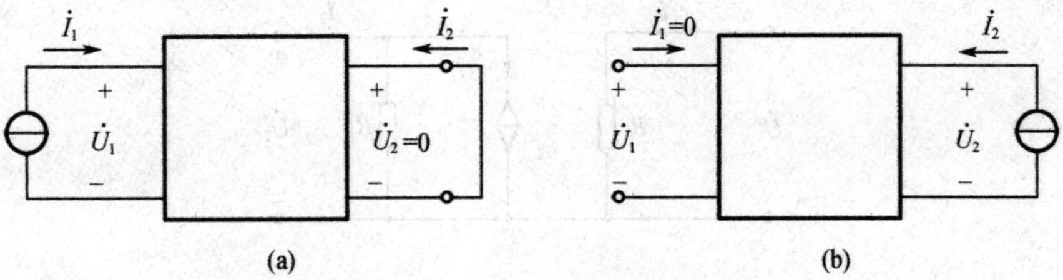

图 9－9　混合参数的测定

混合参数还可以通过导纳参数来求得。如果用 $\dot{I}_1$和 $\dot{U}_2$来表示 $\dot{U}_1$和 $\dot{I}_2$，则由式(9－5)可得

$$\dot{U}_1=\frac{1}{Y_{11}}\dot{I}_1-\frac{Y_{12}}{Y_{11}}\dot{U}_2=H_{11}\dot{I}_1+H_{12}\dot{U}_2$$

$$\dot{I}_2=H_{21}\dot{I}_1+H_{22}\dot{U}_2$$

所以混合参数和导纳参数的关系是

$$H_{11}=\frac{1}{Y_{11}},H_{12}=-\frac{Y_{12}}{Y_{11}}$$

$$H_{21}=\frac{Y_{21}}{Y_{11}},H_{22}=\frac{Y_{11}Y_{22}-Y_{21}Y_{12}}{Y_{11}} \tag{9-14}$$

对互易网络有 $Y_{12}=Y_{21}$，所以从式(9－14)可以得到用 H 参数表示的互易性条件

$$H_{12}=-H_{21} \tag{9-15}$$

对于对称网络，由于存在 $Y_{12}=Y_{21}$和 $Y_{11}=Y_{22}$的关系，将它们入式(9－14)得矩阵 $\boldsymbol{H}$ 的行列式满足

$$\Delta_H=H_{11}H_{22}-H_{12}H_{21}=H_{11}H_{22}+H_{12}^2=1 \tag{9-16}$$

【例 9－5】　求图 9－10 晶体管小信号等效电路的 H 参数。

解

$$\dot{U}_1=H_{11}\dot{I}_1+H_{12}\dot{U}_2$$

$$\dot{I}_2=H_{21}\dot{I}_1+H_{22}\dot{U}_2$$

$$\dot{U}_1=R_1\dot{I}_1$$

$$\dot{I}_2=\beta\dot{I}_1+\frac{1}{R_2}\dot{U}_2$$

$$\boldsymbol{H}=\begin{bmatrix}R_1 & 0\\ \beta & 1/R_2\end{bmatrix}$$

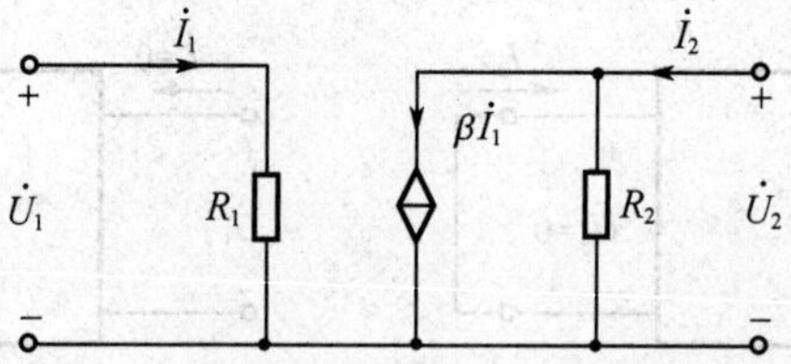

图 9-10 【例 9-5】图

9.2.4 传输方程和 $A(T)$ 参数

传输参数方程是用输出端口的电压 $\dot{U}_2$ 和电流 $\dot{I}_2$ 来表示输入端口的电压 $\dot{U}_1$ 和电流 $\dot{I}_1$。为此，将式(9-5)改写为

$$\dot{U}_1 = -\frac{Y_{22}}{Y_{21}}\dot{U}_2 + \frac{1}{Y_{21}}\dot{I}_2$$

$$\dot{I}_1 = \left(Y_{12} - \frac{Y_{11}Y_{22}}{Y_{21}}\right)\dot{U}_2 + \frac{Y_{11}}{Y_{21}}\dot{I}_2$$

进一步写成如下形式，即

$$\left.\begin{aligned} \dot{U}_1 &= A_{11}\dot{U}_2 + A_{12}(-\dot{I}_2) \\ \dot{I}_1 &= A_{21}\dot{U}_2 + A_{22}(-\dot{I}_2) \end{aligned}\right\} \tag{9-17}$$

该方程称为二端口的传输参数方程，简称 A 参数方程。其中

$$\left\{\begin{aligned} \dot{A}_{11} &= -\frac{Y_{22}}{Y_{21}}, \qquad \dot{A}_{12} = -\frac{1}{Y_{21}} \\ \dot{A}_{21} &= Y_{12} - \frac{Y_{11}Y_{22}}{Y_{21}}, \qquad \dot{A}_{22} = -\frac{Y_{11}}{Y_{21}} \end{aligned}\right. \tag{9-18}$$

称为传输参数，简称 A 参数。方程式(9-17)的矩阵形式为

$$\begin{bmatrix} \dot{U}_1 \\ \dot{I}_1 \end{bmatrix} = \begin{bmatrix} A_{11} & A_{12} \\ A_{21} & A_{22} \end{bmatrix} \begin{bmatrix} \dot{U}_2 \\ -\dot{I}_2 \end{bmatrix} \tag{9-19}$$

令
$$\boldsymbol{A} = \begin{bmatrix} A_{11} & A_{12} \\ A_{21} & A_{22} \end{bmatrix} = \boldsymbol{T} = \begin{bmatrix} A & B \\ C & D \end{bmatrix} \tag{9-20}$$

式(9-20)称为传输参数矩阵或 A 参数矩阵。

【例 9-6】 求图 9-11 所示 T 形二端口网络的传输参数。

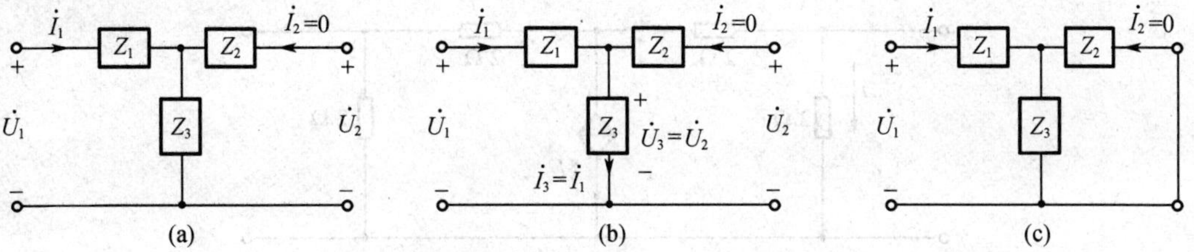

图9－11 【例9－6】图

解

$\dot{I}_2=0$,得图9－11(b)所示电路,由此求得

$$\dot{U}_2=\dot{U}_3=\frac{Z_3}{Z_1+Z_2}\dot{U}_1,\ \dot{I}_1=\dot{I}_3=\frac{\dot{U}_2}{Z_3}$$

$$A_{11}=\frac{\dot{U}_1}{\dot{U}_2}\bigg|_{\dot{I}_2=0}=1+\frac{Z_1}{Z_3},A_{21}=\frac{\dot{I}_1}{\dot{U}_2}\bigg|_{\dot{I}_2=0}=\frac{1}{Z_3}$$

为求A_{12}、A_{22},再令$\dot{U}_2=0$,得图9－11(c)所示电路,又求得

$$\dot{I}_2=-\frac{Z_3}{Z_3+Z_2}\dot{I}_1\text{ 或 }\dot{I}_1=-\left(1+\frac{Z_2}{Z_3}\right)=\dot{I}_2$$

$$\dot{U}_1=Z_1\dot{I}_1-Z_2\dot{I}_2=-Z_1\left(1+\frac{Z_2}{Z_3}\right)\dot{I}_2-Z_2\dot{I}_2=-\left(Z_1+Z_2+\frac{Z_1Z_2}{Z_3}\right)\dot{I}_2$$

$$A_{12}=-\frac{\dot{U}_1}{-\dot{I}_2}\bigg|_{\dot{U}_2=0}=Z_1+Z_2+\frac{Z_1Z_2}{Z_3},A_{22}=\frac{\dot{I}_1}{-\dot{I}_2}\bigg|_{\dot{U}_2=0}=1+\frac{Z_2}{Z_3}$$

9.3　二端口网络参数的计算

9.3.1　由二端口网络参数的定义直接计算

【例9－7】　电路如图9－12所示,求其Y参数。

解

根据Y参数的定义:

$$Y_{11}=\frac{\dot{I}_1}{\dot{U}_1}\bigg|_{\dot{U}_2=0}\quad\text{和}\quad Y_{21}=\frac{\dot{I}_2}{\dot{U}_1}\bigg|_{\dot{U}_2=0}$$,由$\dot{U}_2$短路得到图9－12(b)。

由图9－12(a)可得

$$I_1=I-I'=\frac{U_1}{2}-I',I_2=5I+I'=\frac{5U_1}{2}+I',U_1=-2I'-2I_2$$

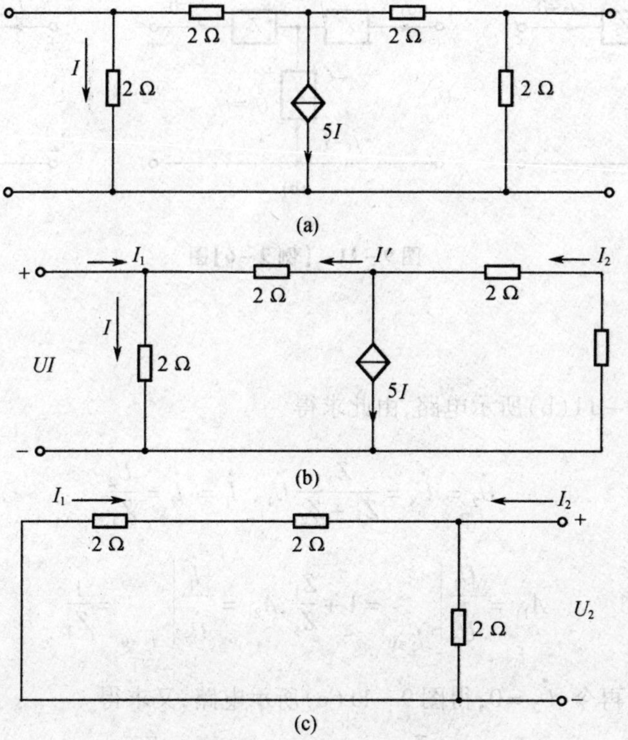

图 9－12 【例 9－7】图

由上式得　　$I_2 = U_1 I_1 = 2U_1$

$$Y_{11} = \frac{\dot{I}_1}{\dot{U}_1}\Big|_{\dot{U}_2=0} = 2, Y_{21} = \frac{\dot{I}_2}{\dot{U}_1}\Big|_{\dot{U}_2=0} = 1$$

又　　$$Y_{12} = \frac{\dot{I}_1}{\dot{U}_2}\Big|_{\dot{U}_1=0}, Y_{22} = \frac{\dot{I}_2}{\dot{U}_2}\Big|_{\dot{U}_2=0}$$

计算电路如下图 9－12(c)，其中：

$$U_2 = -4I_1,\ I_2 = \frac{1}{4}U_2 + \frac{1}{2}U_2 = \frac{3}{4}U_2$$

$$Y_{12} = \frac{\dot{I}_1}{\dot{U}_2}\Big|_{\dot{U}_1=0} = -\frac{1}{4}, Y_{22} = \frac{\dot{I}_2}{\dot{U}_2}\Big|_{\dot{U}_2=0} = \frac{3}{4}$$

同样可以利用定义计算 Z、A、H 参数。但由例 9－7 可看成直接用定义求参数较烦琐，电路越复杂越难越容易出错。那我们可以通过一种简单的求参数方法来进行求解。

9.3.2　通过列写电路方程求参数

由于 Y 参数方程与具有独立节点电路的节点电压方程有相同的形式，Z 参数方程与具有两个网孔的平面电路的网孔电流方程有相同的形式，因此可以通过对所求电路列写节点电压方程、网孔电流方程求 Y、Z 参数；若电路的独立节点数、网孔数超过两个，同样可列写上述两种方程，再消去中间变量即可得 Y、Z 参数。

【例 9－8】 求图 9－13 所示电路的 Y 参数。

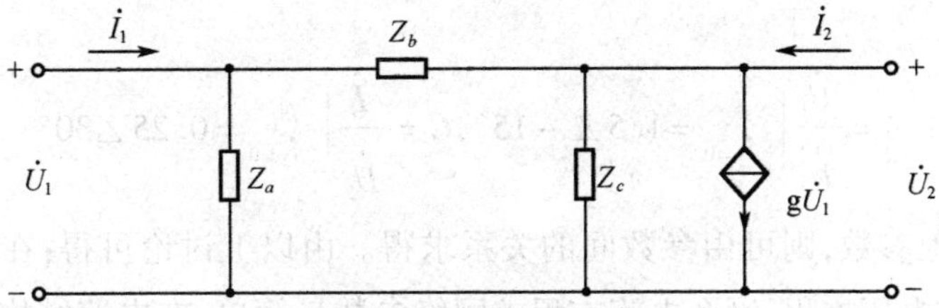

图 9－13 【例 9－8】图

解

由于 Y 参数方程是以端口电压为自变量，为列写节点电压方程将电路改画如下。由图可见电路有两个独立节点，其节点电压方程为

$$\left(\frac{1}{Z_a}+\frac{1}{Z_b}\right)\dot{U}_1-\frac{1}{Z_b}\dot{U}_2=\dot{I}_1$$

$$-\frac{1}{Z_b}\dot{U}_1+\left(\frac{1}{Z_b}+\frac{1}{Z_c}\right)\dot{U}_2=\dot{I}_2-g\dot{U}_1$$

得

$$\left(g-\frac{1}{Z_b}\right)\dot{U}_1+\left(\frac{1}{Z_b}+\frac{1}{Z_c}\right)\dot{U}_2=\dot{I}_2$$

$$\boldsymbol{Y}=\begin{bmatrix}\dfrac{1}{Z_a}+\dfrac{1}{Z_b} & -\dfrac{1}{Z_b}\\ g-\dfrac{1}{Z_b} & \dfrac{1}{Z_b}+\dfrac{1}{Z_c}\end{bmatrix}$$

由此可见，两种计算方法所得结果相同，但写方程求参数方法更简单。

9.3.3　利用二端口网络参数间的关系

由于四个二端口网络方程组都与同一组变量有关，任何一对方程的参数必然与其他所有方程的参数有关，即若已知一组参数，就可有已知的这组参数求出所有其他参数。

9.3.4　通过测量计算参数

如有一二端口网络，当端口 2 开路时，$u_1=150\sin4000t$ V，$i_1=25\sin(4000t+45°)$ A，$u_2=100\sin(4000t+15°)$ V；当端口 2 短路时，$u_1{}'=30\sin4000t$ V，$i_1'=1.5\sin(4000t+30°)$ A，$i_2'=0.25\sin(4000t+150°)$ A。则描述该二端口网络特性的 T 参数如下。

由第一组测量结果：$\dot{U}_1=150\angle0°$ V，$\dot{I}_1=25\angle45°$ A，$\dot{U}_2=100\angle15°$ V，$\dot{I}_2=0$ A 由 T 参数的定义得

$$A=\frac{\dot U_1}{\dot U_2}\bigg|_{\dot I_2=0}=1.5\angle-15°,C=\frac{\dot I_1}{\dot U_2}\bigg|_{\dot I_2=0}=0.25\angle30°$$

由第二组测量结果：$\dot U'_1=30\angle0°$ V，$\dot I'_1=1.5\angle30°$ A，$\dot U'_2=0$ V，$\dot I'_2=0.25\angle150°$ A 由 T 参数的定义得

$$A=\frac{\dot U_1}{\dot U_2}\bigg|_{\dot I_2=0}=1.5\angle-15°,C=\frac{\dot I_1}{\dot U_2}\bigg|_{\dot I_2=0}=0.25\angle30°$$

若还需求其他参数，则可由参数间的关系求得。由以上讨论可得：在已知电路结构的条件下，列写结点电压方程、网孔电流方程求网络参数最简单；在电路结构未知或电路太复杂的情况下，可采用测量端口电压、电流的方法计算网络参数。

9.4　含线性二端口网络的电路分析

如果二端口网络是线性且含有受控源的，由于这种网络一般来说是不可逆的，它有四个独立参数，因而它的等效电路不可能仅由 R、L、C 元件所组成的网络来表示，因此它必然是不可逆的。

下面给出的用 Z 参数和 Y 参数表示的含有受控源的二端口网络的等效电路。

9.4.1　用 Z 参数，它的基本方程是

$$\begin{cases}\dot U_1=Z_{11}\dot I_1+Z_{12}\dot I_2=(Z_{11}-Z_{12})\dot I_1+Z_{12}(\dot I_1+\dot I_2)\\ \dot U_2=Z_{21}\dot I_1+Z_{22}\dot I_2=Z_{12}(\dot I_1+\dot I_2)+(Z_{22}-Z_{12})\dot I_2+(Z_{21}-Z_{12})\dot I_1\end{cases}$$

或

$$\begin{cases}\dot U_1=Z_{11}\dot I_1+Z_{12}\dot I_2\\ \dot U_2=Z_{12}\dot I_1+Z_{22}\dot I_2+(Z_{21}-Z_{12})\dot I_1\end{cases}$$

根据方程组可以画出含有两个受控源的等效电路，如图 9-14(a)所示，也可画成含有两个受控源的等效电路，如图 9-14(b)所示。

9.4.2　用 Y 参数，它的基本方程是

$$\begin{cases}\dot I_1=Y_{11}\dot U_1+Y_{12}\dot U_2=(Y_{11}+Y_{12})\dot U_1-Y_{12}(\dot U_1-\dot U_2)\\ \dot I_2=Y_{21}\dot U_1+Y_{22}\dot U_2=-Y_{12}(\dot U_2-\dot U_1)+(Y_{22}+Y_{12})\dot U_2+(Y_{21}-Y_{12})\dot U_1\end{cases}$$

如图 9-15(a)是含有两个受控源的等效电路，9-15(b)是含有单个受控源的等效电路，当 $Z_{21}=Z_{12}$ 及 $Y_{12}=Y_{21}$ 时，如图 9-16(a)(b)就是 T 形和 Π 形等效电路。

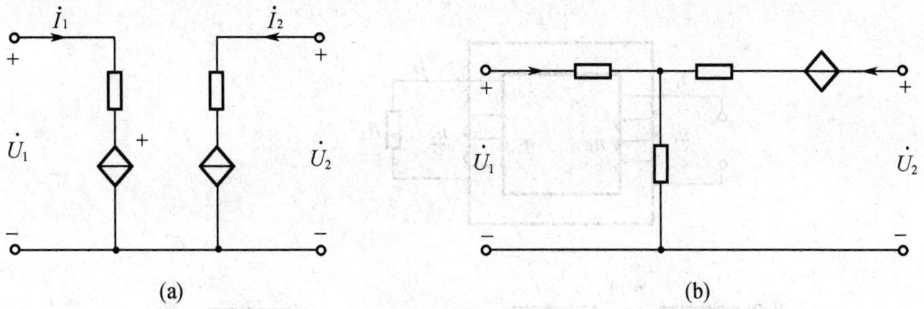

图 9－14　含有两个受控源的等效电路图

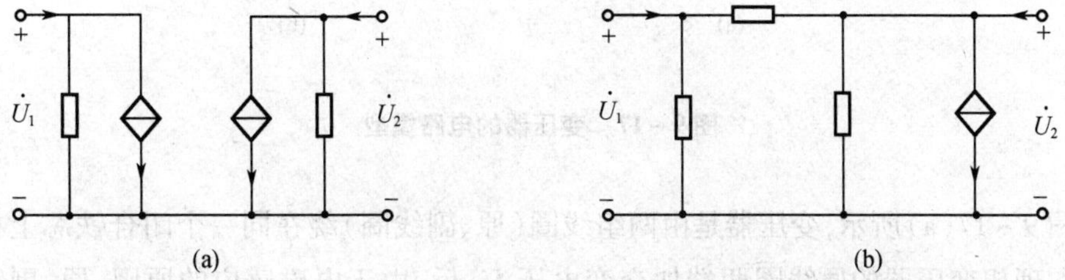

图 9－15　含有单个受控源的等效电路

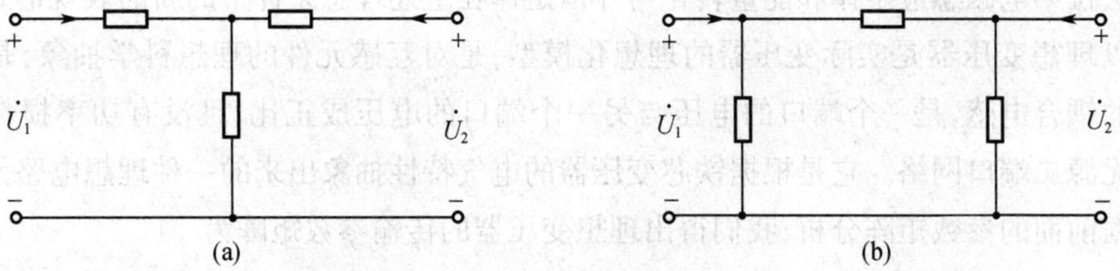

图 9－16　T 形和 Π 形等效电路

用不同的参数方程可以得到各种等效电路，而且它们之间可以互相转换。各种等效电路均可用于分析电路问题，具体如何选用应根据实际情况确定。譬如，对晶体管常选用 H 参数等效电路，而对场效应管常选用 Y 参数等效电路。

9.5　理想变压器与互易二端口网络

9.5.1　理想变压器

实际变压器是一种利用磁耦合原理实现能量和信号传输的多端电路元件，它在各种电气及电子系统中有着广泛的应用。为了建立实际变压器的电路模型，引入理想变压器元件。

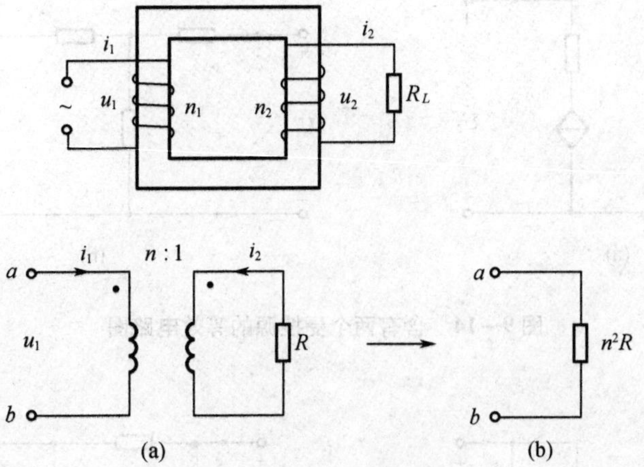

图 9-17　变压器的电路模型

如图 9-17(a)所示,变压器是由两组线圈(原、副线圈)绕在同一个闭合铁芯上构成变压器。在理想变压器的原线圈两端加交变电压 U_1 后,由于电磁感应的原因,原、副线圈中都将产生感应电动势。其电路模型为图 9-17(b)所示,理想变压器的理想化条件就是忽略原、副线圈内阻上的分压,忽略原、副线圈磁通量的差别,忽略变压器自身的能量损耗,实际上就是法拉第电磁感应定律和能量转化与守恒定律在上述理想条件下的新的表现形式。

所以理想变压器是实际变压器的理想化模型,是对互感元件的理想科学抽象,是极限情况下的耦合电感,是一个端口的电压与另一个端口的电压成正比,且没有功率损耗的一种互易无源二端口网络。它是根据铁芯变压器的电气特性抽象出来的一种理想电路元件。

根据前面的参数矩阵分析,我们得出理想变压器的传输参数矩阵为

$$\left.\begin{aligned}\dot{U}_1&=n\dot{U}_2\\ \dot{I}_1&=-\frac{1}{n}\dot{I}_2\end{aligned}\right\}\Rightarrow\begin{bmatrix}\dot{U}_1\\ \dot{I}_1\end{bmatrix}=\begin{bmatrix}n&0\\ 0&\frac{1}{n}\end{bmatrix}\begin{bmatrix}\dot{U}_2\\ -\dot{I}_2\end{bmatrix}\Rightarrow\boldsymbol{A}=\begin{bmatrix}n&0\\ 0&\frac{1}{n}\end{bmatrix}$$

【例 9-9】 求图 9-18 所示二端口网络的阻抗参数矩阵。

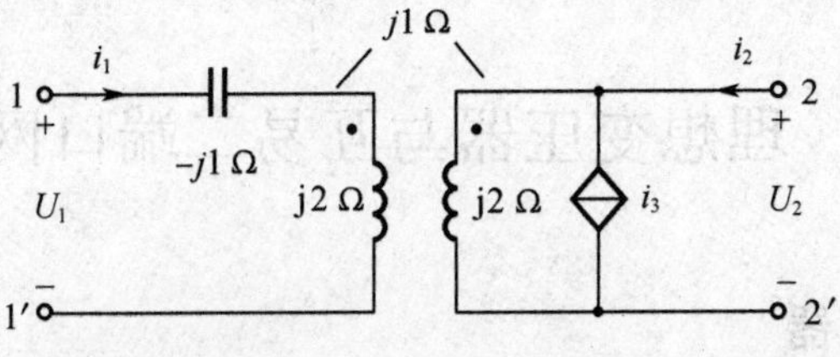

图 9-18　【例 9-9】图

解

根据 KVL,得出

$$\dot{U}_1 = j(2-1)\ \dot{I}_1 + j\times(\dot{I}_2 - \dot{I}_1) = j\dot{I}_2$$

$$\dot{U}_2 = j2(\dot{I}_2 - \dot{I}_1) + j\dot{I}_1 = -j\ \dot{I}_1 + j2\dot{I}_2$$

得到阻抗参数矩阵为

$$\mathbf{Z} = \begin{bmatrix} 0 & j1 \\ -j1 & j2 \end{bmatrix}\ \Omega$$

9.5.2　互易二端口网络

若网络中含有 R、L、C、M 等线性元件而不含受控源，在端口 1 上加一个电流，在端口 2 上产生相应的电压；在端口 2 上加与前者相同的电流，在端口 1 上产生相应的电压。若两个端口产生的电压相等，则称二端口网络是互易的。

互易二端口各组参数间的关系为

$$Z_{12} = Z_{21}, Y_{12} = Y_{21}, H_{12} = -H_{21}, A_{11}A_{22} - A_{12}A_{21} = 1 = \Delta A$$

即对于互易二端口，任意一组参数中只有三个是独立的。

如果一个互易二端口网络的两个端口可以交换，而交换后端口电压和电流的数值不变，则称这样的二端口网络为对称二端口网络。结构对称的二端口一定是对称二端口，反之不然。对称二端口的各组参数除满足互易二端口的关系外，还具有如下关系，即

$$Z_{11} = Z_{22}, Y_{11} = Y_{22}, A_{11} = A_{22}, H_{11}H_{22} - H_{12}H_{21} = 1 = \Delta H$$

其说明对称二端口的任意一组参数中只有两个是独立的。

【例 9-10】　求如图 9-19 所示二端口网络的 Y 参数。假设电路角频率为 ω。

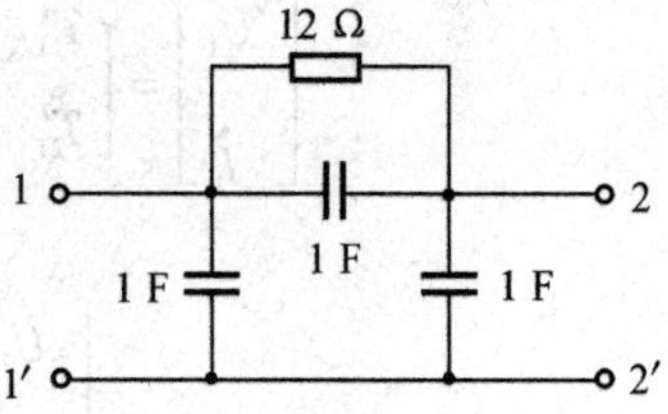

图 9-19　【例 9-10】图

解

$$Y_{11} = \left.\frac{\dot{I}_1}{\dot{U}_1}\right|_{\dot{U}_2=0} = j\omega\times 1\ \text{F} + \frac{1}{12\ \Omega} + j\omega\times 1\ \text{F} = \frac{1}{12} + j2\omega$$

$$Y_{21} = \left.\frac{\dot{I}_2}{\dot{U}_1}\right|_{\dot{U}_2=0} = -\left(\frac{1}{12\ \Omega} + j\omega\times 1\ \text{F}\right)$$

$$Y_{11} = Y_{12},\ Y_{21} = Y_{12}$$

9.6　二端口网络的连接

一个复杂的二端口电路常常可以看作是由若干简单的二端口电路按一定方式连接组成的，这样常可使分析计算得到简化，而且在实现和设计复杂二端口电路时，也可用一些简单的二端口电路按某种方式连接组成满足所需特性的复杂二端口电路。

二端口电路的连接方式有级联、串联、并联、串并联、并串联等。将复合电路看作是由子电路连接组成时，各个子电路必须同时满足端口条件，否则该子电路不能看作是二端口

电路。

9.6.1 级联

二端口网络的级联，如图 9-20 所示。

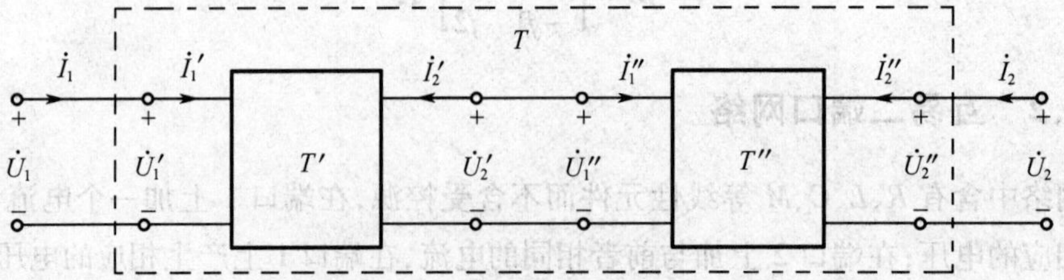

图 9-20 二端口网络的级联

设 $[T'] = \begin{bmatrix} T'_{11} & T'_{12} \\ T'_{21} & T'_{22} \end{bmatrix}$ $[T''] = \begin{bmatrix} T''_{11} & T''_{12} \\ T''_{21} & T''_{22} \end{bmatrix}$

$$\begin{bmatrix} \dot{U}_1' \\ \dot{I}_1' \end{bmatrix} = \begin{bmatrix} T'_{11} & T'_{12} \\ T'_{21} & T'_{22} \end{bmatrix} \begin{bmatrix} \dot{U}_2' \\ -\dot{I}_2' \end{bmatrix}, \begin{bmatrix} \dot{U}''_1 \\ \dot{I}''_1 \end{bmatrix} = \begin{bmatrix} T''_{11} & T''_{12} \\ T''_{21} & T''_{22} \end{bmatrix} \begin{bmatrix} \dot{U}''_2 \\ -\dot{I}''_2 \end{bmatrix}$$

级联后

$$\begin{bmatrix} \dot{U}_1 \\ \dot{I}_1 \end{bmatrix} = \begin{bmatrix} T'_{11} & T'_{12} \\ T'_{21} & T'_{22} \end{bmatrix} \begin{bmatrix} \dot{U}_2' \\ -\dot{I}_2' \end{bmatrix} = \begin{bmatrix} T'_{11} & T'_{12} \\ T'_{21} & T'_{22} \end{bmatrix} \begin{bmatrix} T''_{11} & T''_{12} \\ T''_{21} & T''_{22} \end{bmatrix} \begin{bmatrix} \dot{U}_2 \\ -\dot{I}_2 \end{bmatrix}$$

则
$$\begin{bmatrix} \dot{U}_1 \\ \dot{I}_1 \end{bmatrix} = \begin{bmatrix} T'_{11} & T'_{12} \\ T'_{21} & T'_{22} \end{bmatrix} \begin{bmatrix} T''_{11} & T''_{12} \\ T''_{21} & T''_{22} \end{bmatrix} \begin{bmatrix} \dot{U}_2 \\ -\dot{I}_2 \end{bmatrix}$$

即 $\boldsymbol{T} = T'T''$，级联后所得复合二端口 T 参数矩阵等于级联的二端口 T 参数矩阵相乘。

上述结论可推广到 n 个二端口级联的关系。

【例 9-11】 求图 9-21 所示的传输参数。

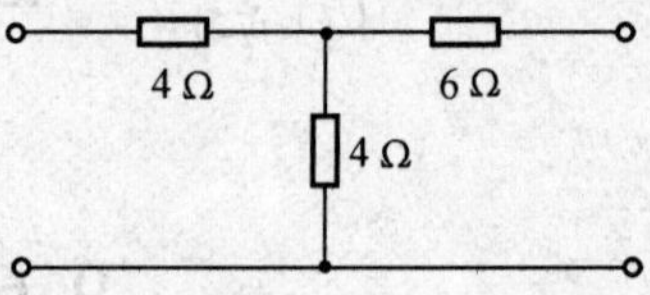

图 9-21 【例 9-11】图

解

$$\begin{bmatrix} \dot{U}_1 \\ \dot{I}_1 \end{bmatrix} = \begin{bmatrix} T_{11} & T_{12} \\ T_{21} & T_{22} \end{bmatrix} \begin{bmatrix} \dot{U}_2 \\ -\dot{I}_2 \end{bmatrix}$$

电路等效图形如图 9-21 所示易求出

$$T_1=\begin{bmatrix}1 & 4\ \Omega\\0 & 1\end{bmatrix},T_2=\begin{bmatrix}1 & 0\\0.25\ \mathrm{S} & 1\end{bmatrix},T_3=\begin{bmatrix}1 & 6\ \Omega\\0 & 1\end{bmatrix}$$

得
$$[T]=[T_1][T_2][T_3]=\begin{bmatrix}1 & 4\\0 & 1\end{bmatrix}\begin{bmatrix}1 & 0\\0.25 & 1\end{bmatrix}\begin{bmatrix}1 & 6\\0 & 1\end{bmatrix}=\begin{bmatrix}2 & 16\ \Omega\\0.25\ \mathrm{S} & 2.5\end{bmatrix}$$

9.6.2 并联

如图9－22即输入端口并联,输出端口并联。

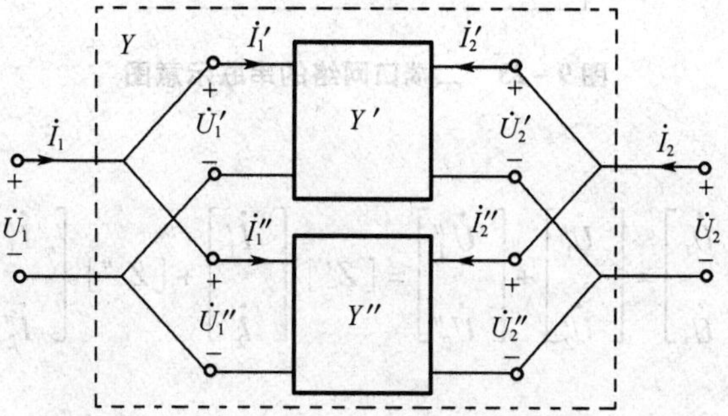

图9－22　二端口网络的并联示意图

由参数方程得

$$\begin{bmatrix}\dot I_1'\\ \dot I_2'\end{bmatrix}==\begin{bmatrix}Y_{11}' & Y_{12}'\\Y_{21}' & Y_{22}'\end{bmatrix}\begin{bmatrix}\dot U_1'\\ \dot U_2'\end{bmatrix},\begin{bmatrix}\dot I_1''\\ \dot I_2''\end{bmatrix}=\begin{bmatrix}Y_{11}'' & Y_{12}''\\Y_{21}'' & Y_{22}''\end{bmatrix}\begin{bmatrix}\dot U_1''\\ \dot U_2''\end{bmatrix}$$

并联后得

$$\begin{bmatrix}\dot I_1\\ \dot I_2\end{bmatrix}=\begin{bmatrix}\dot I_1'\\ \dot I_2'\end{bmatrix}+\begin{bmatrix}\dot I_1''\\ \dot I_2''\end{bmatrix}=\begin{bmatrix}Y_{11}' & Y_{12}'\\Y_{21}' & Y_{22}'\end{bmatrix}\begin{bmatrix}\dot U_1\\ \dot U_2\end{bmatrix}+\begin{bmatrix}Y_{11}'' & Y_{12}''\\Y_{21}'' & Y_{22}''\end{bmatrix}\begin{bmatrix}\dot U_1\\ \dot U_2\end{bmatrix}$$

$$\begin{bmatrix}\dot I_1\\ \dot I_2\end{bmatrix}=\begin{bmatrix}Y_{11} & Y_{12}\\Y_{21} & Y_{22}\end{bmatrix}\begin{bmatrix}\dot U_1\\ \dot U_2\end{bmatrix}=[Y]\begin{bmatrix}\dot U_1\\ \dot U_2\end{bmatrix}$$

得出:$Y=Y'+Y''$,即二端口并联所得复合二端口的 Y 参数矩阵等于两个二端口 Y 参数矩阵相加。

9.6.3 串联

如图9－23为输入端口串联输出端口串联采用 Z 参数。

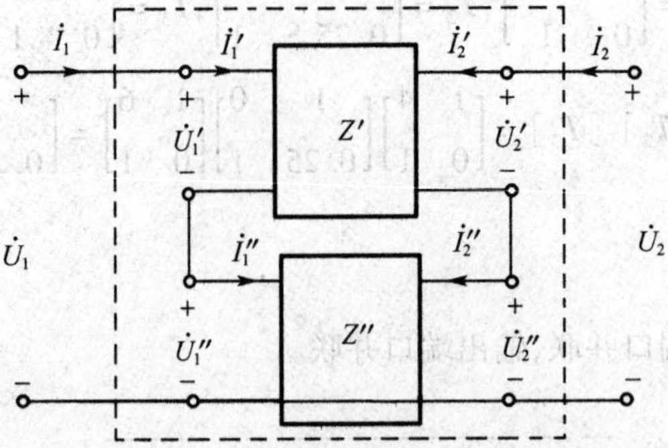

图 9-23　二端口网络的串联示意图

$$\begin{bmatrix}\dot{U}_1\\ \dot{U}_2\end{bmatrix}=\begin{bmatrix}\dot{U}_1'\\ \dot{U}_2'\end{bmatrix}+\begin{bmatrix}\dot{U}_1''\\ \dot{U}_2''\end{bmatrix}=[Z']\begin{bmatrix}\dot{I}_1'\\ \dot{I}_2'\end{bmatrix}+[Z'']\begin{bmatrix}\dot{I}_1''\\ \dot{I}_2''\end{bmatrix}$$

串联后电流相等，即

$$\begin{bmatrix}\dot{I}_1\\ \dot{I}_2\end{bmatrix}=\begin{bmatrix}\dot{I}_1'\\ \dot{I}_2'\end{bmatrix}=\begin{bmatrix}\dot{I}_1''\\ \dot{I}_2''\end{bmatrix}$$

则

$$Z=Z'+Z''$$

即

$$\begin{bmatrix}Z_{11} & Z_{12}\\ Z_{21} & Z_{22}\end{bmatrix}=\begin{bmatrix}Z_{11}' & Z_{12}'\\ Z_{21}' & Z_{22}'\end{bmatrix}+\begin{bmatrix}Z_{11}'' & Z_{12}''\\ Z_{21}'' & Z_{22}''\end{bmatrix}$$

所以串联后复合二端口 Z 参数矩阵等于原二端口 Z 参数矩阵相加。可推广到 n 端口串联。

9.7　二端口网络应用——滤波器简介

相移器、衰减器和滤波器等是电子技术中常用的二端网络器件，也是二端口网络的实际应用。

下面简单介绍滤波器。

滤波器是一种选频装置，可以使信号中特定的频率成分通过，而极大地衰减其他频率成分。滤波器分为有源滤波器和无源滤波器。它的主要作用是让有用信号尽可能无衰减地通过，对无用信号尽可能大地衰减。滤波器一般有两个端口，一个输入信号，一个输出信号。利用这个特性可以选择通过滤波器的一个方波群或复合噪波，而得到一个特定频率的正弦波。

在电路分析中，电路的频率特性通常用正弦稳态电路的网络函数来描述。线性网络在单一正弦激励下的正弦稳态响应 $y(t)$ 的相量 $y(\dot{Y})$ 与激励 $x(t)$ 的相量 $x(\dot{X})$ 之比，称为该电路的网络函数，记为 $H(j\omega)$，即

$$H(j\omega)=\frac{Y(\dot{Y})}{X(\dot{X})}$$

若输入和输出属于同一端口时，则称为驱动点函数，或策动点函数。若输入是电压，输出是电流时，则称为驱动点阻抗；若输入是电流，输出是电压时，称为驱动点导纳。以图 9－24 所示二端口网络为例，端口 1 的驱动点阻抗和导纳分别为 $\dot{U}_1/\dot{I}_1$ 和 $\dot{I}_1/\dot{U}_1$，端口 2 的驱动点阻抗和导纳分别为 $\dot{U}_2/\dot{I}_2$ 和 $\dot{I}_2/\dot{U}_2$。

图 9－24　二端口网络

若输入和输出属于不同端口时，则称为转移函数。它又分为转移阻抗、转移导纳、转移电压比和转移电流比四种。仍然以如图 9－24 所示二端口网络为例，$\dot{U}_2/\dot{I}_1$ 和 $\dot{U}_1/\dot{I}_2$ 称为转移阻抗，$\dot{I}_2/\dot{U}_1$ 和 $\dot{I}_1/\dot{U}_2$ 称为转移导纳，$\dot{U}_1/\dot{U}_2$ 和 $\dot{U}_2/\dot{U}_1$ 称为转移电压比，$\dot{I}_1/\dot{I}_2$ 和 $\dot{I}_2/\dot{I}_1$ 称为转移电流比。

含动态元件电路网络函数 $H(j\omega)$ 一般是频率的复函数，将它写为指数表示形式，有 $H(j\omega)=|H(j\omega)|e^{j\varphi(\omega)}$，式中 $|H(j\omega)|$ 称为网络函数的模，$\varphi(\omega)$ 称为网络函数的辅角，它们都是频率的的函数。含动态元件网络的网络函数是一个复数，也可以用极坐标表示形式有 $H(j\omega)=|H(j\omega)|\angle\theta(\omega)$，其中，网络函数的振幅 $|H(j\omega)|$ 和相位 $\theta(\omega)$ 是角频率 ω 的函数，如果用振幅或相位做纵坐标，角频率做横坐标，则可以得到网络函数的幅频特性曲线和相频特性曲线。从幅频特性曲线和相频特性曲线可以看出网络对不同频率正弦波呈现出不同特性，这在电子和通信工程中被广泛应用。

在图 9－25 的电路中，若选 $\dot{U}_1$ 为激励相量，$\dot{U}_2$ 为响应相量，则网络函数

$$H(j\omega)=\frac{\dot{U}_2}{\dot{U}_1}=\frac{\frac{1}{j\omega c}}{R+\frac{1}{j\omega c}}=\frac{1}{1+j\omega RC}$$

$$=|H(j\omega)|e^{j\varphi(\omega)}$$

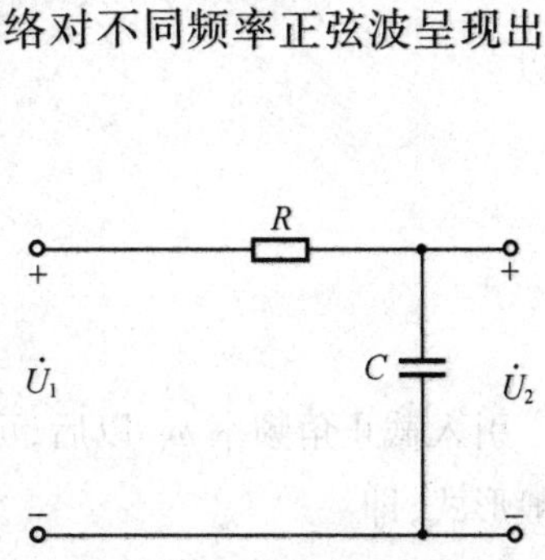

图 9－25　RC 一阶低通滤波器

其中

$$|H(j\omega)|=\frac{1}{\sqrt{1+\omega^2R^2C^2}}$$

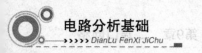

$$\varphi(\omega) = -\arctan(\omega RC)$$

因此可分别画出网络的幅频特性和相频特性，如图 9－26(a)(b)所示。

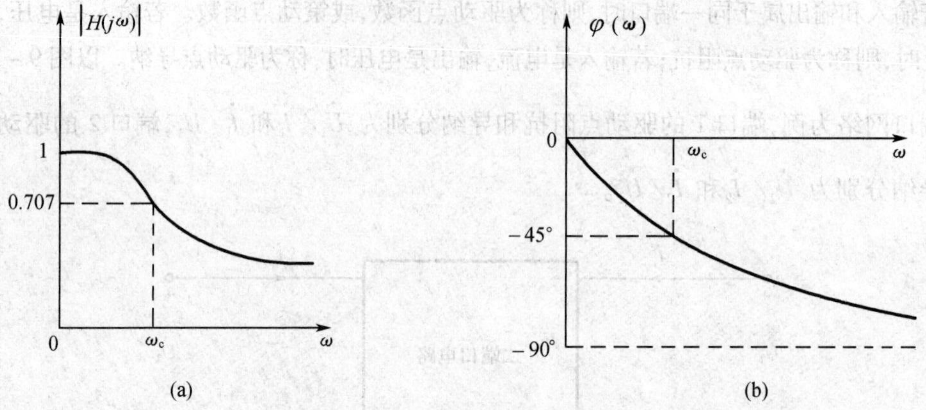

图 9－26　RC 一阶低通网络的频率特性

(a)幅频特性曲线；(b)相频特性曲线

由图 9－26(a)(b)可见，当 $\omega=0$，即输入为直流信号时，$|H(j0)|=1$，$\varphi(0)=0°$。这说明输出信号电压与输入信号电压大小相等、相位相同；当 $\omega=\infty$ 时，$|H(j\infty)|=0$，$\varphi(\infty)=-90°$。这说明输出电压大小为 0，而相位滞后输入信号电压 90°。由此可见，对如图 9－26 电路来说，直流和低频信号容易通过，而高频信号受到抑制，所以这样的网络属于低通网络。

实际低通网络的截止角频率是指网络函数的幅值 $|H(j\omega)|$ 下降到 $|H(j0)|$ 值的 $1/\sqrt{2}$ 时所对应的角频率，记为 ω_C。这样定义的截止角频率具有一般性。对于图 9－26(a)所示的 RC 一阶低通网络，因 $|H(j0)|=1$，所以按 $|H(j\omega_C)|=\dfrac{1}{\sqrt{2}}$ 来定义。由图 9－26 得

$$|H(j\omega)| = \frac{1}{\sqrt{1+\omega^2R^2C^2}} = \frac{1}{\sqrt{2}}$$

所以

$$\omega_C{}^2R^2C^2 = 1$$

则

$$\omega_C = \frac{1}{RC}$$

引入截止角频率 ω_C 以后，可将图 9－26 这类一阶低通网络的网络函数归纳为如下的一般形式，即

$$H(j\omega) = |H(j0)|\frac{1}{1+j\dfrac{\omega}{\omega_C}}$$

上式中 $|H(j0)| = |H(j\omega)|_{\omega=0}$，它是与网络的结构及元件参数有关的常数。

由图 9－26(b)看出，当 $\omega=\omega_C$ 时，$|H(j\omega)| = 0.707|H(j0)|$，$\varphi(\omega_C) = -45°$。对于

$|H(j0)|=1$ 这类低通网络，当 ω 高于低通截止角频率 ω_C 时，$|H(j\omega)|<0.707$，输出信号的幅值较小，工程实际中常将它们忽略不计，认为角频率高于 ω_C 的输入信号不能通过网络，被滤除了。通常，也把 $0\leqslant\omega\leqslant\omega_C$ 的角频率范围作为这类实际低通滤波器的通频带宽度。

在实际的电子和通信工程中所使用信号的频率动态范围很大，如从 $10^2\sim10^{10}$ Hz。为了表示频率在极大范围内变化时电路特性的变化，横坐标常用对数坐标表示频率，纵坐标用 $20\lg|H(j\omega)|$ 和 $\theta(\omega)$ 表示，这种曲线称为波特图。如果以分贝为单位表示网络的幅频特性，其定义为 $20\lg|H(j\omega)|$ dB，就得到了网络函数幅值的分贝数。当 $\omega=\omega_C$ 时，$20\lg|H(j\omega_C)|=20\lg0.707=-3$ dB，所以又称 ω_C 为 3 dB 角频率。在这一角频率上，输出电压与它的最大值相比较正好下降了 3 dB。在电子电路中约定，当输出电压下降到它的最大值的 3 dB 以下时，就认为该频率成分对输出的贡献很小。

如果从功率角度看，输出功率与输出电压平方成正比。图 9－26 所示网络中，最大输出电压 $U_2=U_1$，所以最大输出功率正比于 U_1^2，当 $\omega=\omega_C$ 时，$U_2=U_1/\sqrt{2}$，输出功率正比于 U_2^2，即正比于 $U_1^2/2$，它只是最大输出功率的一半，因此 3 dB 频率点又称为半功率频率点。

这里还需要说明的是 3 dB 频率点或半功率频率点即是前述的截止频率点，它只是人为定义出来的一个相对标准。由图 9－26(b) 可以看出，随着角频率 ω 的增加，相位角 $\varphi(\omega)$ 将从 $0°\sim-90°$ 单调下降，说明输出信号电压总是滞后输入信号电压的，滞后的角度介于 $0°\sim90°$ 之间，具体数值取决于输入信号的角频率与网络的元件参数值。因此图 9－25 所示的 RC 一阶低通网络属于滞后网络。

根据网络函数表达式可以判断网络的阶次，$H(j\omega)$ 的分母中只含有 $(j\omega)$ 的一阶次方，称为该网络为一阶网络。可以推广一般规律，网络函数的分母中包含 $(j\omega)$ 的方次是几阶的，该网络函数所对应的网络就是几阶网络。

根据网络的幅频特性，可将网络分类为低通、高通、带通、带阻网络，相应也称为低通、高通、带通、带阻滤波器。各种理想滤波器的幅频特性如图 9－27 所示。在图 9－27 中，“通带”表示频率处于这个区域的激励源信号（又称输入信号）可以通过网络，顺利到达输出端产生相应信号输出。“阻带”表示频率处于这个区域的激励源信号被网络阻止，不能到达输出端产生输出信号，即被滤除掉了。滤波器的名称就来源于此。符号 ω_C 称为截止频率。ω_{C1}、ω_{C2} 分别称为上、下截止角频率。

【例 9－12】 图 9－28 所示网络是电子线路中常用的 RC 耦合电路，若选 $\dot{U}_1$ 作为输入相量，$\dot{U}_2$ 作为输出相量，试分析其频率特性（绘出幅频特性、相频特性），并求出截止角频率。

解

$$H(j\omega)=\frac{\dot{U}_2}{\dot{U}_1}=\frac{R}{R+\dfrac{1}{R+j\omega C}}=\frac{1}{1-j\dfrac{1}{\omega RC}}$$

$$=|H(j\omega)|e^{j\varphi(\omega)}$$

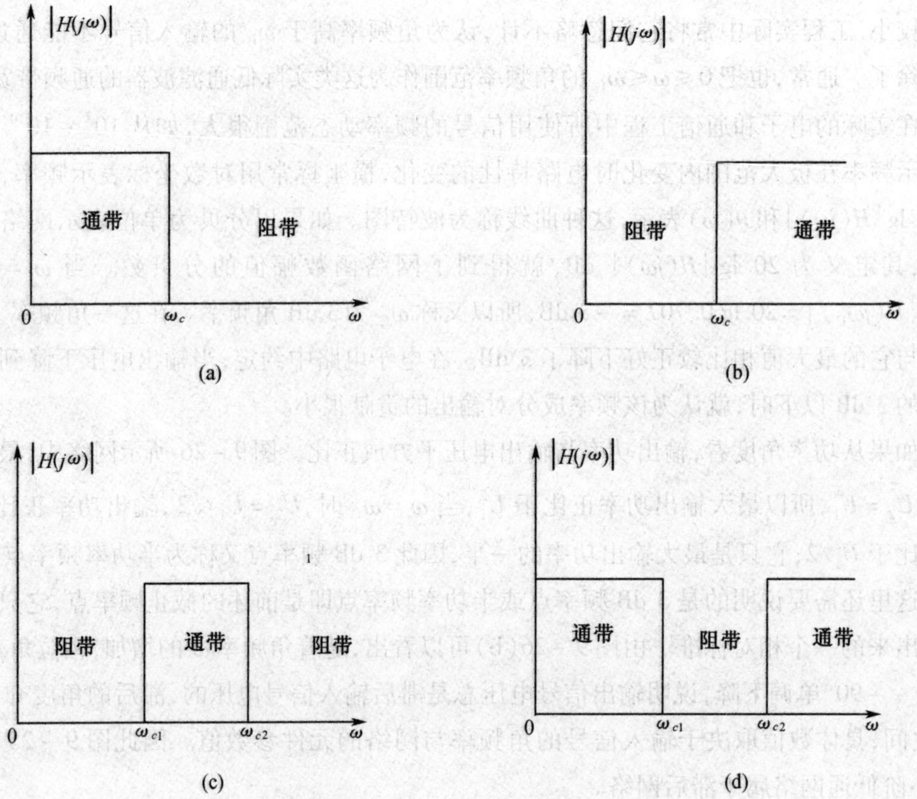

图 9－27　几种典型的滤波器

(a)低通滤波器;(b)高通滤波器;(c)带通滤波器;(d)带阻滤波器

式中

$$|H(j\omega)| = \frac{1}{\sqrt{1+\dfrac{1}{\omega^2 R^2 C^2}}}$$

$$\varphi(\omega) = \arctan \frac{1}{\omega RC}$$

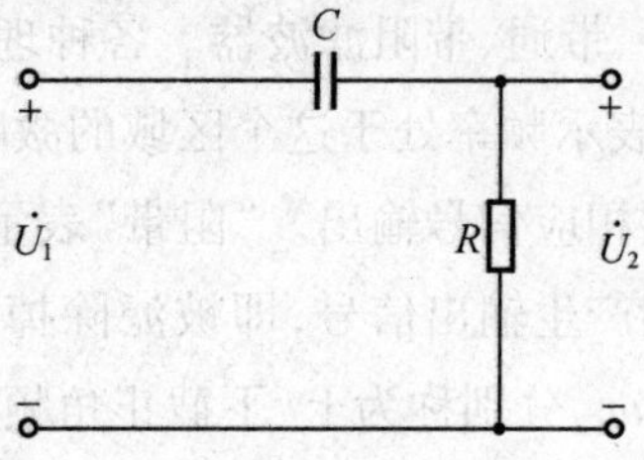

图 9－28　【例 9－12】*RC* 耦合电路

因此可分别画得网络的幅频特性与相频特性,如图 9－29 所示。由图 9－29 可以看出:当 $\omega=0$ 时,$|H(j0)|=0$,$\varphi(0)=90°$,说明输出电压大小为 0,而相位超前输入电压90°。当 $\omega=\infty$ 时,$|H(j\infty)|=1$,$\varphi(\infty)=0°$,说明输出与输入的电压相量大小相等、相位相同。由此可以看出,图 9－29(a)所示网络的幅频特性恰与低通网络的幅频特性相反,它起抑制低频分量、易使高频分量通过的作用,所以它属于高通网络。

从相位特性看,随着 ω 由 0 向无穷大增高时相移由90°单调地趋向于 0°,这说明输出电压总是超前输入电压的,超前的角度介于90° ~0°之间,超前角度的数值取决于输入电压的频率 ω 和元件的参数值。因此,这类网络属于超前网络。

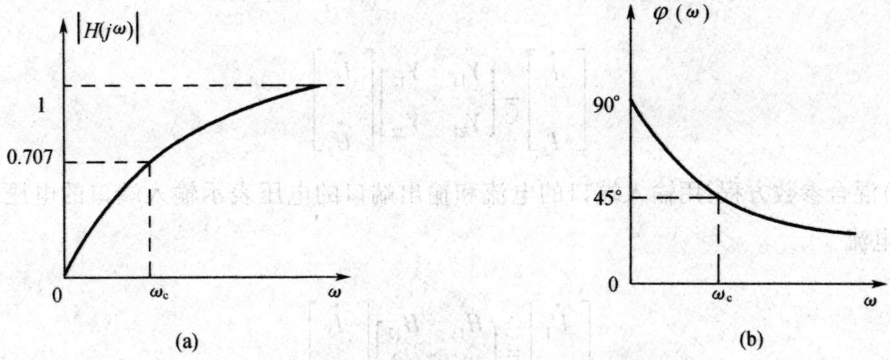

图 9－29　*RC* 一阶高通网络的频率特性

实际高通网络的截止频率可按下式定义：

$$|H(j\omega)| \overset{\text{def}}{=\!=\!=} \frac{1}{\sqrt{2}}|H(j\infty)|$$

对于图 9－29 所示的 RC 一阶高通网络，$|H(j\infty)|=1$，所以有

$$\frac{1}{\sqrt{1+\dfrac{1}{\omega^2R^2C^2}}}=\frac{1}{\sqrt{2}}$$

故解得

$$\omega_C=\frac{1}{RC}$$

这里请注意：求得的一阶 RC 低通和高通网络的截止角频率都等于一阶电路时间常数的倒数，但低通、高通网络截止角频率的含义恰恰是相反的。

同低通网络类似，在引入截止角频率 ω_C 后，对一阶高通网络的网络函数也可归纳为如下形式

$$|H(j\omega)| \overset{\text{def}}{=\!=\!=} |H(j\infty)|\frac{1}{1-j\dfrac{\omega_C}{\omega}}$$

式中，$|H(j\infty)|=|H(j\omega)|_{\omega=\infty}$，它是与网络的结构和元件参数有关的常数。

重点串联

1. 线性无独立源二端网络有两个端口电流变量和两个端口电压变量，用任意两个变量来表示另外两个变量，共有六种参数方程。常用形式如下：

（1）开路阻抗参数方程：用端口电流表示端口电压

$$\begin{bmatrix}\dot{U}_1\\ \dot{U}_2\end{bmatrix}=\begin{bmatrix}Z_{11} & Z_{12}\\ Z_{21} & Z_{22}\end{bmatrix}\begin{bmatrix}\dot{I}_1\\ \dot{I}_2\end{bmatrix}$$

(2)短路导纳参数方程:用端口电压表示端口电流

$$\begin{bmatrix}\dot{I}_1\\ \dot{I}_2\end{bmatrix}=\begin{bmatrix}Y_{11} & Y_{12}\\ Y_{21} & Y_{22}\end{bmatrix}\begin{bmatrix}\dot{U}_1\\ \dot{U}_2\end{bmatrix}$$

(3)混合参数方程:用输入端口的电流和输出端口的电压表示输入端口的电压和输出端口的电流

$$\begin{bmatrix}\dot{U}_1\\ \dot{I}_2\end{bmatrix}=\begin{bmatrix}H_{11} & H_{12}\\ H_{21} & H_{22}\end{bmatrix}\begin{bmatrix}\dot{I}_1\\ \dot{U}_2\end{bmatrix}$$

(4)传输参数方程:用输出端口的电压、电流表示输入端口的电压、电流

$$\begin{bmatrix}\dot{U}_1\\ \dot{I}_1\end{bmatrix}=\begin{bmatrix}A_{11} & A_{12}\\ A_{21} & A_{22}\end{bmatrix}\begin{bmatrix}\dot{U}_2\\ -\dot{I}_2\end{bmatrix}$$

对于同一二端口网络,其各种参数之间存在一定的关系。可以通过上述方程由一种参数求出另一种参数。

2. 互易性二端口的等效电路是含三个阻抗或导纳的 T 形或 Π 形电路。非互易二端口的等效电路是由上述 T 形或 Π 形电路的受控源组成的。

3. 二端口网络的联结

研究二端口网络的联结可以起到两个作用:一是简化电路的分析,二是便于设计和实现一个复杂的二端口。

4. 根据网络的幅频特性,可将网络分类为低通、高通、带通、带阻网络,相应也称为低通、高通、带通、带阻滤波器。

习　题　9

一、填空题

1. 一个二端口网络输入端口和输出端口的端口变量共有 4 个，它们分别是________、________、________、________。

2. 二端口网络的基本方程共有________种，各方程对应的系数是二端口网络的基本参数，经常使用的参数是________参数、________参数、________参数和________参数。

3. 描述无源线性二端口网络的 4 个参数中，只有________个是独立的，当无源线性二端口网络为对称网络时，只有________个参数是独立的。

4. 对无源线性二端口网络用任意参数表示网络性能时，其最简电路形式为________形网络结构和________形网络结构两种。

5. 图 9 – 1(a)所示二端口电路的 Y 参数矩阵为 $\boldsymbol{Y}$ = ________，图 9 – 26(b)所示二端口的 Z 参数矩阵为 $\boldsymbol{Z}$ = ________。

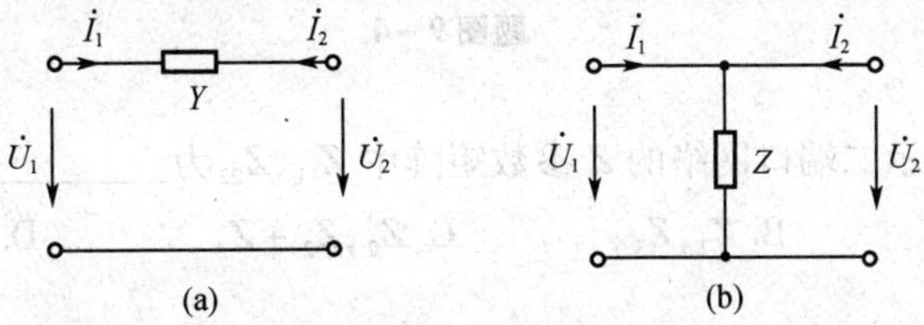

题图 9 – 1

二、选择题

1. 题图 9 – 2 为二端口的 Z 的参数 Z_{11} 为________。

A. 8 Ω　　B. 5 Ω　　C. 3 Ω　　D. 2 Ω

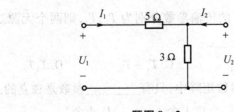

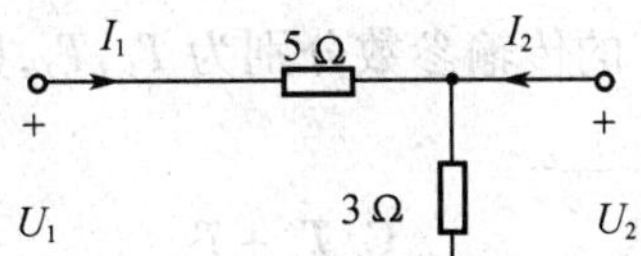

题图 9 – 2

2. 题图 9 – 3 所示二端口的 Y 参数为________。

A. –0.5S　1.5S　0.5S　–1.5S　　B 0.5S　–1.5S　0.5S　1.5S

C. 1.5S　0.5S　0.5S　1.5S　　D 0.5S　1.5S　0.5S　1.5S

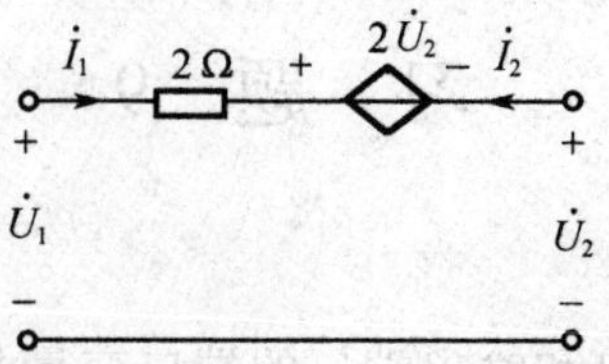

题图 9－3

3. 题图 9－4 所示二端口网络的 Y 参数矩阵中 Y_{12} 为________。

A. $\frac{1}{Z_1}$　　B. $-\frac{1}{Z_1}$　　C. $\frac{1}{Z_2}$　　D. $-\frac{1}{Z_2}$

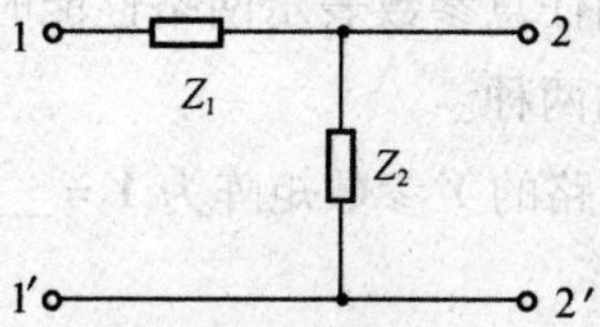

题图 9－4

4. 题图 9－5 所示二端口网络的 Z 参数矩阵中 Z_{11},Z_{22} 为________。

A. Z_2+Z_3, Z_3　　B. Z_2, Z_3　　C. Z_2, Z_2+Z_3　　D. $0, Z_3$

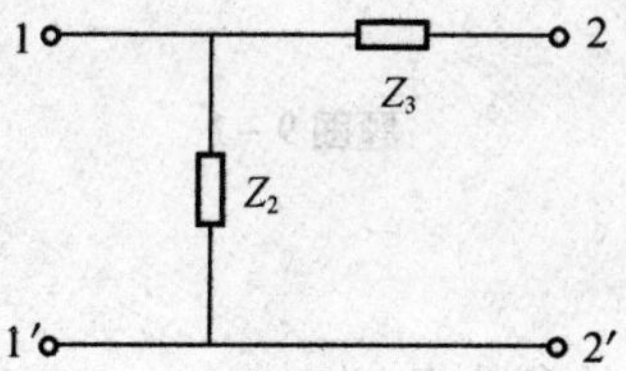

题图 9－5

5. 设两个无源二端口 P_1,P_2 的传输参数分别为 T_1,T_2,则两个无源二端口级联时,其复合二端口的传输参数 T 为________。

A. T_2-T_1　　B. T_1-T_2　　C. T_1+T_2　　D. T_1T_2

6. 在对称二端口网络的 Y 参数矩阵中,只有________参数是独立的。

A. 2 个　　B. 3 个　　C. 1 个　　D. 4 个

7. 对线性无源二端口而言,以下关系式正确的是________。

A. $Y=\frac{1}{Z_{11}}$　　B. $H_{11}=\frac{1}{Y_{11}}$　　C. $A=H_{12}$　　D. $H_{22}=Y_{22}$

8. 若两个传输参数都为 $\begin{bmatrix}3 & 2\\4 & 3\end{bmatrix}$ 的二端口级联,则级联后复合二端口传输参数矩阵为________。

A. $\begin{bmatrix} 6 & 4 \\ 8 & 6 \end{bmatrix}$　　B. $\begin{bmatrix} 9 & 4 \\ 16 & 9 \end{bmatrix}$　　C. $\begin{bmatrix} 17 & 12 \\ 24 & 17 \end{bmatrix}$　　D. $\begin{bmatrix} 12 & 15 \\ 17 & 24 \end{bmatrix}$

9. 若已知二端口传输 a 参数矩阵 $\boldsymbol{T}$________。

A. $2\ \Omega, 1\ \Omega, \frac{1}{3}\ \Omega$　　B. $\frac{1}{3\ \Omega}, \frac{2}{3}\ \Omega, \frac{1}{9}\Omega$

C. $\frac{3}{7}\ \Omega, 1\ \Omega, \frac{1}{3}\ \Omega$　　D. $2\ \Omega, \frac{1}{3}\ \Omega, \frac{2}{3}\ \Omega$

10. 题图 9－6 所示将两个无源二端口 P_1, P_2 串联时，其复合二端口的参数为________。

A. $Z_1 \cdot Z_2$　　B. $Z_1 + Z_2$　　C. $Y_1 + Y_2$　　D. $T_1 + T_2$

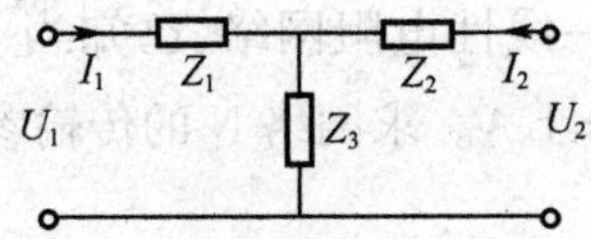

题图 9－6

三、计算题

1. 求题图 9－7 所示二端口网络的 Y 参数矩阵。

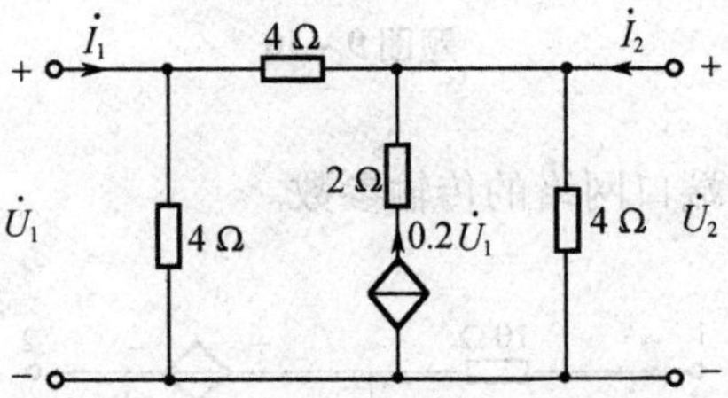

题图 9－7

2. 求题图 9－8 所示二端口网络的 Z 参数矩阵。

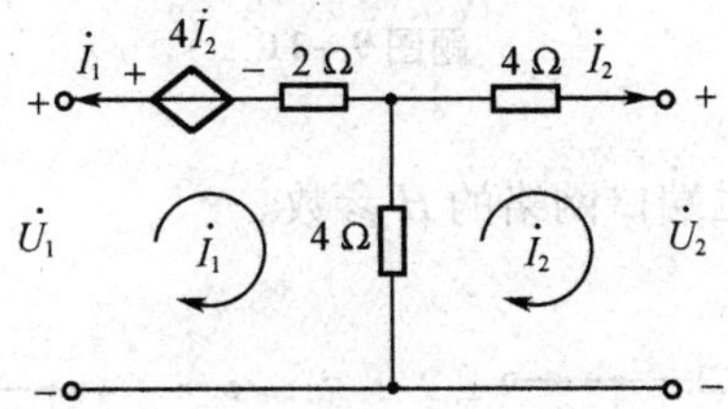

题图 9－8

3. 求题图 9 - 9 所示二端口的 Z 参数矩阵,其中 $r=1\ \Omega$。

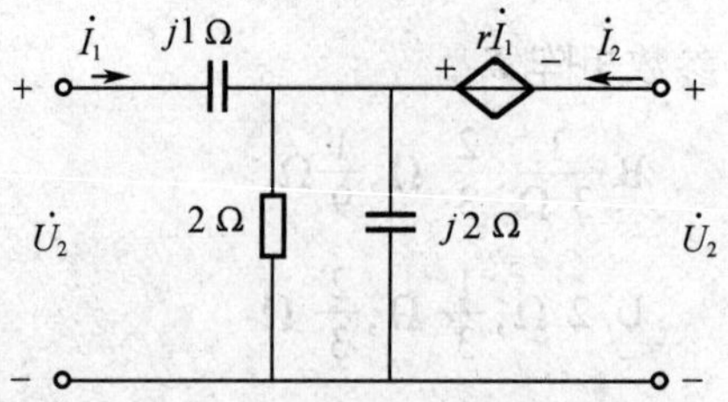

题图 9 - 9

4. 如题图 9 - 10 所示,N 为一线性电阻网络,已知当 $U_S=8$ V,$R=3\ \Omega$ 时,$I=0.5$ A,$I_1=2$ A;$U_S=18$ V,$R=4\ \Omega$ 时,$I=1$ A。求网络 N 的传输参数矩阵。

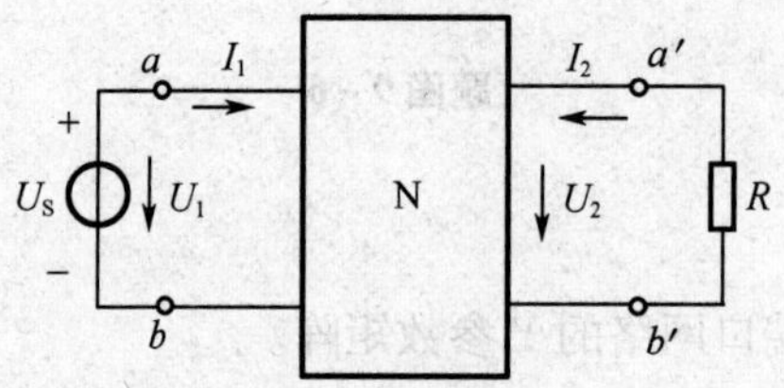

题图 9 - 10

5. 求题图 9 - 11 所示二端口网络的传输参数。

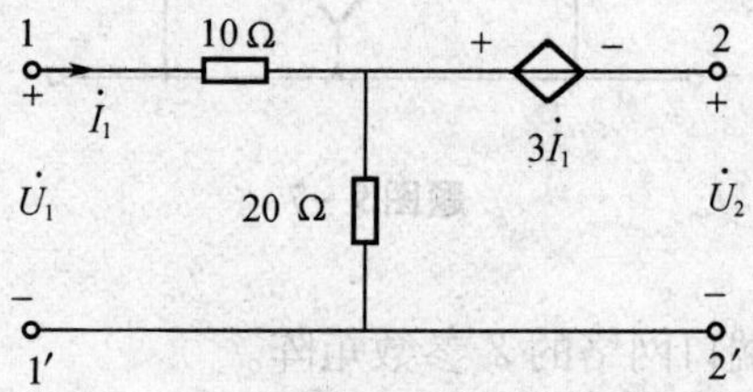

题图 9 - 11

6. 求题图 9 - 12 所示各二端口网络的 H 参数。

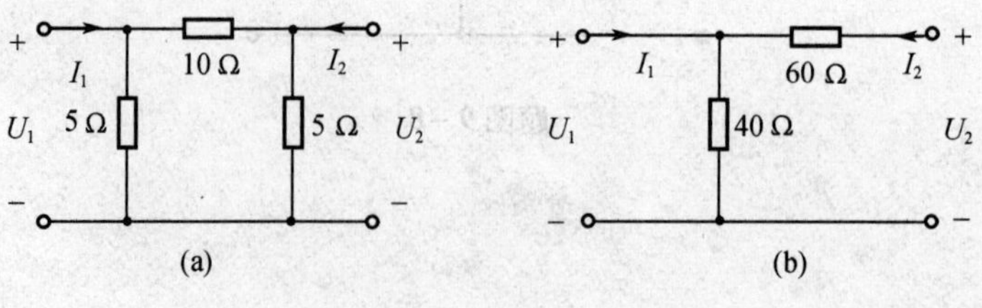

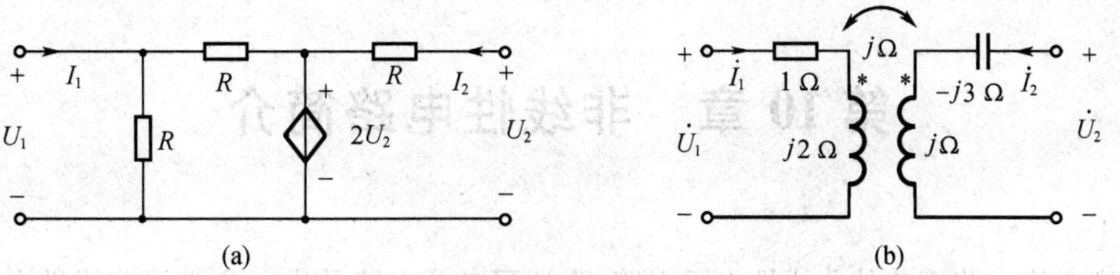

题图 9－12

7. 已知题图 9－13(a)所示网络 N 的阻抗参数矩阵为 $Z=\begin{bmatrix}5 & 4\\4 & 5\end{bmatrix}\Omega$，求复合二端口网络的传输参数矩阵。

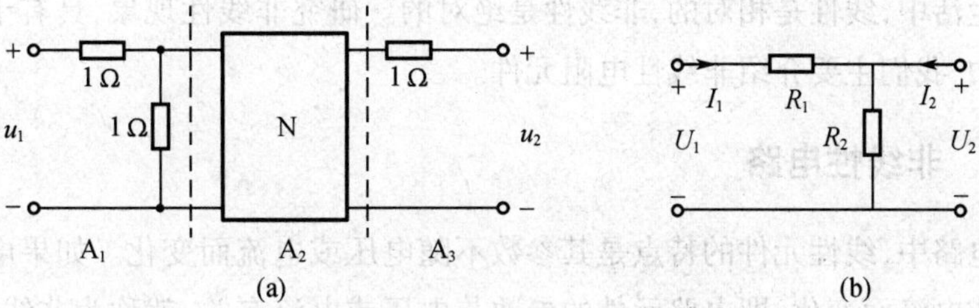

题图 9－13

8. 电路如题图 9－14 所示。①试选择合适的匝数比使传输到负载上的功率达到最大；②求 1 Ω 负载上获得的最大功率。

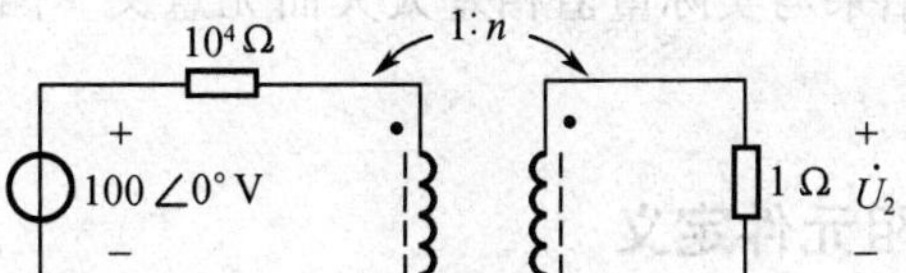

题图 9－14

9. 在题图 9－15 所示的一阶低通网络中，已知 $C=0.01\ \mu F$，在 $f=10$ kHz 时输出电压滞后，输入电压30°，此时电阻应为何值？若输入电压振幅 $U_{1m}=100$ V，此时输出电压振幅 U_{2m} 应是多少伏？

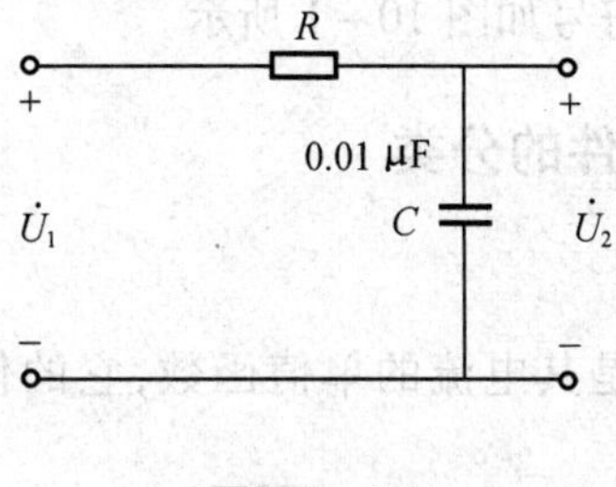

题图 9－15

第 10 章　非线性电路简介

本章介绍一些简单的非线性电阻电路,为学习电子电路及进一步学习非线性电路理论提供基础。通过本章的学习掌握非线性电阻电路的分析方法——小信号分析法。

10.1　非线性电阻元件

在实际生活中,线性是相对的,非线性是绝对的。研究非线性现象,具有十分重要的意义。在本章中,我们主要介绍非线性电阻元件。

10.1.1　非线性电路

在线性电路中,线性元件的特点是其参数不随电压或电流而变化。如果电路元件的参数随着电压或电流而变化,即电路元件的参数与电压或电流有关,就称为非线性元件,含有非线性元件的电路称为非线性电路。

实际电路元件的参数总是或多或少地随着电压或电流而变化,所以严格说来,一切实际电路都是非线性电路。但在工程计算中,可以对非线性程度比较弱的电路元件作为线性元件来处理,从而简化电路分析。而对许多本质因素具有非线性特性的元件,如果忽略其非线性特性就将导致计算结果与实际量值相差太大而无意义。因此,分析研究非线性电路具有重要的工程物理意义。

10.1.2　非线性电阻元件定义

线性电阻元件的伏安特性可用欧姆定律来表示,即 $u = Ri$,在 $u - i$ 平面上它是通过坐标原点的一条直线。所谓非线性电阻,它的伏安关系不满足欧姆定律。其伏安关系可以用通过原点的遵循某种特定非线性关系,且该关系并不随着电路中的状态变化而变化。

在电子线路中,二极管与三极管是典型的非线性元件,如隧道二极管。非线性电阻在电路中符号如图 10 - 1 所示。

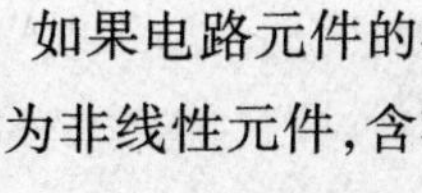

图 10 - 1　非线性电阻电路模型

10.1.3　非线性电阻元件的分类

1. 电流控制型电阻

非线性电阻元件两端电压是其电流的单值函数,它的伏安特性可用下列函数关系表示,即

$$u = f(i)$$

其典型的伏安特性如图 10－2(a)所示，从其特性曲线上可以看到，对于同一电压值，与之对应的电流可能是多值的。如 $u=u_0$ 时，就有 i_1、i_2 和 i_3 三个不同的值与之对应；而对于每一个电流值 i，有且只有一个电压值 u 与之对应。

2. 电压控制型电阻

通过非线性电阻元件中的电流是其两端电压的单值函数，其伏安特性可用下列函数关系表示，即

$$i=g(u)$$

其典型的伏安特性如图 10－2(b)所示，从其特性曲线上可以看到，对于同一电流值，与之对应的电压可能是多值的。但是对于每一个电压值 u，有且只有一个电流值 i 与之对应。隧道二极管就具有这样的伏安特性。

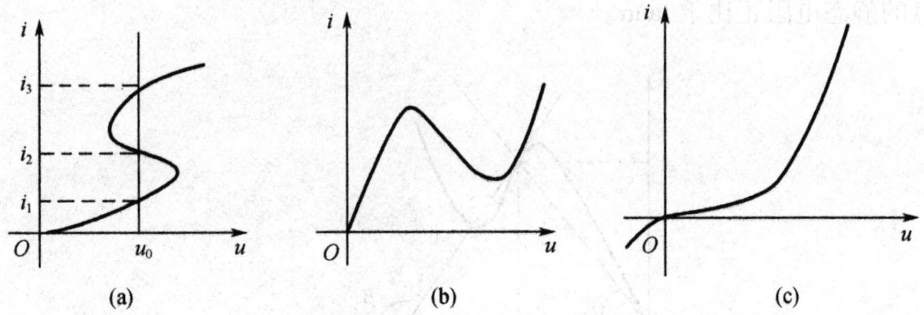

图 10－2　非线性电阻伏安特性曲线

3. 单调型非线性电阻

非线性电阻元件的伏安特性是单调增长或单调下降的，它同时是电流控制又是电压控制的。这类电阻以 P－N 结二极管最为典型，它的伏安特性曲线如图 10－2(c)所示，其伏安特性用下式表示，即

$$i=I_S(e^{\frac{qu}{kT}}-1)$$

式中　I_S——常数，称为反向饱和电流；

q——电子的电荷(1.6×10^{-19} C)；

k——玻耳兹曼常数(1.38×10^{-23} J/K)；

T——热力学温度。

在 $T=300$ K(室温下) 时，有

$$\frac{q}{KT}=40(\text{J/C})^{-1}=40\ \text{V}^{-1}$$

因此

$$i=I_S(e^{40u}-1)$$

从式 $i=I_S(e^{\frac{qu}{kT}}-1)$ 可求得

$$U=\frac{KT}{q}\ln\left(\frac{l}{I_S}i+l\right)$$

单调型非线性电阻可以说电压可用电流的单值函数来表示。

线性电阻是双向性的，而许多非线性电阻却是单向性的。当加在非线性电阻两端的电压方向不同时，流过它的电流也完全不同，故其特性曲线不对称于原点。在工程中，非线性电阻的单向导电性可作为整流用。当然也有一些非线性电阻是双向性的。

10.1.4 静态电阻和动态电阻

为了计算上的需要，对于非线性电阻元件有时引用静态电阻和动态电阻的概念。

非线性电阻元件在某一工作状态下（如图 10－3 中 P 点）的静态电阻 R 等于该点的电压值 u 与电流值 i 之比，即

$$R=\frac{u}{i}$$

显然 P 点的静态电阻正比于 $\tan\alpha$。

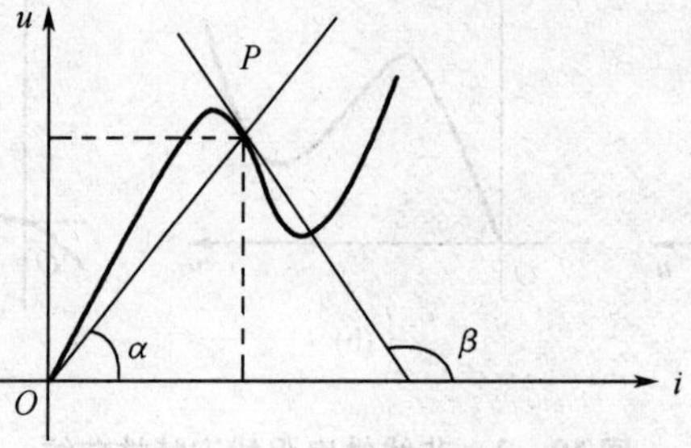

图 10－3 非线性电阻的静态电阻与动态电阻

非线性电阻元件在某一工作状态下（如图 10－3 中 P 点）的动态电阻 R_d 等于该点的电压 u 对电流 i 的导数值，即

$$R_d=\frac{du}{di}$$

显然 P 点的动态电阻正比于 $\tan\beta$。

这里特别要说明的是，实际上其静态电阻值为正，当非线性电阻伏安特性某一点处的动态电阻为负值时，称非线性电阻在该点具有“负电阻”的性质。所谓“负电阻”是可以发出能量的理想元件，在本书中，并未讨论。

10.1.5 非线性电阻的串联和并联

当非线性电阻元件串联或并联时，只有所有非线性电阻元件的控制类型相同，才有可能得出其等效电阻伏安特性的解析表达式。对于图 10－4 所示两个非线性电阻的串联电路，设两个非线性电阻的伏安特性分别为 $u_1=f_1(i_1)$，$u_2=f_2(i_2)$，用 $u=f(i)$ 表示图 10－4(a) 所示两个非线性电阻串联电路的一端口伏安特性。根据 KCL 和 KVL，得

$$u=u_1+u_2,\ u=f_1(i_1)+f_2(i_2)$$

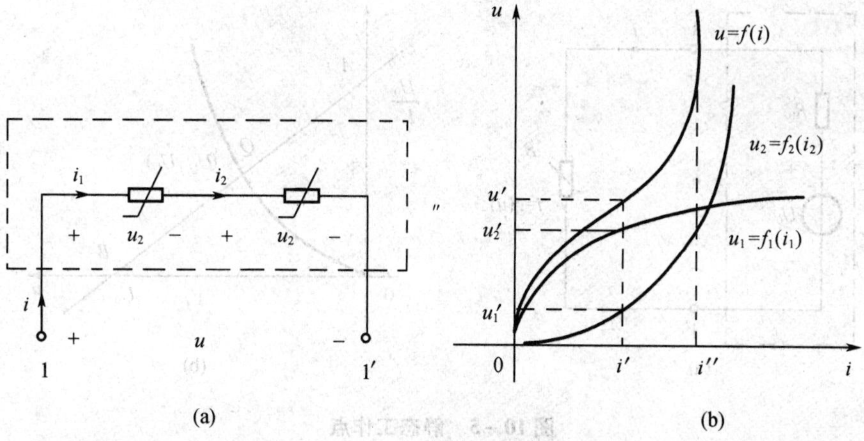

图 10-4　非线性电阻的串联

因此对所有 i，则有

$$u = f_1(i_1) + f_2(i_2)$$

因此两个电流控制的非线性电阻串联组合的等效电阻还是一个电流控制的非线性电阻。

也可以用图解的方法来分析非线性电阻的串联电路。图 10-4(b)说明了这种分析方法，即在同一电流值下将 u_1 和 u_2 相加可得出 u。例如，当 $i' = i_1' = i_2'$时，有 $u_1 = u_1', u_2 = u_2'$，而 $u' = u_1' + u_2'$。取不同的 i 值，可逐点求出其等效伏安特性 $u = f(i)$，如图 10-4(b)所示

如果这两个非线性电阻中有一个是电压控制型，在电流值的某范围内电压是多值的，很难写出等效伏安特性 $u = f(i)$ 的解析式。可以用图解的方法求其等效伏安特性。

图 10-5(a)所示电路由线性电阻 R_0 和直流电压源 U_0 及一个非线性电阻 R 组成。线性电阻 R_0 和电压源 U_0 的串联组合可以是一个线性一端口的戴维南等效电路。设非线性电阻的伏安特性如图 10-5(b)所示。这里介绍另一种图解法，称为“曲线相交法”。

对此电路用 KVL，可得下列方程，即

$$U_0 = R_0 i + u, u = U_0 - R_0 i$$

此方程可以看作是图 10-5(a)虚线方框所示一端口的伏安特性。它在 $u-i$ 平面上是一条如图 10-5(b)中的直线$\overline{AB}$。设非线性电阻 R 的伏安特性可表示为 $i = g(u)$。

直线$\overline{AB}$与此伏安特性的交点(U_Q, I_Q)同时满足 $U_0 = R_0 i + u$ 和 $i = g(u)$，所以有

$$U_0 = R_0 I_Q + U_Q$$

$$I_Q = g(U_g)$$

交点 $Q(U_Q, I_Q)$ 称为电路的静态工作点，它就是图 10-5(a)所示电路的解。在电子电路中，直流电压源通常表示偏置电压，R_0 表示负载，故直线$\overline{AB}$通常称为负载线。

图 10-6 为两个非线性电阻的并联电路。按 KCL 和 KVL 有

$$u = u_1 = u_2, i = i_1 + i_2$$

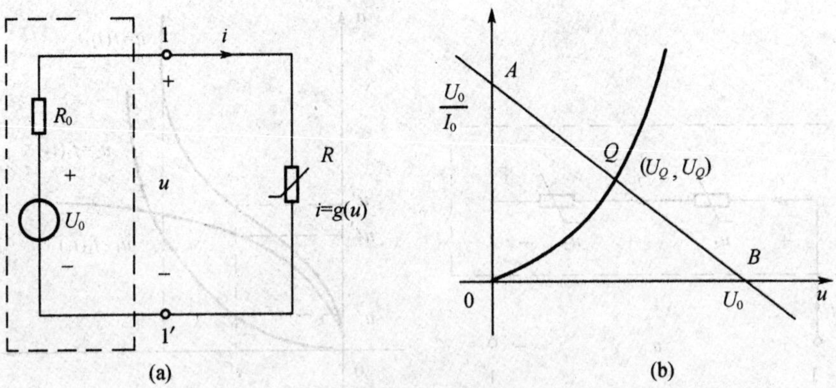

图 10－5　静态工作点

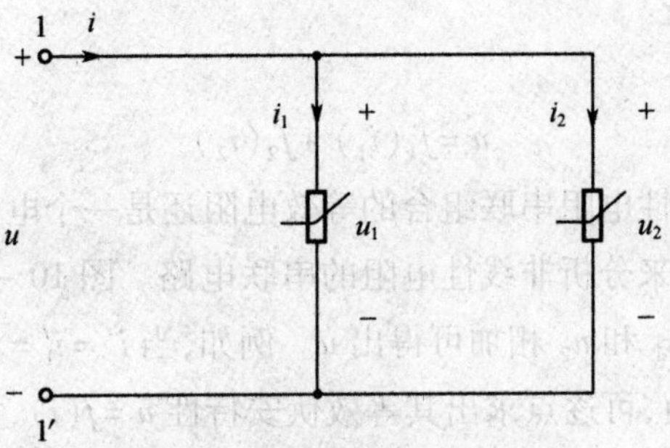

图 10－6　非线性电阻的并联

设两个非线性电阻均为电压控制型的，其伏安特性分别表示为

$$i_1=f_1(u_1),i_2=f_2(u_2)$$

由此并联电路组成的一端口伏安特性用 $i=f(u)$ 来表示。利用以上关系，可得

$$i_1=f_1(u)+f_2(u)$$

所以此一端口的伏安特性是一个电压控制型的非线性电阻。如果并联的非线性电阻之一不是电压控制的，就得不出以上的解析式，但可以用图解法来解。

用图解法来分析非线性电阻的并联电路时，把在同一电压值下的各并联非线性电阻的电流值相加，即可得到所需要的驱动点特性。

【例 10－1】　设有一个非线性电阻元件，其伏安特性为

$$u=f(i)=100i+i^3$$

(1) 试分别求出 $i_1=5$ A，$i_2=10$ A，$i_3=0.01$ A，$i_4=0.001$ A 时对应的电压 u_1,u_2,u_3,u_4 的值；

(2) 试求 $i=2\cos 314t$ A 时对应的电压 u 的值；

(3) 设 $u_{12}=f(i_1+i_2)$，试问 u_{12} 是否等于 (u_1+u_2)？

解

(1)$i_1=5$ A 时

$$u_1=(100\times 5+5^3)\ \text{V}=625\ \text{V}$$

$i_2=10$ A 时

$$u_2=(100\times 10+10^3)\ \text{V}=2\ 000\ \text{V}$$

$i_3=0.01$ A 时

$$u_3=(100\times 0.01+(0.01)^3)\ \text{V}=(1+10^{-6})\ \text{V}$$

$i_4=0.001$ A 时

$$u_4=(100\times 0.01+(0.001)^3)\ \text{V}=(0.1+10^{-9})\ \text{V}$$

从上述计算可以看出,如果把这个电阻作为 100 Ω 的线性电阻,当电流 i 不同时,引起的误差不同,特别是当电流值较小时,引起的误差不大。

(2)当 $i=2\cos 314t$ A 时

$$\begin{aligned}u&=[100\times 2\cos(314t)+8\cos^3(314t)]\ \text{V}\\&=[206\cos(314t)+2\cos(942t)]\ \text{V}\end{aligned}$$

由此可见,虽然非线性电阻元件中的电流是基频量,但由于非线性而导致电压中含有 3 倍频分量,所以利用非线性电阻可以产生频率不同于输入频率的输出(这种作用称为“倍频”)。

(3)现假设 $u_{12}=f(i_1+i_2)$,则

$$\begin{aligned}u_{12}&=100(i_1+i_2)+(i_1+i_2)^3\\&=100(i_1+i_2)+(i_1^3+i_2^3)+(i_1+i_2)\times 3i_1i_2\\&=(u_1+u_2+3i_1i_2)(i_1+i_2)\end{aligned}$$

可见

$$u_{12}\neq u_1+u_2$$

所以在非线性电路中叠加定理不适用于非线性电阻。

10.2　非线性电路的方程

非线性元件中的电压和电流之间的关系是非线性的,有时不能用函数来表示,要靠对应的曲线来表征其特征,这一特点是分析非线性电路的困难所在。与线性电路的一个根本区别就是不能使用叠加定理和齐性定理。但是分析非线性电路的基本依据仍然是 KCL、KVL 和元件的特性方程。

在电路的分析与计算中，基尔霍夫定律是分析线性电路和非线性电路的基本定律，所以线性电路方程与非线性电路方程的差别仅由于元件特性的不同而引起的。对于非线性电阻电路列出的方程是一组非线性代数方程，而对于含有非线性储能元件的动态电路列出的方程是一组非线性微分方程。

下面通过实例说明上述概念。

【例 10－2】 电路如图 10－7 所示，已知 $R_1=3\ \Omega, R_2=2\ \Omega, U_S=10\ V, i_S=1\ A$，非线性电阻的特性是电压控制型的，$i=u^2+u$，试求 u。

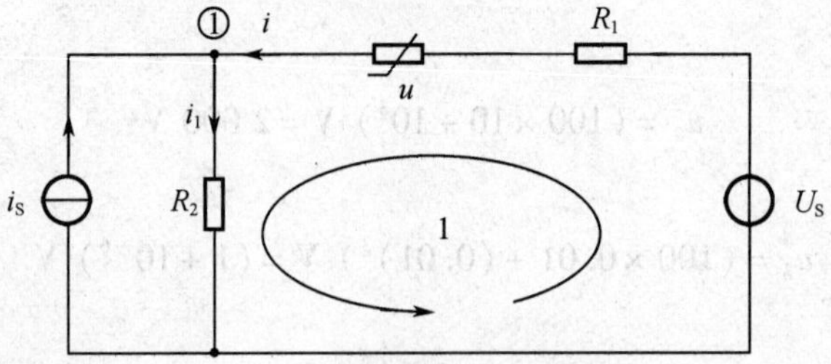

图 10－7 【例 10－2】图

解

对节点①列写 KCL 方程有

$$i_1=i_S+i$$

对于回路 1 列写 KVL 方程，有

$$R_1 i+R_2 i_1+u=U_S$$

而将 $i_1=i+i_S, i=u^2+u$ 代入上式，得

$$5u^2+6u-8=0$$

从上式解得

$$u'=0.85\ V, u''=-2\ V$$

非线性电阻电压有两个解，这说明由于非线性电阻的参数通常不等于常数，导致了非线性电路的解不是唯一的。如果电路中既有电压控制的电阻，又有电流控制的电阻，建立方程的过程就比较复杂。可根据元件的特性选择支路电流法、回路电流法、节点电压法等来建立电路的方程。

【例 10－3】 如图 10－8 所示电路，分别写出非线性电阻伏安特性为 $u=f(i)$ 和 $i=f(u)$ 的节点电压方程。

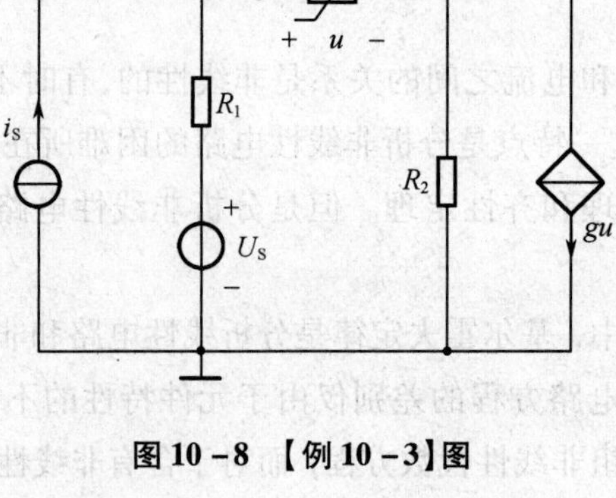

图 10－8 【例 10－3】图

解

当 $u=f(i)$ 时，方程变量除节点电压 u_1, u_2 外，电流 i 也要作为变量，故对节点① ②列写

节点电压方程为

节点 ①：

$$\frac{1}{R_1}u_1+i=i_S+\frac{1}{R_1}U_S$$

节点 ②：

$$gu_1+\left(\frac{1}{R_1}-g\right)u_2-i=0$$

补充方程：

$$u_1-u_2-f(i)=0$$

而当 $i=f(u)$ 时，$i=f(u_1-u_2)$，节点电压方程为

节点 ①：

$$\frac{1}{R_1}u_1+f(u_1-u_2)=i_S+\frac{1}{R_1}u_1U_S$$

节点 ②：

$$gu_1+\left(\frac{1}{R_1}-g\right)u_2-f(u_1-u_2)=0$$

本例考察了含有非线性电阻时的节点电压方程。可见当 $u=f(i)$ 时，需要列补充方程。而当非线性电阻为 $i=f(u)$ 时，则不需要补充方程。

由于含有非线性电阻元件的电路方程可以用非线性代数方程描述，因此，解决非线性电路就是要求解非线性代数方程。往往非线性代数解的情况非常复杂，用一般代数求解的方法一般比较麻烦，所以常常采用数值计算解法求解其近似解，尤其在计算机辅助分析中常常用到。其中牛顿－拉夫逊算法是较为常用的一种。

求解思路：

如图 10－9 所示，任意选择初始点 x_0，得到 $f(x)$ 在该初始点处的切线，将该切线与横轴的交点对应的函数值与一个指定的误差（接近于零）做比较，如果误差小于规定值，则停止计算；如果误差大于规定值，则将该处的 x 值作为下一次计算的"初始点"，再重复上面的过程，直到计算的新的切线与横轴的交点处对应的函数 $f(x)$ 的值近似为零，此时得到的 x 的值即为电路方程的解。有兴趣的读者可查阅相关资料自学。

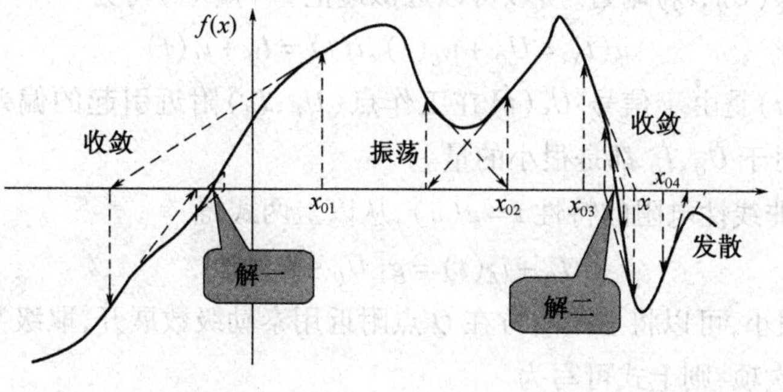

图 10－9　牛顿－拉夫逊算法

10.3 小信号分析法

小信号分析法是电子工程中分析非线性电路的一个重要方法。通常在电子电路中遇到的非线性电路，不仅有作为偏置电压的直流电源 U_0 作用，同时还有随时间变动的输入电压 $U_S(t)$ 作用。假设在任何时刻有 $U_0 \gg |U_S(t)|$，则把 $U_S(t)$ 称为小信号。分析此类电路，就可采用小信号分析法。

在图 10－10(a)所示电路中，直流电压源 U_0 为偏置电压，电阻 R_0 为线性电阻，非线性电阻 R 是电压控制型的，其伏安特性为 $i=g(u)$，图 10－10(b)为其伏安特性曲线。小信号时变电压为 $U_S(t)$，且 $|U_S(t)| \ll U_0$ 总成立。现在待求的是非线性电阻电压 $u(t)$ 和电流 $i(t)$。

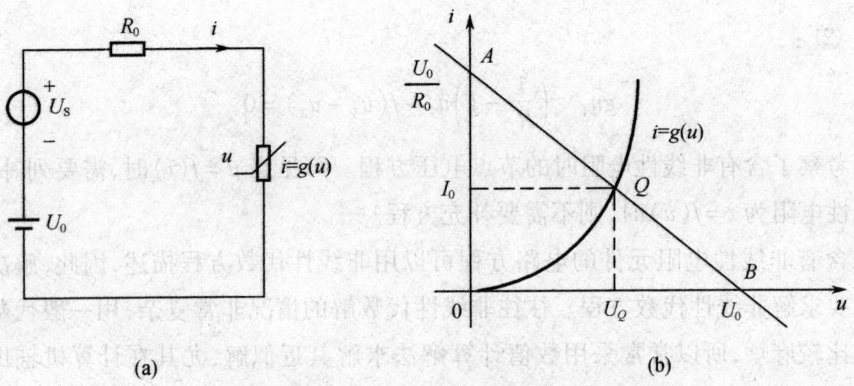

图 10－10　非线性电路的小信号分析

首先应用 KVL 列出电路方程：

$$U_0 + U_S(t) = R_0 i(t) + u(t)$$

当 $U_S(t)=0$ 时，即只有直流电压源单独作用时，负载线 $\overline{AB}$ 如图 10－10(b)所示，它与特性曲线的交点 $Q(U_Q, I_Q)$，即静态工作点。在 $|U_S(t)| \ll U_0$ 的条件下，电路的解 $u(t)$、$i(t)$ 必在工作点 $Q(U_Q, I_Q)$ 附近，所以可以近似地把 $u(t)$、$i(t)$ 写为

$$u(t) = U_Q + u_L(t), i(t) = I_Q + i_L(t)$$

式中，$u_1(t)$ 和 $i_1(t)$ 是由于信号 $U_S(t)$ 在工作点(U_Q, I_Q)附近引起的偏差。在任何时刻 t，$u_1(t)$ 和 $i_1(t)$ 相对于 U_Q，I_Q 都是很小的量。

考虑到给定非线性电阻的特性 $i=g(u)$，从以上两式得

$$I_Q + i_L(t) = g[U_Q + u_L(t)]$$

由于 $u_1(t)$ 很小，可以将上式右方在 Q 点附近用泰勒级数展开，取级数前面两项而略去一次项以上的高次项，则上式可写为

$$I_Q + i_L(t) \approx g(U_Q) + \left.\frac{\mathrm{d}g}{\mathrm{d}u}\right|_{U_Q} u_L(t)$$

由于 $I_Q=g(U_Q)$,故从上式得

$$i_L(t)\approx\frac{\mathrm{d}g}{\mathrm{d}u}\Big|_{U_Q}u_L(t)$$

又因为 $\frac{\mathrm{d}g}{\mathrm{d}u}\Big|_{U_Q}=G_\mathrm{d}=\frac{1}{R_\mathrm{d}}$ 为非线性电阻在工作点 (U_Q,I_Q) 处的动态电导，所以有

$$i_L(t)=G_\mathrm{d}u_L(t),i_L(t)=R_\mathrm{d}i_L(t)$$

由于 $G_\mathrm{d}=\frac{1}{R_\mathrm{d}}$ 在工作点 (U_Q,I_Q) 处是一个常量，所以由小信号电压 $U_\mathrm{S}(t)$ 产生的电压 $u_L(t)$ 和电流 $i_L(t)$ 之间的关系是线性的,则:

$$U_0+U_\mathrm{S}(t)=R_0i(t)+u(t)$$

可改写为

$$U_0+U_\mathrm{S}(t)=R_0[I_Q+i_L(t)]+U_Q+u_L(t)$$

由 $U_0=R_0I_0+U_Q$,故得

$$U_\mathrm{S}(t)=R_0i_\mathrm{L}(t)+u_L(t)$$

又因为在工作点 (U_Q,I_Q) 处，有 $u_L(t)=R_\mathrm{d}i_\mathrm{L}(t)$,代入上式，最后得

$$U_\mathrm{S}(t)=R_0i_\mathrm{L}(t)+R_\mathrm{d}i_\mathrm{L}(t)$$

上式是一个线性代数方程,由此可以作出给定非线性电阻在静态工作点 (U_Q,I_Q) 处的小信号等效电路,如图 10-11 所示。于是,求得

$$i_L(t)=\frac{U_\mathrm{S}(t)}{R_0+R_\mathrm{d}}$$

$$u_L(t)=R_\mathrm{d}i_L(t)=\frac{r_\mathrm{d}U_\mathrm{S}(t)}{R_0+R_\mathrm{d}}$$

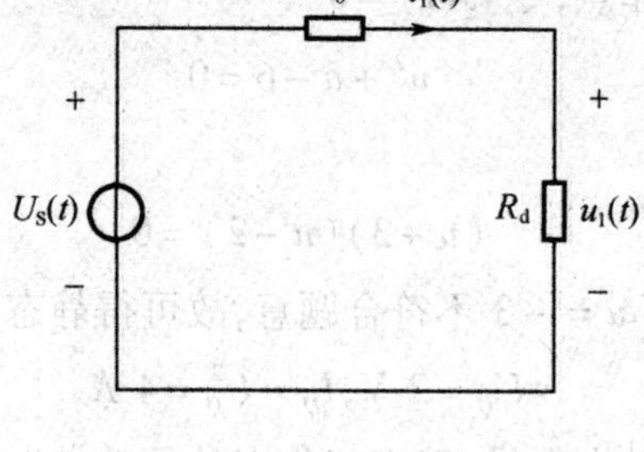

图 10-11　小信号等效电路

综上所述,小信号分析步骤为

(1)求解非线性电路的静态工作点;

(2)求解非线性电路的动态电导或动态电阻;

(3)作出给定的非线性电阻在静态工作点处的小信号等效电路;

(4)根据小信号等效电路进行求解。

【例 10-4】 非线性电路如图 10-12(a)所示,非线性电阻为电压控制型,用函数表示则为

$$i=g(u)=\begin{cases}u^2 & (u>0)\\ 0 & (u>0)\end{cases}$$

而直流电压源 $U_S=6$ V,$R=1$ Ω,信号源 $i_S(t)=0.5\cos\omega t$ A,试求在静态工作点处由小信号所产生的电压 $u(t)$ 和电流 $i(t)$。

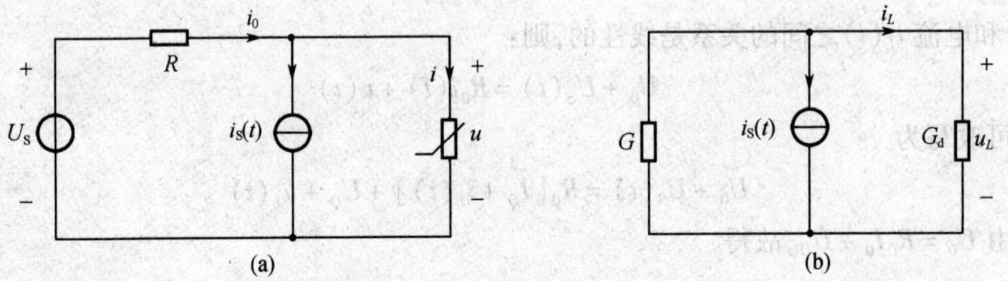

图 10-12 【例 10-4】图

解

对于图 10-12(a),应用 KCL 和 KVL 有

$$i=i_0+i_S$$
$$u=U_S-Ri_0$$

整理后即得

$$\frac{u}{R}+g(u)=6+0.5\cos\omega t$$

(1)先求电路的静态工作点,令 $i_S(t)=0$

$$u^2+u-6=0$$

即

$$(u+3)(u-2)=0$$

解得 $u=2$ 和 $u=-3$ 而 $u=-3$ 不符合题意,故可得静态工作点:

$$U_Q=2\ \text{V},I_Q=U_Q^2=4\ \text{A}$$

(2)求解非线性电路的动态电导,静态工作点处的动态电导为

$$G_d=\frac{dg(u)}{du}\bigg|_{U_Q-2}=2u\bigg|_{Ua}=4(s)\bigg|$$

(3)作出给定非线性电导在静态工作点处的小信号等效电路如图 10-12(b)所示,则有

$$u_L(t)=\frac{i_S}{G+G_d}=\frac{0.5\cos\omega t}{1+4}=0.1\cos\omega t\ \text{V}$$

$$i_L(t)=u_L(t)\times G_4=4\times 10.1\cos\omega t=0.4\cos\omega t\ \text{A}$$

故图(a)中:

$$u(t)=U_0+u_L(t)=(2+0.1\cos\omega t)\ \mathrm{V}$$

$$i(t)=I_0+i_L(t)=(4+0.4\cos\omega t)\ \mathrm{A}$$

对于非线性电路分析方法还有分段线性法。分段线性法的思路:将非线性电路中的非线性元件特性适当分解成为数个线性区段,从而可以将非线性电路求解过程化为几个线性电路的分析。

重点串联

1. 线性电阻元件

它的伏安特性可用欧姆定律来表示,即 $u=Ri$,在 $u-i$ 平面上它是通过坐标原点的一条直线。所谓非线性电阻,它的伏安关系不满足欧姆定律。其伏安关系可以用通过原点的遵循某种特定非线性关系表示,且该关系并不随着电路中的状态变化而变化。在电子线路中,二极管与三极管是典型的非线性元件,如隧道二极管。

2. 非线性电阻元件的分类

(1)电流控制型电阻

伏安特性曲线上,对于同一电压值,与之对应的电流可能是多值的。

(2)电压控制型电阻

其特性曲线上可以看到:对于同一电流值,与之对应的电压可能是多值的。但是对于每一个电压值 u,有且只有一个电流值 i 与之对应。隧道二极管就具有这样的伏安特性。

(3)单调型非线性电阻

非线性电阻元件的伏安特性是单调增长或单调下降的,它同时是电流控制又是电压控制的。这类电阻以 P-N 结二极管最为典型。

3. 静态电阻和动态电阻

非线性电阻元件在某一工作状态下静态电阻 R 等于该点的电压值 u 与电流值 i 之比,即

$$R=\frac{u}{i}$$

显然 P 点的静态电阻正比于 $\tan\alpha$。

非线性电阻元件在某一工作状态下的动态电阻 R_d 等于该点的电压 u 对电流 i 的导数值,即

$$R_d=\frac{du}{di}$$

显然 P 点的动态电阻正比于 $\tan\beta$。

静态电阻值为正,当非线性电阻伏安特性某一点处的动态电阻为负值时,称非线线性电阻在该点具有“负电阻”的性质。所谓“负电阻”是可以发出能量的理想元件,在本书中,并未讨论。

4. 非线性电路的方程

非线性元件中的电压和电流之间的关系是非线性的,有时不能用函数来表示,要靠对

应的曲线来表征其特征，这一特点是分析非线性电路的困难所在。与线性电路的一个根本区别就是不能使用叠加定理和齐性定理。但是分析非线性电路的基本依据仍然是 KCL、KVL 和元件的特性方程。

5. 小信号分析步骤

(1)求解非线性电路的静态工作点；

(2)求解非线性电路的动态电导或动态电阻；

(3)作出给定的非线性电阻在静态工作点处的小信号等效电路；

(4)根据小信号等效电路进行求解。

习 题 10

一、填空题

1. 非线性电阻元件的性质一般用________来表示。

2. 题图 10－1 所示电路中的理想二极管，流过的电流 I 为________ A。

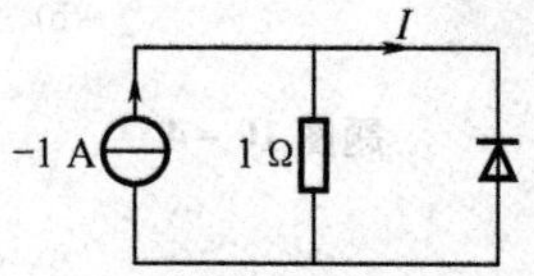

题图 10－1

3. 如题图 10－2 所示曲线①和②为非线性电阻 R_1 和 R_2 的伏安特性曲线。试画出 R_1，R_2 并联后的等效伏安特性。

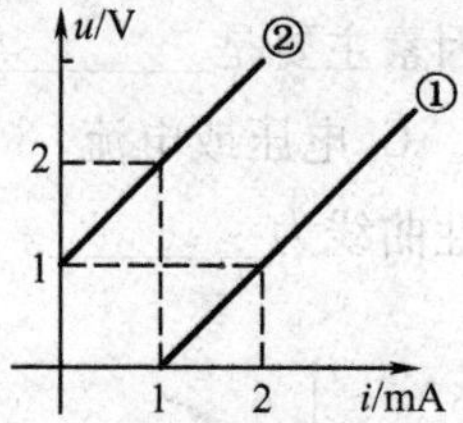

题图 10－2

4. 题图 10－3 所示的隧道二极管伏安特性曲线，试分析 $i_S=4$ mA、$i_S=1$ mA、$i_S=-2$ mA 三种情况下，隧道二极管的工作点。$i_S=4$ mA 时________，$i_S=1$ mA 时________，$i_S=-2$ mA 时________。

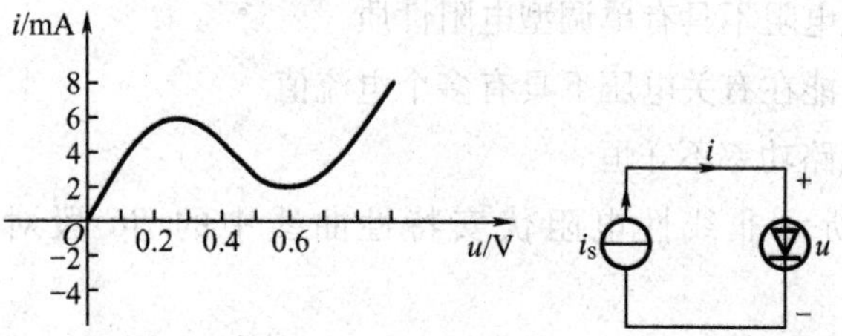

题图 10－3

5. 理想二极管伏安特性曲线如题图 10－4(b) 折现所示，试绘出题图 10－4(a) 所示网络的伏安特性曲线。

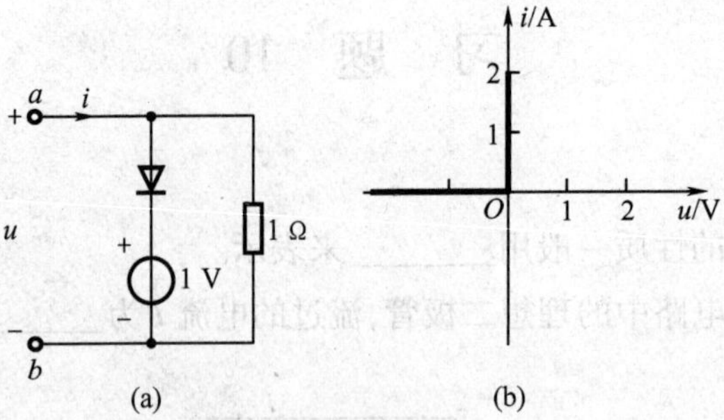

题图 10－4

6. 线性电阻的伏安特性在 $u-i$ 坐标平面是________；非线性电阻________。

7. 非线性电阻电路小信号分析法的实质是将工作点附近的非线性伏安特性________。

8. 不论非线性电阻或线性电阻串联，总功率等于各元件功率________。总电压等于各元件电压________。

二、选择题

1. 影响非线性电阻阻值变化的因素主要是________。

A. 时间　　B. 温度　　C. 电压或电流

2. 双向性非线性电阻的伏安特性曲线为________。

A.　　B.　　C.

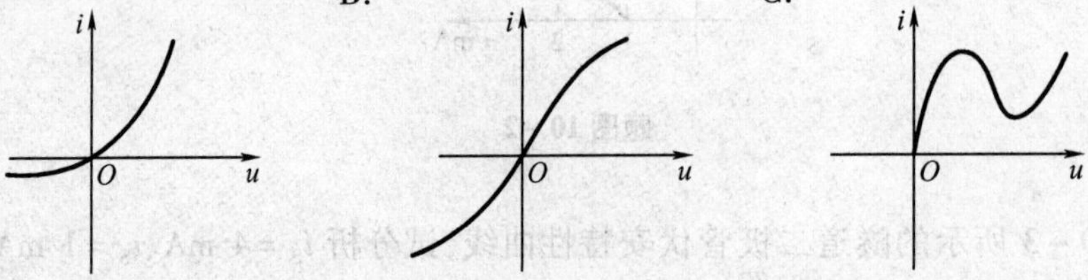

3. 有关非线性电阻电路的正确概念应该是________。

A. 不同类型的非线性电阻其动态电阻定义不同

B. 单向型非线性电阻不具有单调型电阻性质

C. 非线性电阻可能在有关电压下具有多个电流值

D. 非线性电阻电路功率不守恒

4. 题图 10－5 所示非线性电阻伏安特性曲线中的 BC 段对应下列哪个等效电路________？

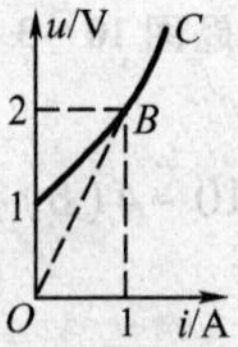

题图 10－5

A.

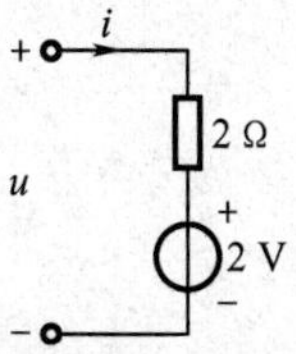

B.

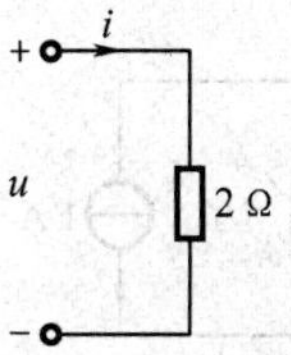

C.

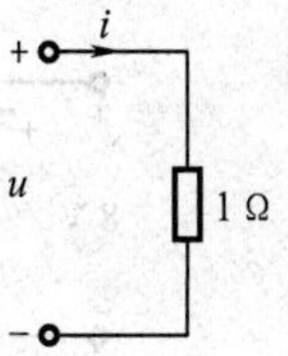

5. 与题图 10－6 所示图示非线性电阻伏安特性曲线 AB 段对应的等效电路是________。

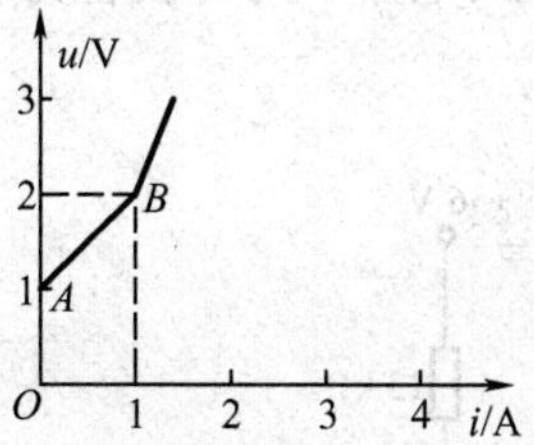

题图 10－6

A.

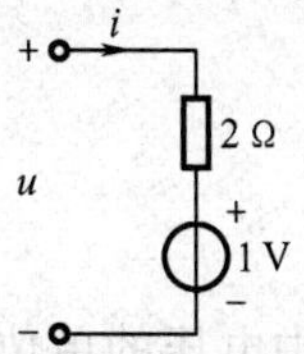

B.

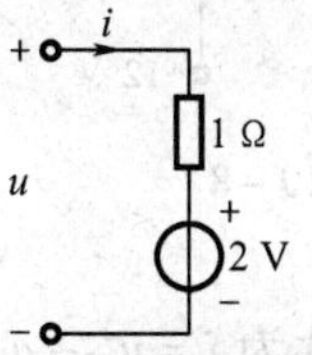

C.

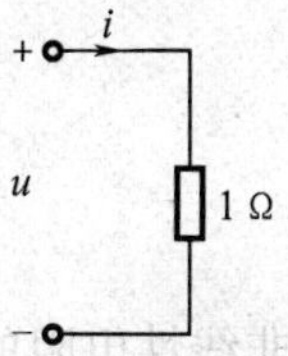

6. 非线性电阻是指________关系满足非线性函数；

非线性电容是指________关系满足非线性函数；

非线性电感是指________关系满足非线性函数。

A. 电压—电荷 $u-q$　　B. 电压—电流 $u-i$　　C. 电流—磁通 $i-\Phi$

7. 理想二极管导通时，相当于开关________，截止时相当于开关________。

A. 断开　　B. 接通短路　　C. 0.7 V　　D. 0.3 V

8. 不论非线性电阻或线性电阻串联，总功率等于各元件功率________。

A. 和　　B. 积　　C. 差　　D. 商

三、计算题

1. 设某非线性电阻的伏安特性为 $u=30i+5i^3$，其中电压的单位 V，电流的单位为 A，求：

(1) $i_1=1$ A、$i_2=2$ A 时所对应的电压 u_1 和 u_2；

(2) $i=2\sin(100t)$ A 所对应的电压 u；

(3) 设 $u_{12}=f(i_1+i_2)$，u_{12}是否等于(u_1+u_2)？

2. 题图 10－7 所示电路中的两个非线性电阻的伏安特性均为 $U=2I-4$，求通过这个两个非线性电阻的电流 I_1 和 I_2。

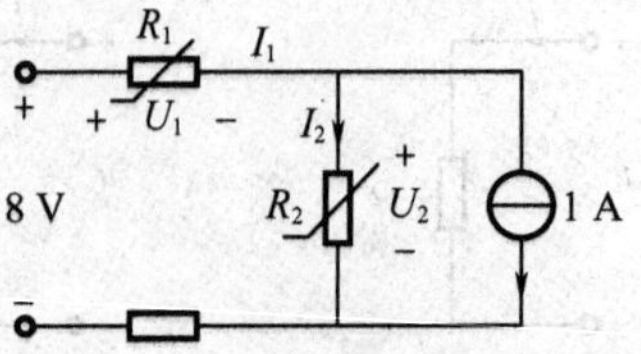

题图 10－7

3. 已知：电路如题图 10－8 所示，电路中的二极管为理想二极管，判断电路中的二极管是否导通。

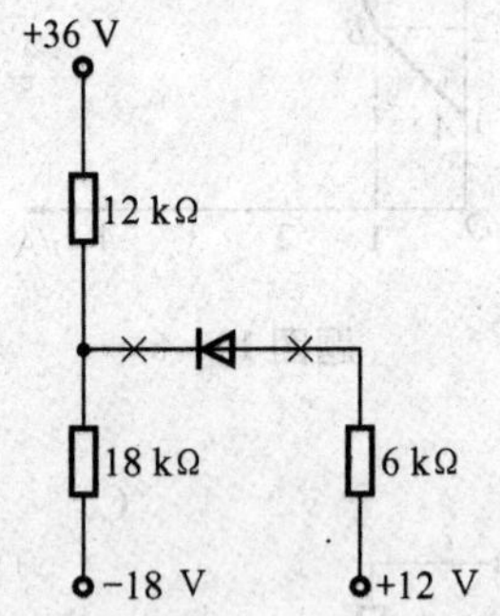

题图 10－8

4. 题图 10－9 中的非线性电阻的伏安特性为 $i = u^2 - u + 1.5$，其中电压的单位为 V，电流的单位为 A，求 u 和 i。

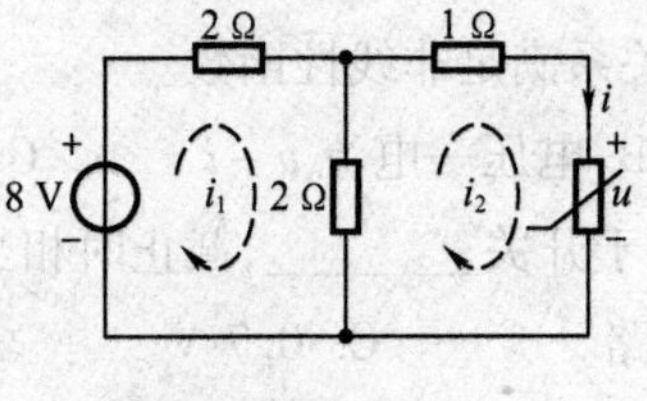

题图 10－9

5. 题图 10－10 中的电容是线性的，若晶体二极管的伏安特性为 $i = Au + Bu^2$（A、B 均为正常数）。其中电压的单位为 V，电流的单位为 A，列写该电路的方程。

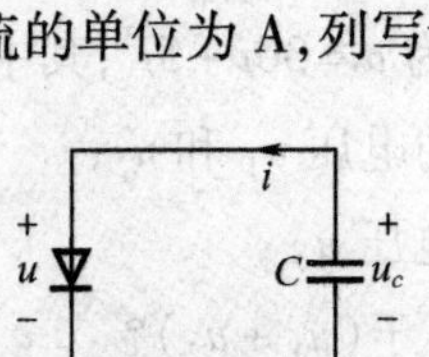

题图 10－10

6. 求题图 10 - 11 所示电路中各节点电压及电流 I_3。其中电压的单位为 V,电流的单位为 A。

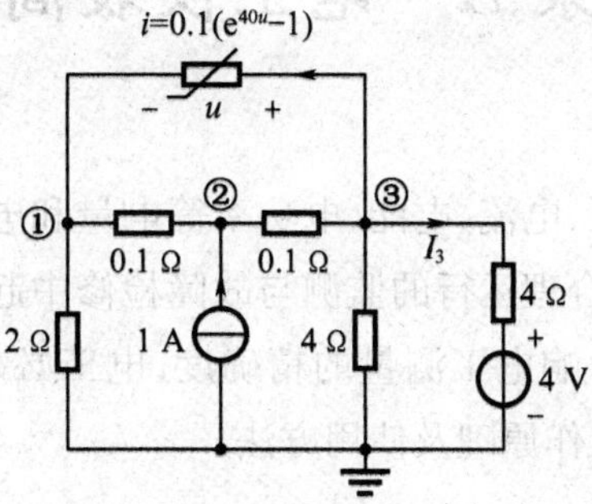

题图 10 - 11

7. 题图 10 - 12 电路中,直流电流源 $I_S = 10$ A,$R_S = 1/3\ \Omega$,小信号电流源 $i_S = 0.5\sin t$ A,非线性电阻为电压控制型(电压单位为 V,电流电位为 A):

$$i = g(u) = \begin{cases} u^2 & u > 0 \\ 0 & u > 0 \end{cases}$$

试用小信号分析法求 $u(t)$ 和 $i(t)$。

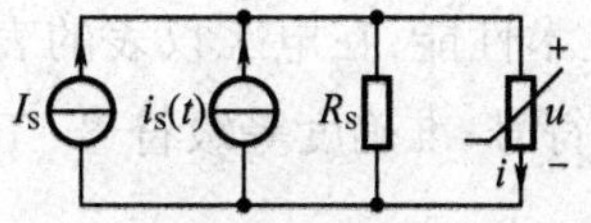

题图 10 - 12

8. 题图 10 - 13(a)中的线性电容通过非线性电阻放电,非线性电阻的伏安特性如题图 10 - 13(b)所示。已知 $C = 1F$,$u_C(0_-) = 3$ V,试求 u_C。

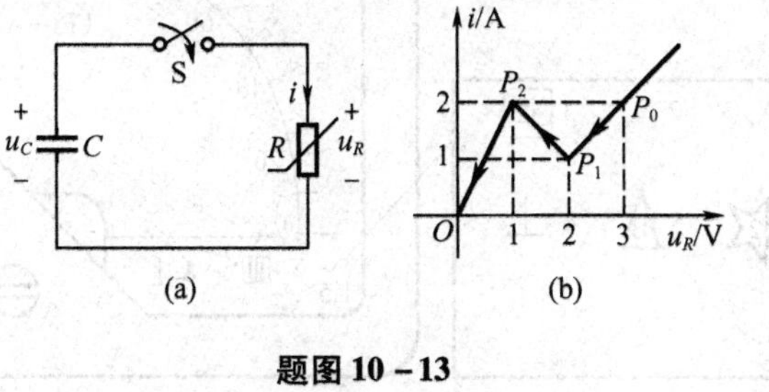

题图 10 - 13

附录 A　电工仪表简介

电工仪表是用于测量电压、电流、电能、电功率等电量和电阻、电感、电容等电路参数的仪表，在电气设备安全、经济、合理运行的监测与故障检修中起着十分重要的作用。电工仪表的结构性能及使用方法会影响电工测量的精确度，电工必须能合理选用电工仪表，而且要了解常用电工仪表的基本工作原理及使用方法。

A.1　电工仪表的分类及符号

常用电工仪表有：直读指示仪表，它把电量直接转换成指针偏转角，如指针式万用表；比较仪表，它与标准器比较，并读取二者比值，如直流电桥；图示仪表，它显示二个相关量的变化关系，如示波器；数字仪表，它把模拟量转换成数字量直接显示，如数字万用表。常用电工仪表按其结构特点及工作原理分类有：磁电式、电磁式、电动式、感应式、整流式、静电式和数字式等。

为了表示常用电工仪表的技术性能，在电工仪表的表盘上有许多符号，如被测量单位的符号、工作原理符号、电流种类符号、准确度等级符号、工作位置符号和绝缘强度符号等，各符号表示的内容见表 A－1。

图 A－1 为 1T1－A 型交流电流表。

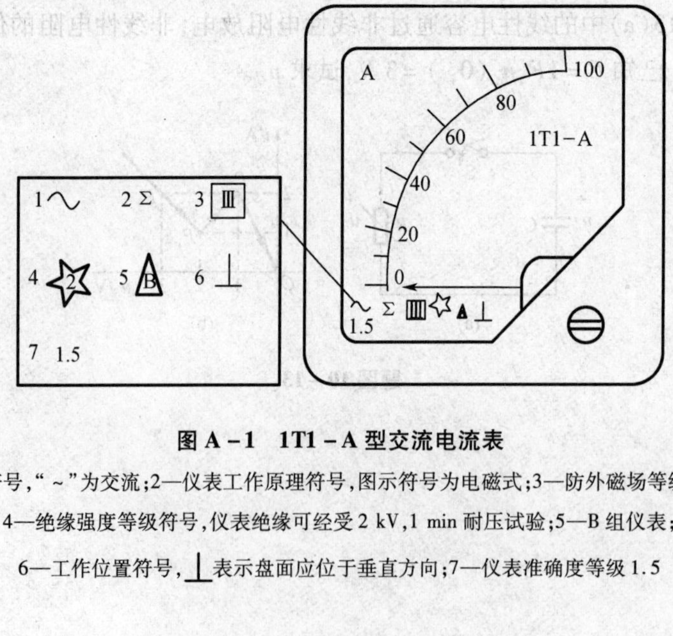

图 A－1　1T1－A 型交流电流表

1—电流种类符号，“～”为交流；2—仪表工作原理符号，图示符号为电磁式；3—防外磁场等级符号，为Ⅲ级；4—绝缘强度等级符号，仪表绝缘可经受 2 kV，1 min 耐压试验；5—B 组仪表；6—工作位置符号，⊥表示盘面应位于垂直方向；7—仪表准确度等级 1.5

A.2 仪表准确度等级

1. 仪表的误差

仪表的误差是指仪表的指示值与被测量的真实值之间的差异,它有三种表示形式。

(1)绝对误差

它是仪表指示值与被测量的真实值之差,即

$$\Delta_X = X - X_0$$

式中 X——被测物理量的指示值;

X_0——真实值;

Δ_X——绝对误差。

(2)相对误差

它是绝对误差 Δ_X 对被测量的真实值 X_0 的百分比,用 δ 表示,即

$$\delta = \frac{\Delta_X}{X_0} \times 100\%$$

(3)引用误差

它是绝对误差 Δ_X 对仪表量程 A_m 的百分比。

仪表的误差分为基本误差和附加误差两部分。基本误差是由于仪表本身特性及制造、装配缺陷所引起的,基本误差的大小是用仪表的引用误差表示的;附加误差是由仪表使用时的外界因素影响所引起的,如外界温度、外来电磁场、仪表工作位置等。

2. 仪表准确度等级

仪表准确度等级共七个,见表 A-1。

表 A-1 准确度等级

准确度等级	0.1	0.2	0.5	1.0	1.5	2.5	5.0
基本误差/%	±0.1	±0.2	±0.5	±1.0	±1.5	±2.5	±5.0

通常 0.1 和 0.2 级仪表为标准表,0.5 级至 1.5 级仪表用于实验室,1.5 级至 5.0 级则用于电气工程测量。仪表的最大绝对误差 Δ_{Xm} 与仪表量程 A_m 之比称为仪表的准确度 $\pm K$,即

$$\pm K = \frac{\Delta_{Xm}}{X_m} \times 100\%$$

表示准确度等级的数字愈小,仪表准确度越高。选择仪表的准确度必须从测量的实际出发,不要盲目提高准确度,在选用仪表时还要选择合适的量程,准确度高的仪表在使用不合理时产生的相对误差可能会大于准确度低的仪表。

如测量 25 V 电压,选用准确度 0.5 级、量程 150 V 的电压表,测量结果中可能出现的最

大绝对误差，由公式

$$\pm K = \frac{\Delta U_m}{A_m}$$

$$\Delta U_{m1} = \pm 0.5\% \times 150 = \pm 0.75\ \text{V}$$

测量 25 V 时的最大相对误差为

$$\delta_{m1} = \Delta U_{m1} / U \times 100\%$$
$$= \pm 0.75/25 \times 100\% = \pm 3\%$$

如果选用准确度 1.5 级、量程 30 V 的电压表，则测量结果中可能出现的最大绝对误差为

$$\Delta U_{m2} = \pm 1.5\% \times 30 = \pm 0.45\ \text{V}$$

测量 25 V 时的最大相对误差为

$$\delta_{m2} = (\Delta U_{m2} / U) \times 100\%$$
$$= (\pm 0.45/25) \times 100\% = \pm 1.8\%$$

所以测量结果的精确度，不仅与仪表的准确度等级有关，而且与它的量程也有关。因此，通常选择量程时应尽可能使读数占满刻度 2/3 以上。

附录 B　常用电工工具及仪表的使用

B.1　试　电　笔

B1.1　试电笔的使用

使用时，必须手指触及笔尾的金属部分，并使氖管小窗背光且朝自己，以便观测氖管的亮暗程度，防止因光线太强造成误判断，其使用方法如图 B－1 所示。

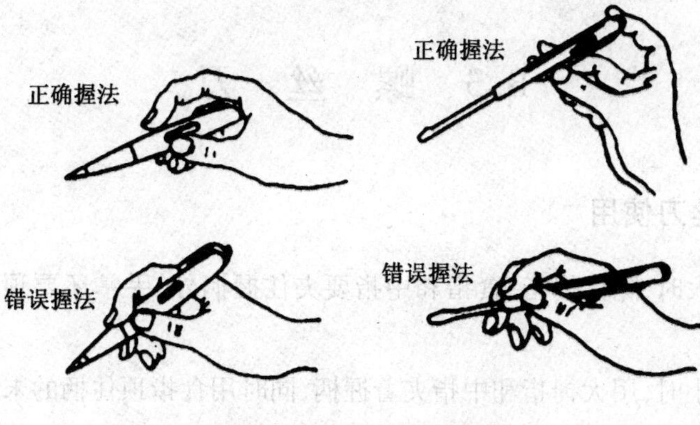

图 B－1　试电笔的使用方法

当用电笔测试带电体时，电流经带电体、电笔、人体及大地形成通电回路，只要带电体与大地之间的电位差超过 60 V 时，电笔中的氖管就会发光。低压验电器检测的电压范围的 60～500 V。

B.1.2　注意事项

(1)使用前，必须在有电源处对验电器进行测试，以证明该验电器确实良好，方可使用。

(2)验电时，应使验电器逐渐靠近被测物体，直至氖管发亮，不可直接接触被测体。

(3)验电时，手指必须触及笔尾的金属体，否则带电体也会误判为非带电体。

(4)验电时，要防止手指触及笔尖的金属部分，以免造成触电事故。

B.2 电 工 刀

电工刀实物示意图如下图 B－2 所示。

电工刀示意图

在使用电工刀时不得用于带电作业,以免触电。应将刀口朝外剖削,并注意避免伤及手指。

剖削导线绝缘层时,应使刀面与导线成较小的锐角,以免割伤导线。

使用完毕,立即将刀身折进刀柄。

B.3 螺 丝 刀

B.3.1 螺丝刀使用

(1)螺丝刀较大时,除大拇指、食指和中指要夹住握柄外,手掌还要顶住柄的末端以防施转时滑脱。

(2)螺丝刀较小时,用大拇指和中指夹着握柄,同时用食指顶住柄的末端用力旋动。

(3)螺丝刀较长时,用右手压紧手柄并转动,同时左手握住起子的中间部分(不可放在螺钉周围,以免将手划伤),以防止起子滑脱。

B.3.2 注意事项

(1)带电作业时,手不可触及螺丝刀的金属杆,以免发生触电事故。

(2)作为电工,不应使用金属杆直通握柄顶部的螺丝刀。

(3)为防止金属杆触到人体或邻近带电体,金属杆应套上绝缘管。

B.4 钢 丝 钳

B.4.1 钢丝钳的使用

钢丝钳在电工作业时,用途广泛。钳口可用来弯绞或钳夹导线线头;齿口可用来紧固或起松螺母;刀口可用来剪切导线或钳削导线绝缘层;侧口可用来铡切导线线芯、钢丝等较硬线材。钢丝钳各用途的使用方法如图 B－3 所示。

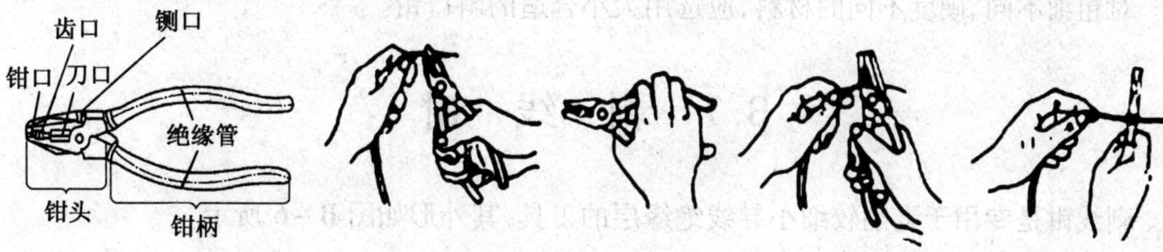

图 B－3　钢丝钳的使用方法

B.4.2　注意事项

(1)使用前,使检查钢丝钳绝缘是否良好,以免带电作业时造成触电事故。

(2)在带电剪切导线时,不得用刀口同时剪切不同电位的两根线(如相线与零线、相线与相线等),以免发生短路事故。

B.5　尖　嘴　钳

尖嘴钳因其头部尖细(如图 B－4 所示),适用于在狭小的工作空间操作。

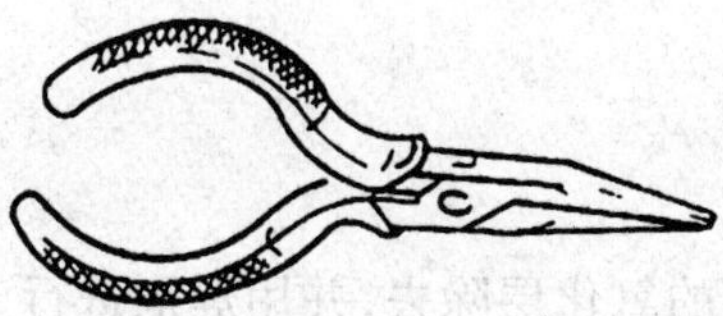

图 B－4　尖嘴钳示意图

尖嘴钳可用来剪断较细小的导线,夹持较小的螺钉、螺帽、垫圈、导线等;也可用来对单股导线整形(如平直、弯曲等)。若使用尖嘴钳带电作业,应检查其绝缘是否良好,并在作业时金属部分不要触及人体或邻近的带电体。

B.6　斜　口　钳

专用于剪断各种电线电缆,如图 B－5 所示。

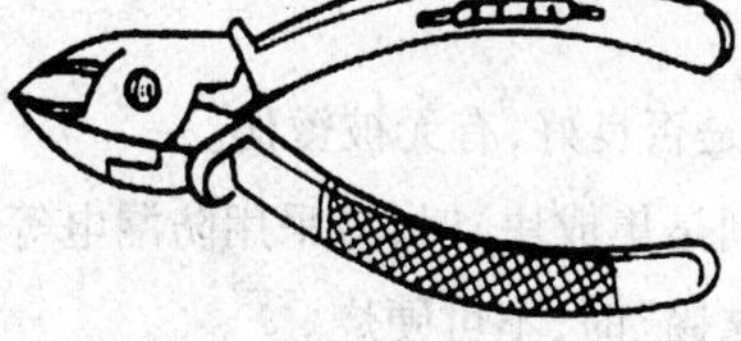

图 B－5　斜口钳示意图

对粗细不同、硬度不同的材料,应选用大小合适的斜口钳。

B.7 剥线钳

剥线钳是专用于剥削较细小导线绝缘层的工具,其外形如图 B-6 所示。

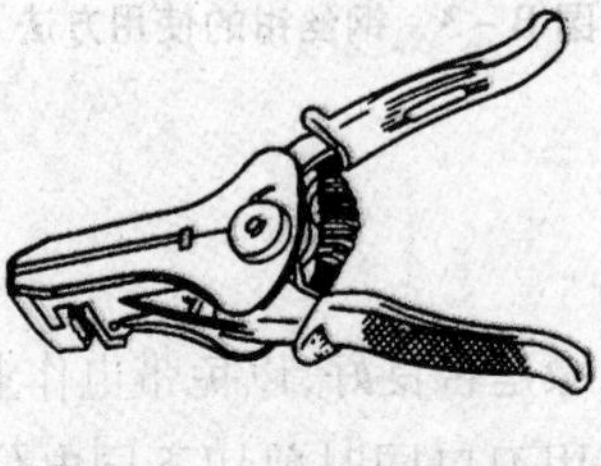

图 B-6 剥线钳示意图

使用剥线钳剥削导线绝缘层时,先将要剥削的绝缘长度用标尺定好,然后将导线放入相应的刃口中(比导线直径稍大),再用手将钳柄一握,导线的绝缘层即被剥离。

B.8 电烙铁

B.8.1 电烙铁的使用

(1)焊接前,一般要把焊头的氧化层除去,并用焊剂进行上锡处理,使得焊头的前端经常保持一层薄锡,以防止氧化、减少能耗,保持导热良好。

(2)电烙铁的握法没有统一的要求,以不易疲劳、操作方便为原则,一般有笔握法和拳握法两种,如图 B-7 所示。

(3)用电烙铁焊接导线时,必须使用焊料和焊剂。焊料一般为丝状焊锡或纯锡,常见的焊剂有松香、焊膏等。

(4)对焊接的基本要求是焊点必须牢固,锡液必须充分渗透,焊点表面光滑有泽,应防止出现“虚焊”、“夹生焊”。产生“虚焊”的原因是因为焊件表面未清除干净或焊剂太少,使得焊锡不能充分流动,造成焊件表面挂锡太少,焊件之间未能充分固定;造成“夹生焊”的原因是因为烙铁温度低或焊接时烙铁停留时间太短,焊锡未能充分熔化。

B.8.2 注意事项

(1)使用前应检查电源线是否良好,有无被烫伤。

(2)焊接电子类元件(特别是集成块)时,应采用防漏电等安全措施。

(3)当焊头因氧化而不“吃锡”时,不可硬烧。

(4)当焊头上锡较多不便焊接时,不可甩锡、不可敲击。

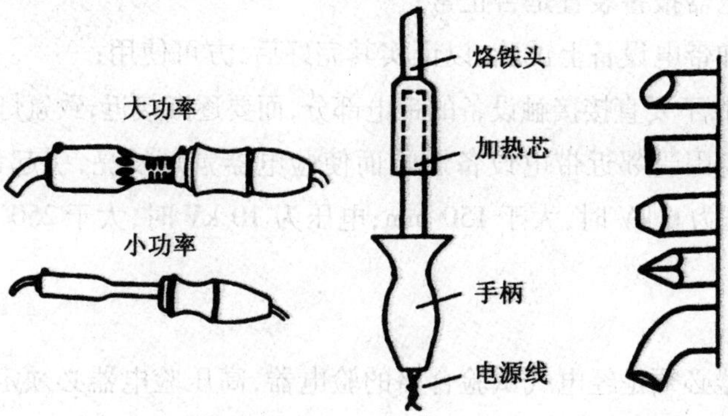

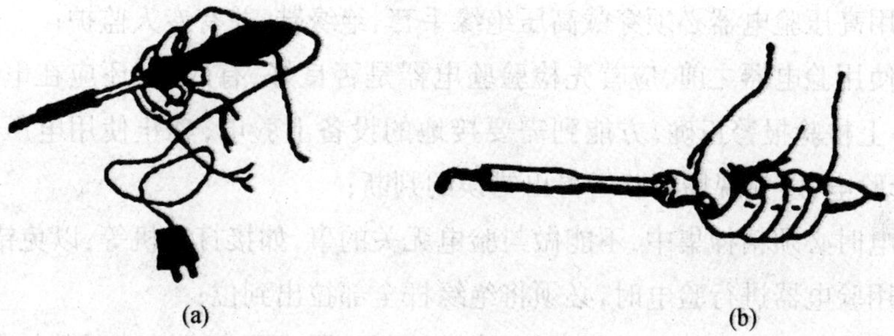

图 B-7　电烙铁的握法

(a)笔握法；(b)拳握法

(5)焊接较小元件时,时间不宜过长,以免因热损坏元件或绝缘。

(6)焊接完毕,应拨去电源插头,将电烙铁置于金属支架上,防止烫伤或火灾的发生。

B.9　高压验电器

它主要用来检验设备对地电压在250 V以上的高压电气设备。目前,广泛采用的有发光型、声光型、风车式三种类型。它们一般都是由检测部分(指示器部分或风车)、绝缘部分、握手部分三大部分组成。绝缘部分系指自指示器下部金属衔接螺丝起至罩护环止的部分,握手部分系指罩护环以下的部分。其中绝缘部分、握手部分根据电压不同的等级其长度也不相同。

B.9.2　用途

高压验电器用来检测高压架空线路电缆线路、高压用电设备是否带电。

B.9.3　安全操作要点

(1)应选用电压等级相符,且经试验合格的产品；

(2)使用前应对验电器的外观进行检查,试验是否超周期,外表是否损坏、破伤,绝缘杆应清洁、无破损等；

(3)使用前应检查验电器报警装置是否正常;

(4)验电前应先在确知带电设备上试验,以证实其完好后,方可使用;

(5)使用高压验电器时,不要直接接触设备的带电部分,而要逐渐接近,致氖灯发亮为止;

(6)使用时应注意避免因受邻近带电设备影响而使验电器氖灯发亮,引起误判断。验电器与带电设备距离:电压为 6 kV 时,大于 150 mm;电压为 10 kV 时,大于 250 mm。

B.9.3 注意事项

(1)使用的高压验电器必须是经电气试验合格的验电器,高压验电器必须定期试验,确保其性能良好;

(2)使用高压验电器必须穿戴高压绝缘手套、绝缘鞋,并有专人监护;

(3)在使用验电器之前,应首先检验验电器是否良好、有效外,还应在电压等级相适应的带电设备上检验报警正确,方能到需要接地的设备上验电,禁止使用电压等级不对应的验电器进行验电,以免现场测验时得出错误的判断;

(4)验电时必须精神集中,不能做与验电无关的事,如接打手机等,以免错验或漏验;

(5)使用验电器进行验电时,必须将绝缘杆全部拉出到位;

(6)对线路的验电应逐相进行,对联络用的断路器或隔离开关或其他检修设备验电时,应在其进出线两侧各相分别验电;

(7)对同杆塔架设的多层电力线路进行验电时,先验低压、后验高压、先验下层、后验上层;

(8)在电容器组上验电,应待其放电完毕后再进行;

(9)验电时让验电器顶端的金属工作触头逐渐靠近带电部分,至氖泡发光或发出音响报警信号为止,不可直接接触电气设备的带电部分,验电器不应受邻近带电体的影响,以至发出错误的信号;

(10)验电时如果需要使用梯子时,应使用绝缘材料的牢固梯子,并应采取必要的防滑措施,禁止使用金属材料梯;

(11)验电完备后,应立即进行接地操作,验电后因故中断未及时进行接地,若需要继续操作必须重新验电。

B.10 钳形电流表

钳形表的最基本使用是测量交流电流,虽然准确度较低(通常为 2.5 级或 5 级),但因在测量时无须切断电路,因而使用仍很广泛。如需进行直流电流的测量,则应选用交直流两用钳形表。

B.10.1 测量前的准备

(1)检查仪表的钳口上是否有杂物或油污,待清理干净后再测量。

(2)进行仪表的机械调零。

B.10.2 用钳形电流表测量

(1)估计被测电流的大小,将转换开关调至需要的测量挡。如无法估计被测电流大小,先用最高量程挡测量,然后根据测量情况调到合适的量程。

(2)握紧钳柄,使钳口张开,放置被测导线。为减少误差,被测导线应置于钳形口的中央。

(3)钳口要紧密接触,如遇有杂音时可检查钳口清洁,或重新开口一次,再闭合。

(4)在测量较大电流后,为减小剩磁对测量结果的影响,应立即测量较小电流,并把钳口开合数次;测量 5 A 以下的小电流时,为提高测量精度,在条件允许的情况下,可将被测导线多绕几圈,再放入钳口进行测量。此时实际电流应是仪表读数除以放入钳口中的导线圈数。

(5)测量完毕,将选择量程开关拨到最大量程挡位上。

B.10.3 注意事项

(1)使用前应检查外观是否良好,绝缘有无破损,手柄是否清洁、干燥。

(2)测量时应戴绝缘手套或干净的线手套,并注意保持安全间距。

(3)测量过程中不得切换挡位。

(4)钳形电流表只能用来测量低压系统的电流,被测线路的电压不能超过钳形表所规定的使用电压。

(5)每次测量只能钳入一根导线。

(6)若不是特别必要,一般不测量裸导线的电流。

(7)测量完毕应将量程开关置于最大挡位,以防下次使用时,因疏忽大意而造成仪表的意外损坏。

(8)使用钳形电流表测量工作应有两人进行。

(9)在较小空间内(如配电箱等)测量时,要防止因钳口的张开而引起相间短路。

B.11 兆 欧 表

兆欧表又称摇表,是专门用于测量绝缘电阻的仪表,它的计量单位是兆欧(MΩ)。

B.11.1 正确选用兆欧表

兆欧表的选用主要考虑两个方面:一是电压等级,二是测量范围。

(1)兆欧表的额定电压应根据被测电气设备的额定电压来选择。测量 500 V 以下的设备,选用 500 V 或 1 000 V 的兆欧表;额定电压在 500 V 以上的设备,应选用 1 000 V 或 2 500 V的兆欧表;对于绝缘子、母线等要选用 2 500 V 或 3 000 V 兆欧表。

(2)兆欧表测量范围的选择主要考虑两点:一是测量低压电气设备的绝缘电阻时可选

用 0 ~200 MΩ 的兆欧表，测量高压电气设备或电缆时可选用 0 ~2 000 MΩ 的兆欧表；二是因为有些兆欧表的起始刻度不是零，而是 1 MΩ 或 2 MΩ，这种仪表不宜用来测量处于潮湿环境中的低压电气设备的绝缘电阻，因其绝缘电阻可能小于 1 MΩ，造成仪表上无法读数或读数不准确。

B.11.2 使用前检查兆欧表是否完好

将兆欧表水平且平稳放置，检查指针偏转情况：将 E、L 两端开路，以约 120 r/min 的转速摇动手柄，观测指针是否指到“∞”处；然后将 E、L 两端短接，缓慢摇动手柄，观测指针是否指到“0”处，经检查完好才能使用。兆欧表的常见接线方法如图所示。

B.11.3 兆欧表的使用

（1）兆欧表放置平稳牢固，被测物表面擦干净，以保证测量正确。

（2）正确接线兆欧表有三个接线柱：线路（L）、接地（E）、屏蔽（G）。跟据不同测量对象做相应接线，如图 B－8 所示。测量线路对地绝缘电阻时，E 端接地，L 端接于被测线路上；测量电机或设备绝缘电阻时，E 端接电机或设备外壳，L 端接被测绕组的一端；测量电机或变压器绕组间绝缘电阻时先拆除绕组间的连接线，将 E、L 端分别接于被测的两相绕组上；测量电缆绝缘电阻时将 E 端接电缆外表皮（铅套）上，L 端接线芯，G 端接芯线最外层绝缘层上。

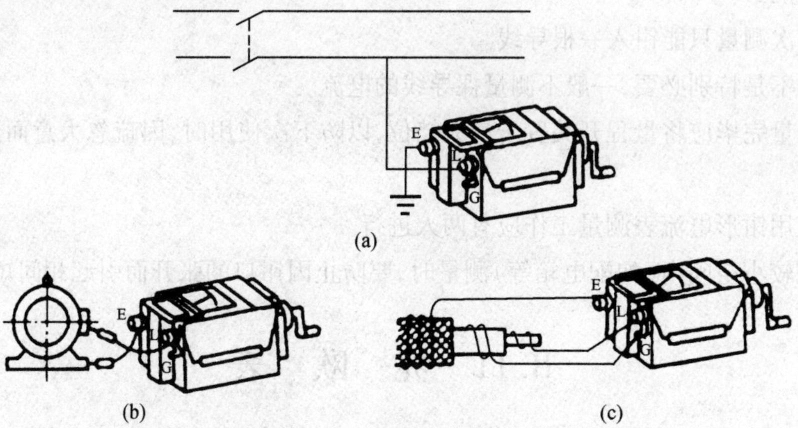

图 B－8 兆欧表的接线方法

（a）测量线路绝缘电阻；（b）测量电动机的绝缘电阻；（c）测量电缆的绝缘电阻

（3）由慢到快摇动手柄，直到转速达 120 r/min 左右，保持手柄的转速均匀、稳定，一般转动 1 min，待指针稳定后读数。

（4）测量完毕，待兆欧表停止转动和被测物接地放电后方能拆除连接导线。

B.11.4 注意事项

因兆欧表本身工作时产生高压电，为避免人身及设备事故必须重视以下几点：

(1)不能在设备带电的情况下测量其绝缘电阻。测量前被测设备必须切断电源和负载，并进行放电；已用兆欧表测量过的设备如要再次测量，也必须先接地放电。

(2)兆欧表测量时要远离大电流导体和外磁场。

(3)与被测设备的连接导线应用兆欧表专用测量线或选用绝缘强度高的两根单芯多股软线，两根导线切忌绞在一起，以免影响测量准确度。

(4)测量过程中，如果指针指向“0”位，表示被测设备短路，应立即停止转动手柄。

(5)被测设备中如有半导体器件，应先将其插件板拆去。

(6)测量过程中不得触及设备的测量部分，以防触电。

(7)测量电容性设备的绝缘电阻时，测量完毕，应对设备充分放电。

B.12 直流单臂电桥

一般用万用表测中值电阻，但测量值不够精确。在工程上要较准确测量中值电阻，常用直流单臂电桥(也称惠斯登电桥)。该仪表适用于测量 $1 \sim 10^6\ \Omega$ 的电阻值，其主要特点是灵敏度和测试精度都很高，而且使用方便。

B.12.1 直流单臂电桥使用

以 QJ23 型直流单臂电桥为例来说明它的使用。如图 B－9 为 QJ23 型直流单臂电桥的面板图。

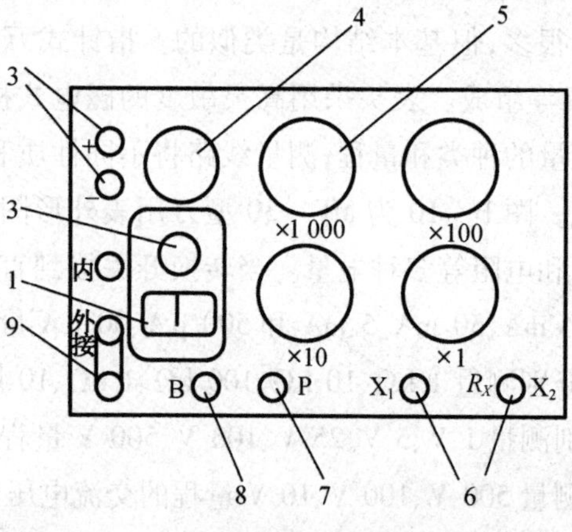

图 B－9 QJ23 型直流单臂电桥面板图

1—流计；2—统计零；3—外接电子；4—比例臂；5—比较臂；

6—测量子；7—检流计按钮；8—电源按检；9—外接流计子

(1)把电桥放平稳,断开电源和检流计按钮,进行机械调零,使检流计指针和零线重合。

(2)用万用表电流挡粗测被测电阻值,选取合理的比例臂。使电桥比较臂的四个读数盘都利用起来,以得到4个有效数值,保证测量精度。

(3)按选取的比例臂,调好比较臂电阻。

(4)将被测电阻 R_X 接入 X_1、X_2 接线柱,先按下电源按钮B,再按检流计按钮P,若检流计指针摆向"+"端,需增大比较臂电阻,若指针摆向"-"端,需减小比较臂电阻。反复调节,直到指针指到零位为止。

(5)读出比较臂的电阻值再乘以倍率,即为被测电阻值。

(6)测量完毕后,先断开P钮,再断开B钮,拆除测量接线。

B.12.2 注意事项

(1)正确选择比例臂,使比较臂的第一盘(×1 000)上的读数不为0,才能保证测量的准确度。

(2)为减少引线电阻带来的误差,被测电阻与测量端的连接导线要短而粗。还应注意各端钮是否拧紧,以避免接触不良引起电桥的不稳定。

(3)当电池电压不足时应立即更换,采用外接电源时应注意极性与电压额定值。

(4)被测物不能带电。对含有电容的元件应先放电1 min后再测量。

B.13 指针式万用表

万用表是一种多功能、多量程的便携式电工仪表,一般的万用表可以测量直流电流、直流电压、交流电压和电阻等。有些万用表还可测量电容、功率、晶体管共射极直流放大系数 h_{FE} 等。所以万用表是电工必备的仪表之一。万用表可分为指针式万用表和数字式万用表。

指针式万用表的型式很多,但基本结构是类似的。指针式万用表的结构主要由表头、转换开关、测量线路、面板等组成。表头采用高灵敏度的磁电式机构,是测量的显示装置;转换开关用来选择被测电量的种类和量程;测量线路将不同性质和大小的被测电量转换为表头所能接受的直流电流。图B-10为MF-30型万用表外形图,该万用表可以测量直流电流、直流电压、交流电压和电阻等多种电量。当转换开关拨到直流电流挡,可分别与5个接触点接通,用于测量500 mA、50 mA、5 mA和500 μA、50 μA量程的直流电流。同样,当转换开关拨到欧姆挡,可分别测量1 kΩ、10 kΩ、100 kΩ、1 kΩ、10 kΩ量程的电阻;当转换开关拨到直流电压挡,可分别测量1 V、5 V、25 V、100 V、500 V量程的直流电压;当转换开关拨到交流电压挡,可分别测量500 V、100 V、10 V量程的交流电压。

B.13.1 准备工作

由于万用表种类型式很多,在使用前要做好测量的准备工作:

(1) 熟悉转换开关、旋钮、插孔等的作用,检查表盘符号,"⊓"表示水平放置,"⊥"表

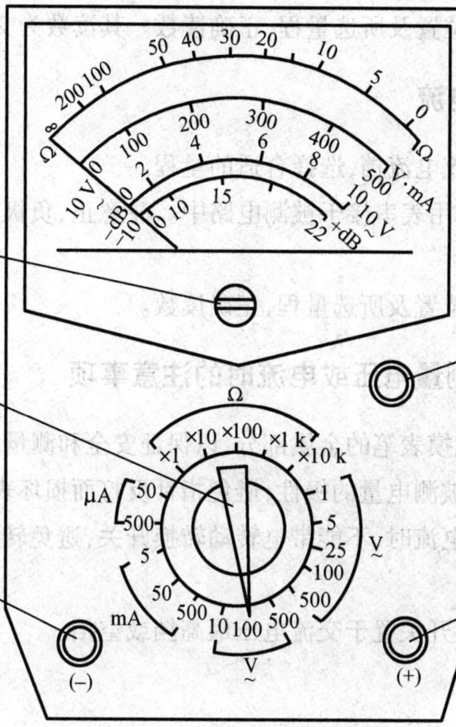

图 B-10　MF-30 型万用表外形图

示垂直使用。

(2)了解刻度盘上每条刻度线所对应的被测电量。

(3)检查红色和黑色两根表笔所接的位置是否正确,红表笔插入“+”插孔,黑表笔插入“-”插孔,有些万用表另有交直流 2 500 V 高压测量端,在测高压时黑表笔不动,将红表笔插入高压插口。

(4)机械调零。旋动万用表面板上的机械零位调整螺丝,使指针对准刻度盘左端的“0”位置。

B.13.2　测量直流电压

(1)把转换开关拨到直流电压挡,并选择合适的量程。当被测电压数值范围不清楚时,可先选用较高的测量范围挡,再逐步选用低挡,测量的读数最好选在满刻度的 2/3 处附近。

(2)把万用表并接到被测电路上,红表笔接到被测电压的正极,黑表笔接到被测电压的负极,不能接反。

(3)根据指针稳定时的位置及所选量程,正确读数。

B.13.3　测量交流电压

(1)把转换开关拨到交流电压挡,选择合适的量程。

(2)将万用表两根表笔并接在被测电路的两端,不分正负极。

(3)根据指针稳定时的位置及所选量程,正确读数。其读数为交流电压的有效值。

B.13.4 测量直流电流

(1)把转换开关拨到直流电流挡,选择合适的量程。

(2)将被测电路断开,万用表串接于被测电路中。注意正、负极性:电流从红表笔流入,从黑表笔流出,不可接反。

(3)根据指针稳定时的位置及所选量程,正确读数。

B.13.5 用万用表测量电压或电流时的注意事项

(1)测量时,不能用手触摸表笔的金属部分,以保证安全和测量的准确性。

(2)测直流量时要注意被测电量的极性,避免指针反打而损坏表头。

(3)测量较高电压或大电流时,不能带电转动转换开关,避免转换开关的触点产生电弧而被损坏。

(4)测量完毕后,将转换开关置于交流电压最高挡或空挡。

B.13.6 测量电阻

(1)把转换开关拨到欧姆挡,合理选择量程。

(2)两表笔短接,进行电调零,即转动零欧姆调节旋钮,使指针打到电阻刻度右边的"0"Ω处。

(3)将被测电阻脱离电源,用两表笔接触电阻两端,从表头指针显示的读数乘所选量程的倍率数即为所测电阻的阻值。如选用 $R\times100$ 挡测量,指针指示40,则被测电阻值为 $40\times100=4\ 000\ \Omega=4\ \text{k}\Omega$。

B.13.7 用万用表测量电阻时的注意事项

(1)不允许带电测量电阻,否则会烧坏万用表。

(2)万用表内干电池的正极与面板上"-"号插孔相连,干电池的负极与面板上的"+"号插孔相连。在测量电解电容和晶体管等器件的电阻时要注意极性。

(3)每换一次倍率挡,要重新进行电调零。

(4)不允许用万用表电阻挡直接测量高灵敏度表头内阻,以免烧坏表头。(万用表内电池电压也可能足以使表头过流烧坏)。

(5)不准用两只手捏住表笔的金属部分测电阻,否则会将人体电阻并接于被测电阻而引起测量误差。

(6)测量完毕,将转换开关置于交流电压最高挡或空挡。

B.14 数字万用表

数字万用表属于比较简单的测量仪器,如图 B-11 所示。从数字万用表的电压、电阻、电流、二极管、三极管等测量方法开始,让你更好地掌握数字万用表的测量方法。

图 B-11 数字万用表

B.14.1 电压的测量

(1)直流电压的测量,如电池、随身听电源等。首先将黑表笔插进"COM"孔,红表笔插进"VΩ"。把旋钮选到比估计值大的量程(注意:表盘上的数值均为最大量程,"V-"表示直流电压挡,"V~"表示交流电压挡,"A"是电流挡),接着把表笔接电源或电池两端;保持接触稳定。数值可以直接从显示屏上读取,若显示为"1.",则表明量程太小,那么就要加大量程后再测量。如果在数值左边出现"-",则表明表笔极性与实际电源极性相反,此时红表笔接的是负极。

(2)交流电压的测量。表笔插孔与直流电压的测量一样,只不过是将旋钮打到交流挡"V~"处所需的量程即可。交流电压无正负之分,测量方法跟前面相同。无论测交流还是直流电压,都要注意人身安全,不要随便用手触摸表笔的金属部分。

B.14.2 电流的测量

(1)直流电流的测量。先将黑表笔插入"COM"孔。若测量大于 200 mA 的电流,则要将红表笔插入"10 A"插孔并将旋钮打到直流"10 A"挡;若测量小于 200 mA 的电流,则将红表笔插入"200 mA"插孔,将旋钮打到直流 200 mA 以内的合适量程。调整好后,就可以测量了。将 万用表串进电路中,保持稳定,即可读数。若显示为"1.",那么就要加大量程;如果在数值左边出现"-",则表明电流从黑表笔流进万用表。

(2)交流电流的测量。测量方法与1相同,不过挡位应该打到交流挡位,电流测量完毕后应将红笔插回"VΩ"孔,若忘记这一步而直接测电压,会烧毁仪表,严重情况会发生事故。

B.14.3 电阻的测量

将表笔插进"COM"和"VΩ"孔中,把旋钮打旋到"Ω"中所需的量程,用表笔接在电阻两端金属部位,测量中可以用手接触电阻,但不要把手同时接触电阻两端,这样会影响测量精确度的——人体是电阻很大但是有限大的导体。读数时,要保持表笔和电阻有良好的接触;注意单位:在"200" 挡时单位是"Ω",在"2 K"到"200 K"挡时单位为 "kΩ ","2 M"以上的单位是"MΩ"。

B.14.4 二极管的测量

数字万用表可以测量发光二极管、整流二极管……测量时,表笔位置与电压测量一样,将旋钮旋到"—▶|—"挡;用红表笔接二极管的正极,黑表笔接负极,这时会显示二极管的正向压降。肖特基二极管的压降是0.2 V左右,普通硅整流管(1N4000、1N5400系列等)约为0.7 V,发光二极管约为1.8~2.3 V。调换表笔,显示屏显示"1."则为正常,因为二极管的反向电阻很大,否则此管已被击穿。

B.14.5 三极管的测量

表笔插位同上,其原理同二极管。先假定A脚为基极,用黑表笔与该脚相接,红表笔与其他两脚分别接触其他两脚;若两次读数均为0.7 V左右,然后再用红 笔接A脚,黑笔接触其他两脚,若均显示"1:,则A脚为基极,否则需要重新测量,且此管为PNP管。对于集电极和发射极区别,我们可以利用"h_{FE}"挡来判断:先将挡位打到"h_{FE}"挡,可以看到挡位旁有一排小插孔,分为PNP和NPN管的测量。前面已经判断出管型,将基极插入对应管型"b"孔,其余两脚分别插入"c""e"孔,此时可以读取数值,即β值;再固定基极,其余两脚对调;比较两次读数,读数较大的管脚位置与表面"c""e"相对应。

上述方法只能直接对如9000系列的小型管测量,若要测量大管,可以采用接线法,即用小导线将三个管脚引出,这样方便了很多。

B.15 交流毫伏表

常用的单通道晶体管毫伏表,具有测量交流电压、电平测试、监视输出等三大功能。交流测量范围是100 mV~300 V、5 Hz~2 MHz,共分1 mV、3 mV、10 mV、30 mV、100 mV、300 mV、1 V、3 V、10 V、30 V、100 V、300 V共12挡。现将其基本使用方法介绍如下。

B.15.1 开机前的准备工作

(1)将通道输入端测试探头上的红、黑色鳄鱼夹短接;

(2)将量程开关选最高量程(300 V)。

B.15.2 操作步骤

(1)接通220 V电源,按下电源开关,电源指示灯亮,仪器立刻工作。为了保证仪器稳定性,需预热10秒钟后使用,开机后10秒钟内指针无规则摆动属正常。

(2)将输入测试探头上的红、黑鳄鱼夹断开后与被测电路并联(红鳄鱼夹接被测电路的正端,黑鳄鱼夹接地端),观察表头指针在刻度盘上所指的位置,若指针在起始点位置基本没动,说明被测电路中的电压甚小,且毫伏表量程选得过高,此时用递减法由高量程向低量程变换,直到表头指针指到满刻度的2/3左右即可。

图 B－12　交流毫伏表

(3)准确读数。表头刻度盘上共刻有四条刻度。第一条刻度和第二条刻度为测量交流电压有效值的专用刻度,第三条和第四条为测量分贝值的刻度。当量程开关分别选1 mV、10 mV、100 mV、1 V、10 V、100 V挡时,就从0－1刻度读数;当量程开关分别选3 mV、30 mV、300 mV、3 V、30 V、300 V时,应从0－3刻度读数(逢1就从第一条刻度读数,逢3从第二刻度读数)。例如:将量程开关置"1V"挡,就从第一条刻度读数。若指针指的数字是在第一条刻度的0.7"处,其实际测量值为0.7 V;若量程开关置"3 V"挡,就从第二条刻度读数。若指针指在第二条刻度的"2"处,其实际测量值为2 V。以上举例说明,当量程开关选在哪个挡位,比如,1 V挡位,此时毫伏表可以测量外电路中电压的范围是0~1 V,满刻度的最大值也就是1 V。当用该仪表去测量外电路中的电平值时,就从第三、四条刻度读数,读数方法是量程数加上指针指示值,等于实际测量值。

B.15.3 注意事项

(1)仪器在通电之前,一定要将输入电缆的红黑鳄鱼夹相互短接。防止仪器在通电时因外界干扰信号通过输入电缆进入电路放大后,再进入表头将表针打弯。

(2)当不知被测电路中电压值大小时,必须首先将毫伏表的量程开关置最高量程,然后根据表针所指的范围,采用递减法合理选挡。

(3)若要测量高电压,输入端黑色鳄鱼夹必须接在"地"端。

(4)测量前应短路调零。打开电源开关,将测试线(也称开路电缆)的红黑夹子夹在一起,将量程旋钮旋到1 mV量程,指针应指在零位(有的毫伏表可通过面板上的调零电位器进行调零,凡面板无调零电位器的,内部设置的调零电位器已调好)。若指针不指在零位,应检查测试线是否断路或接触不良,应更换测试线。

(5)交流毫伏表灵敏度较高,打开电源后,在较低量程时由于干扰信号(感应信号)的作用,指针会发生偏转,称为自激现象。所以在不测试信号时应将量程旋钮旋到较高量程挡,以防打弯指针。

(6)交流毫伏表接入被测电路时,其地端(黑夹子)应始终接在电路的地上(成为公共接地),以防干扰。

(7)交流毫伏表表盘刻度分为0—1和0—3两种刻度,量程旋钮切换量程分为逢一量程(1 mV、10 mV、0.1 V,…)和逢三量程(3 mV、30 mV、0.3 V,…),凡逢一的量程直接在0—1刻度线上读取数据,凡逢三的量程直接在0—3刻度线上读取数据,单位为该量程的单位,无需换算。

(8)使用前应先检查量程旋钮与量程标记是否一致,若错位会产生读数错误。

(9)交流毫伏表只能用来测量正弦交流信号的有效值,若测量非正弦交流信号要经过换算。

(10)注意:不可用万用表的交流电压挡代替交流毫伏表测量交流电压(万用表内阻较低,用于测量50 Hz左右的工频电压)。

附录 C　用电安全及防护

C.1　用 电 安 全

电流对人体的伤害。电流对人体的伤害有三种：电击、电伤和电磁伤害。电击是指电流通过人体，破坏人体心脏、肺及神经系统的正常功能。电伤是指电流热效应、化学效用和机械效应对人体的伤害、主要是指电弧烧伤、溶化金属溅出烫伤等。电磁场生理伤害是指高频磁场的作用下，人会出现头晕乏力、记忆力减退和失眠多梦等神经系统的症状。

一般认为：电流通过人体的心脏、肺部和中枢神经系统的危险性是比较大的，特别是电流通过心脏时，危险性最大。所以从手到脚的电流途径是最为危险。触电还容易因剧烈痉挛而摔倒，导致电流通过全身并造成摔伤、坠落等二次事故。

C.2　防止触电的技术措施

为了达到安全用电的目的，必须采用可靠的技术措施，防止触电事故发生。绝缘、安全间距、漏电保护、安全电压、遮栏及阻挡物等都是防止直接触电的防护措施。保护接地、保护接零是间接触电防护措施中最基本的措施。所谓间接触电防护措施是指防止人体各个部位触及正常情况下不带电，而在故障情况下才变为带电的电器金属部分的技术措施。

专业电工人员在全部停电或部分停电的电气设备上工作时，在技术措施上，必须完成停电、验电、装设接地线、悬挂标示牌和装设遮栏后，才能开始工作。

C.2.1　绝缘

1. 绝缘的作用

绝缘是用绝缘材料把带电体隔离起来，实现带电体之间、带电体与其他物体之间的电气隔离，使设备能长期安全、正常地工作，同时可以防止人体触及带电部分，避免发生触电事故，所以绝缘在电气安全中有着十分重要的作用。良好的绝缘是设备和线路正常运行的必要条件，也是防止触电事故的重要措施。

绝缘具有很强隔电能力，被广泛地应用在许多电器、电气设备、装置及电气工程上，如胶木、塑料、橡胶、云母及矿物油等都是常用的绝缘材料。

2. 绝缘破坏

绝缘材料经过一段时间的使用会发生绝缘破坏。绝缘材料除因在强电场作用下被击穿而破坏外，自然老化、电化学击穿、机械损伤、潮湿、腐蚀、热老化等也会降低其绝缘性能或导致绝缘破坏。

绝缘体承受的电压超过一定数值时,电流穿过绝缘体而发生放电现象称为电击穿。

气体绝缘在击穿电压消失后,绝缘性能还能恢复;液体绝缘多次击穿后,将严重降低绝缘性能;而固体绝缘击穿后,就不能再恢复绝缘性能。

在长时间存在电压的情况下,由于绝缘材料的自然老化、电化学作用、热效应作用,使其绝缘性能逐渐降低,有时电压并不是很高也会造成电击穿。所以绝缘需定期检测,保证电气绝缘的安全可靠。

3. 绝缘安全用具

在一些情况下,手持电动工具的操作者必须戴绝缘手套、穿绝缘鞋(靴),或站在绝缘垫(台)上工作,采用这些绝缘安全用具使人与地面,或使人与工具的金属外壳,其中包括与相连的金属导体,隔离开来。这是目前简便可行的安全措施。

为了防止机械伤害,使用手电钻时不允许戴线手套。绝缘安全用具应按有关规定进行定期耐压试验和外观检查,凡是不合格的安全用具严禁使用,绝缘用具应由专人负责保管和检查。

常用的绝缘安全用具有绝缘手套、绝缘靴、绝缘鞋、绝缘垫和绝缘台等。绝缘安全用具可分为基本安全用具和辅助安全用具。基本安全用具的绝缘强度能长时间承受电气设备的工作电压,使用时,可直接接触电气设备的有电部分。辅助安全用具的绝缘强度不足以承受电气设备的工作电压,只能加强基本安全用具的保安作用,必须与基本安全用具一起使用。在低压带电设备上工作时,绝缘手套、绝缘鞋(靴)、绝缘垫可作为基本安全用具使用,在高压情况下,只能用作辅助安全用具。

C.2.2 屏护

屏护是指采用遮栏、围栏、护罩、护盖或隔离板等把带电体同外界隔绝开来,以防止人体触及或接近带电体所采取的一种安全技术措施。除防止触电的作用外,有的屏护装置还能起到防止电弧伤人、防止弧光短路或便利检修工作等作用。配电线路和电气设备的带电部分,如果不便加包绝缘或绝缘强度不足时,就可以采用屏护措施。

开关电器的可动部分一般不能加包绝缘,而需要屏护。其中防护式开关电器本身带有屏护装置,如胶盖闸刀开关的胶盖、铁壳开关的铁壳等;开启式石板闸刀开关需要另加屏护装置。起重机滑触线以及其他裸露的导线也需另加屏护装置。对于高压设备,由于全部加绝缘往往有困难,而且当人接近至一定程度时,即会发生严重的触电事故。因此,不论高压设备是否已加绝缘,都要采取屏护或其他防止接近的措施。

变配电设备,凡安装在室外地面上的变压器以及安装在车间或公共场所的变配电装置,都需要设置遮栏或栅栏作为屏护。邻近带电体的作业中,在工作人员与带电体之间及过道、人口等处应装设可移动的临时遮栏。

屏护装置不直接与带电体接触,对所用材料的电性能没有严格要求。屏护装置所用材料应当有足够的机械强度和良好的耐火性能。但是金属材料制成的屏护装置,为了防止其意外带电造成触电事故,必须将其接地或接零。

屏护装置的种类,有永久性屏护装置,如配电装置的遮栏、开关的罩盖等;临时性屏护装置,如检修工作中使用的临时屏护装置和临时设备的屏护装置;固定屏护装置,如母线的护网;移动屏护装置,如跟随天车移动的天车滑线的屏护装置等。

使用屏护装置时,还应注意以下:

(1)屏护装置应与带电体之间保持足够的安全距离。

(2)被屏护的带电部分应有明显标志,标明规定的符号或涂上规定的颜色。

遮栏、栅栏等屏护装置上应有明显的标志,如根据被屏护对象挂上“止步,高压危险!”“禁止攀登,高压危险!”等标示牌,必要时还应上锁。标示牌只应由担负安全责任的人员进行布置和撤除。

(3)遮栏出入口的门上应根据需要装锁,或采用信号装置、联锁装置。前者一般是用灯光或仪表指示有电;后者是采用专门装置,当人体超过屏护装置而可能接近带电体时,被屏护的带电体将会自动断电。

C.2.3 漏电保护器

漏电保护器是一种在规定条件下电路中漏(触)电流(mA)值达到或超过其规定值时能自动断开电路或发出报警的装置。

漏电是指电器绝缘损坏或其他原因造成导电部分碰壳时,如果电器的金属外壳是接地的,那么电就由电器的金属外壳经大地构成通路,从而形成电流,即漏电电流,也叫作接地电流。当漏电电流超过允许值时,漏电保护器能够自动切断电源或报警,以保证人身安全。

漏电保护器动作灵敏,切断电源时间短,因此只要能够合理选用和正确安装、使用漏电保护器,除了保护人身安全以外,还有防止电气设备损坏及预防火灾的作用。

必须安装漏电保护器的设备和场所:

(1)属于Ⅰ类的移动式电气设备及手持式电气工具;

(2)安装在潮湿、强腐蚀性等恶劣环境场所的电器设备;

(3)建筑施工工地的电气施工机械设备,如打桩机、搅拌机等;

(4)临时用电的电器设备;

(5)宾馆、饭店及招待所客房内及机关、学校、企业、住宅等建筑物内的插座回路;

(6)游泳池、喷水池、浴池的水中照明设备;

(7)安装在水中的供电线路和设备;

(8)医院在直接接触人体的电气医用设备;

(9)其他需要安装漏电保护器的场所。

漏电保护器的安装、检查等应由专业电工负责进行。对电工应进行有关漏电保护器知识的培训、考核。内容包括漏电保护器的原理、结构、性能、安装使用要求、检查测试方法、安全管理等。

C.2.4 安全电压

把可能加在人身上的电压限制在某一范围之内，使得在这种电压下，通过人体的电流不超过允许的范围。这种电压就叫作安全电压，也叫作安全特低电压。但应注意，任何情况下都不能把安全电压理解为绝对没有危险的电压。具有安全电压的设备属于Ⅲ设备。

我国确定的安全电压标准是42 V、36 V、24 V、12 V、6 V。特别危险环境中使用的手持电动工具应采用42 V安全电压；有电击危险环境中，使用的手持式照明灯和局部照明灯应采用36 V或24 V安全电压；金属容器内、特别潮湿处等特别危险环境中使用的手持式照明灯应采用12 V安全电压；在水下作业等场所工作应使用6 V安全电压。

当电气设备采用超过24 V的安全电压时，必须采取防止直接接触带电体的保护措施。

C.2.5 安全间距

安全间距是指在带电体与地面之间、带电体与其他设施、设备之间、带电体与带电体之间保持的一定安全距离，简称间距。设置安全间距的目的是：防止人体触及或接近带电体造成触电事故；防止车辆或其他物体碰撞或过分接近带电体造成事故；防止电气短路事故、过电压放电和火灾事故；便于操作。安全间距的大小取决于电压高低、设备类型、安装方式等因素。

C.2.6 接零与接地

在工厂里，使用的电气设备很多。为了防止触电，通常可采用绝缘、隔离等技术措施以保障用电安全。但工人在生产过程中经常接触的是电气设备不带电的外壳或与其连接的金属体。这样当设备万一发生漏电故障时，平时不带电的外壳就带电，并与大地之间存在电压，就会使操作人员触电。这种意外的触电是非常危险的。为了解决这个不安全的问题，采取的主要的安全措施，就是对电气设备的外壳进行保护接地或保护接零，见图C-1。

1. 保护接零

将电气设备在正常情况下不带电的金属外壳与变压器中性点引出的工作零线或保护零线相连接，这种方式称为保护接零。当某相带电部分碰触电气设备的金属外壳时，通过设备外壳形成该相线对零线的单相短路回路，该短路电流较大，足以保证在最短的时间内使熔丝熔断、保护装置或自动开关跳闸，从而切断电流，保障了人身安全。保护接零的应用范围，主要是用于三相四线制中性点直接接地供电系统中的电气设备。在工厂里也就是用于380/220 V的低压设备上。

在中性点直接接地的低压配电系统中，为确保保护接零方式的安全可靠，防止零线断线所造成的危害，系统中除了工作接地外，还必须在整个零线的其他部位再进行必要的接地。这种接地称为重复接地。

2. 保护接地

保护接地是指将电气设备平时不带电的金属外壳用专门设置的接地装置实行良好的

金属性连接。保护接地的作用是当设备金属外壳意外带电时，将其对地电压限制在规定的安全范围内，消除或减小触电的危险。保护接地最常用于低压不接地配电网中的电气设备。

3. 重复接地

重复接地是指在采用接零保护系统中，将零线的一处或多处通过接地装置与大地做再次连接成为重复接地。是确保接零保护安全、可靠的重要措施。重复接地是指在采用接零保护系统中，将零线的一处或多处通过接地装置与大地做再次连接成为重复接地，是确保接零保护安全、可靠的重要措施。

4. 工作接地

现在广泛使用的三相四线制供电系统，配电变压器的中性点一般是直接 接地的，这种接地叫工作接地。工作接地的作用是保持系统电位的稳定性，即减轻低压系统由高压窜入低压系统所产生过电压的危险性。如没有工作接地则当 10 kV 的高压窜入低压时，低压系统的对地电压上升为 5 800 V 左右。

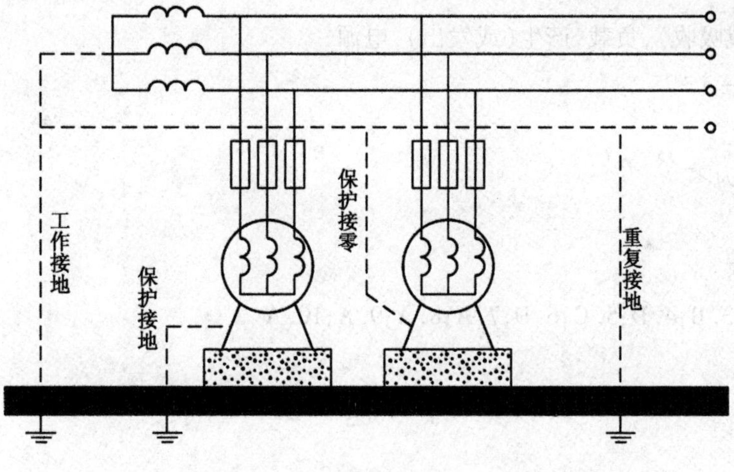

图 C－1　保护接地、工作接地、重复接地及保护接零示意图

习题答案

习 题 1

一、填空题

1. 电流
2. 电流,正电荷
3. 电压
4. 关联参考,非关联参考
5. 相反
6. 消耗(或吸收),负载,产生(或发出),电源
7. $n-1$,$b-n+1$
8. 相等
9. 代数和为零
10. 电压

二、选择题

1. C;2. C;3. B;4. D;5. C;6. D;7. A;8. A;9. A;10. A

习 题 2

一、填空题

1. 电阻,电容,电感
2. 电压源,电流源
3. 电压代数和,其中之一
4. 所有电流源的电流,其中之一
5. 该理想电压源,该理想电流源
6. 伏安特性(VCR)
7. 电压,电流值,电流,电压
8. 无源,电源,控制量
9. 3
10. 20,1

二、选择题

1. C;2. D;3. C;4. B;5. B;6. B;7. B;8. B;9. A;10. C

习　题　3

一、填空题

1. 回路,结点

2. KCL,KVL,支路电流

3. 回路,假想,回路,KVL

4. 结点,客观存在,结点,KCL,欧姆

5. 网孔

6. 已知网孔电流

7. 已知节点电压

8. *b*

9. 4

10. 20 V

二、选择题

1. D;2. B;3. C;4. C;5. B;6. B;7. C;8. AC;9. B;10. A

习　题　4

一、填空题

1. 线性,单独作用

2. 短路,开路

3. 电流,电压、电功率

4. 戴维南定理,诺顿定理

5. 2,8

6. 20,5

7. 负载电阻等于等效电源内电阻、获得最大

8. 3

9. 15

10. 2

二、选择题

1. C;2. A;3. C;4. D;5. B;6. D;7. B;8. B;9. D;10. C

习 题 5

一、填空题

1. 稳,稳

2. 一

3. 含有动态元件,发生换路

4. 换路

5. $i_L(0_+)=i_L(0_-)$,$u_C(0_+)=u_C(0_-)$

6. 时间常数,快

7. 初始值,稳态值,时间常数

8. 短路;开路

9. RC,L/R,结构, 电路参数

10. 短;

二、选择题

1. D;2. B;3. C;4. B;5. C;6. B;7. A;8. A;9. B;10. A

习 题 6

一、填空题

1. 40,2π, $-30°$,1 s

2. $\dot{U}=5\angle -120°$

3. $i=6\sin(\omega t+45°)$

4. 400 Ω,50

5. 1.06×10^{-4}

6. $u=30\sqrt{2}\sin(\omega t+105°)$

7. 7.07

8. $(80+j40)$ Ω

9. 5,5

二、选择题

1. C;2. D;3. A;4. C;5. A;6. B;7. B;8. A;9. A

习 题 7

一、填空题

1. 振幅,频率,相位

2. 0

3. 相序,正序

4. 三角形

5. 相电压,线电压

6. 线电压,相电压

7. 线电流,相电流

8. 对称三相负载,对称三相

9. 星形,三角形

10. 5 280,3 960,6 600

二、选择题

1. A;2. A;3. A;4. A;5. B;6. C;7. A;8. C;9. A;10. A

习 题 8

一、填空题

1. 周期信号,非周期的

2. 非正弦

3. 同频率,非正弦周期

4. 幅度频谱,相位频谱

5. (1) $b_n=0$, (2) $a_n=0$, (3) $a_{2k}=b_{2k}=0, I_1=\frac{I_{1m}}{\sqrt{2}}, I_2=\frac{I_{2m}}{\sqrt{2}}, \cdots, I_n=\frac{I_{nm}}{\sqrt{2}}$

7. 瞬时功率

8. 相量法, $X_{L(n)}=\omega_n L=n\omega_1 L \qquad X_{C(n)}=\frac{1}{\omega_n C}=\frac{1}{n\omega_1 C}$

9. 越快, $P=78.5$ W

二、选择题

1. B;2. A;3. A;4. C;5. A;6. A;7. B;8. B

习 题 9

一、填空题

1. U_1, I_1, U_2, I_2

2. 6, Z, Y, A, H

3. 3,2

4. π, T

5. $\begin{bmatrix} Y & -Y \\ -Y & Y \end{bmatrix}$, $\begin{bmatrix} Z & Z \\ Z & Z \end{bmatrix}$

二、选择题

1. A;2. B;3. B;4. C;5. D;6. A;7. B;8. C;9. B;10. B

习 题 10

一、填空

1. 伏安特性曲线

2. −1

3. 略

4. 当 $i_S = 4$ mA 时,有三个工作点 $u = 0.1$ V, $u = 0.35$ V, $u = 0.7$ V; $i_S = 1$ mA 时,有一个工作点 $u = 0.05$ V; $i_S = -2$ mA 时,无工作点

5. 略

6. 是,不是

7. 线性化

8. 之和,之和

二、选择题

1. C;2. B;3. C;4. B;5. B;6. BAC;7. BA;8. A

参 考 文 献

[1] 邱关源. 电路[M]. 4 版. 北京:高等教育出版社,1999.

[2] 李翰逊. 电路分析[M]. 北京:高等教育出版社. 2002.

[3] 周守昌. 电路原理[M]. 北京:高等教育出版社,2004.

[4] 陈崇源. 高等电路[M]. 北京:武汉大学出版社,2000.

[5] 汪建. 电路原理[M]. 北京:华中科技大学出版社,2008.

[6] 夏承铨. 电路分析[M]. 北京:武汉理工大学出版社,2006.

[7] 贺洪江. 电路基础[M]. 北京:高等教育出版社,2011.

[8] 梁贵书. 电路理论基础[M]. 北京:中国电力出版社,2009.